UMA SEGUNDA CHANCE

Obras da autora publicadas pela Editora Record:

Série Slammed
Métrica
Pausa
Essa garota

Série Hopeless
Um caso perdido
Sem esperança
Em busca de Cinderela

Série Nunca, jamais
Nunca, jamais
Nunca, jamais: parte 2
Nunca, jamais: parte 3

Série Talvez
Talvez um dia
Talvez agora

Série É Assim que Acaba
É assim que acaba
É assim que começa

O lado feio do amor
Novembro, 9
Confesse
Tarde demais
As mil partes do meu coração
Todas as suas (im)perfeições
Verity
Se não fosse você
Layla
Até o verão terminar
Uma segunda chance

COLLEEN HOOVER

UMA SEGUNDA CHANCE

(REMINDERS OF HIM)

Tradução
Priscila Catão

17ª edição

— Galera —

RIO DE JANEIRO

2025

PREPARAÇÃO
Isabel Rodrigues

REVISÃO
Mauro Borges

DIAGRAMAÇÃO
Abreu's System

TÍTULO ORIGINAL
Reminders of him

CIP-BRASIL. CATALOGAÇÃO NA PUBLICAÇÃO
SINDICATO NACIONAL DOS EDITORES DE LIVROS, RJ

H759s
    Hoover, Colleen, 1979-
      Uma segunda chance / Colleen Hoover ; tradução Priscila Catão.
– 17. ed. – Rio de Janeiro : Galera Record, 2025.

      Tradução de: Reminders of him
      ISBN 978-65-5981-129-8

      1. Romance americano. I. Catão, Priscila. II. Título.

22-76612
                           CDD: 813
                           CDU: 82-31(73)

Meri Gleice Rodrigues de Souza – Bibliotecária – CRB-7/6439

Copyright © 2022 by Colleen Hoover

Todos os direitos reservados.
Proibida a reprodução, no todo ou em parte, através de quaisquer meios.
Os direitos morais da autora foram assegurados.

Texto revisado segundo o novo Acordo Ortográfico da Língua Portuguesa.

Direitos exclusivos de publicação em língua portuguesa somente
para o Brasil adquiridos pela
EDITORA GALERA RECORD LTDA.
Rua Argentina, 120 – Rio de Janeiro, RJ – 20921-380 – Tel.: (21) 2585-2000,
que se reserva a propriedade literária desta tradução.

Impresso no Brasil

ISBN 978-65-5981-129-8

Seja um leitor preferencial Record.
Cadastre-se e receba informações sobre nossos
lançamentos e nossas promoções.

Atendimento e venda direta ao leitor:
sac@record.com.br

Este livro é dedicado a Tasara.

CAPÍTULO UM

Kenna

Há uma pequena cruz de madeira fincada à beira da estrada, com a data da morte dele inscrita.

Scotty odiaria isso. Aposto que foi a mãe dele que a deixou aqui.

— Pode parar o carro?

O motorista desacelera e para o táxi. Saio e vou até o local onde está fincada a cruz. Balanço-a de um lado para o outro até a terra ao redor ficar mais maleável, depois a retiro do chão.

Será que ele morreu exatamente aqui? Ou será que foi na pista?

Não prestei atenção aos detalhes durante as fases iniciais do processo. Quando ouvi que ele tinha se arrastado para longe do carro por vários metros, comecei a cantarolar para não ouvir mais nada que o promotor fosse dizer. Depois, para não me sujeitar aos detalhes se o caso fosse a julgamento, me declarei culpada.

Porque, tecnicamente, eu era.

Posso não tê-lo matado com minhas ações, mas certamente o matei com minha falta de atitude.

Achei que você estivesse morto, Scotty. Mas pessoas mortas não se arrastam.

Volto para o táxi com a cruz na mão. Ponho-a no banco de trás, ao meu lado, e fico esperando o motorista retornar à pista, mas ele não retorna. Olho-o pelo espelho retrovisor, e ele está me encarando de sobrancelha erguida.

— Roubar uma homenagem de beira de estrada deve atrair algum tipo de carma. Tem certeza de que quer levar isso aí?

Desvio o olhar e dou uma desculpa.

— Tenho. Fui eu que a coloquei ali.

Ainda sinto seu olhar me encarando enquanto ele volta para a pista.

Meu novo apartamento fica a apenas três quilômetros daqui, mas na direção oposta de onde eu morava antes. Não tenho carro, então decidi encontrar um lugar mais perto do centro desta vez para poder ir a pé até o trabalho — se é que vou conseguir um trabalho. Com meu passado e minha falta de experiência, vai ser difícil. E, de acordo com o taxista, o carma que devo estar carregando neste exato momento também não vai ajudar.

Roubar a homenagem a Scotty pode até me trazer um carma, mas alguém poderia argumentar que deixar uma homenagem para um rapaz que expressava verbalmente seu ódio por homenagens de beira de estrada também pode ter o mesmo efeito. Foi por isso que pedi ao motorista que fizesse um desvio por esta estrada secundária. Eu sabia que Grace devia ter deixado alguma coisa no local do acidente, e senti que devia a Scotty a remoção disso.

— Vai pagar no dinheiro ou no cartão? — pergunta o taxista.

Olho o taxímetro, tiro dinheiro e uns trocados da bolsa e lhe entrego depois que ele para. Então pego minha mala e a cruz de madeira que acabei de roubar, saio do táxi e caminho até o prédio.

Meu apartamento novo não fica em um condomínio. É só um prédio isolado com um estacionamento abandonado de um lado e uma loja de conveniências do outro. Uma janela do térreo está coberta por madeira de compensado. Tem latas de cerveja em vários níveis de decomposição sujando a propriedade. Chuto uma delas para que não fique presa nas rodinhas da minha mala.

O lugar parece ainda pior do que no anúncio on-line, mas era mais ou menos o que eu esperava. A proprietária nem mesmo perguntou meu nome quando liguei para saber se tinha algum apartamento disponível. Ela só disse: "Sempre temos. Traga dinheiro em espécie; estou no apartamento um." Depois desligou.

Bato à porta do apartamento um, onde um gato me encara da janela. Ele está tão parado que me pergunto se não é uma estátua, mas depois ele pisca e se afasta de mansinho.

A porta se abre, e uma senhora baixinha me encara com uma aparência ranzinza. Está com bobes no cabelo e com uma mancha de batom que vai da boca até o nariz.

— Não quero comprar nada.

Encaro o batom manchado, percebendo a forma como ele se infiltra nas rugas ao redor da boca.

— Liguei na semana passada para saber do apartamento. A senhora disse que tinha um disponível.

A ficha cai no rosto de ameixa seca da senhora. Ela faz um *hum* enquanto me fita dos pés à cabeça.

— Não achava que você fosse assim.

Não sei como interpretar seu comentário. Desço os olhos para minha calça jeans e minha camiseta enquanto ela se afasta da porta por alguns segundos. Ela volta com um nécessaire.

— 550 dólares por mês. Os aluguéis do primeiro e do último mês devem ser pagos hoje.

Conto o dinheiro e lhe entrego.

— Não tem contrato?

Ela dá uma risada, enfiando o dinheiro no nécessaire.

— Você vai ficar no apartamento seis. — Ela aponta o dedo para o alto. — Fica bem em cima do meu, então não faça barulho, porque eu durmo cedo.

9

— O que o aluguel inclui?

— Água e coleta de lixo, mas a conta de luz é por sua conta. A energia elétrica está ativa, você tem três dias para colocar a conta no seu nome. A taxa de energia custa 250 dólares.

Merda. Três dias para arranjar 250 dólares? Estou começando a questionar minha decisão de voltar tão rápido, mas, quando fui liberada da moradia provisória, eu só tinha duas escolhas: gastar todo o meu dinheiro tentando sobreviver naquela cidade ou me deslocar quinhentos quilômetros e gastar todo o meu dinheiro nesta aqui.

Prefiro ficar na cidade onde moram todas as pessoas que eram ligadas a Scotty.

A mulher recua um passo, entrando no próprio apartamento.

— Seja bem-vinda ao Paradise Apartments. Depois que se acomodar, te levo um gatinho.

Imediatamente coloco uma mão em sua porta, impedindo-a de fechá-la.

— Espera aí. Como é? Um gatinho?

— É, um *gatinho.* Tipo um gato, só que menor.

Me afasto da porta como se de alguma maneira o gesto fosse me proteger do que ela acabou de dizer.

— Não, obrigada. Não quero nenhum gatinho.

— Tem gatinhos de sobra aqui.

— Não quero nenhum gatinho — repito.

— Quem é que não gostaria de um gatinho?

— *Eu.*

Ela bufa, como se minha resposta fosse totalmente absurda.

— Vamos combinar o seguinte — diz ela. — Deixo a eletricidade do apartamento ativa por duas semanas se você pegar um gatinho. — *Que diabos de lugar é este?* — Tá bom — diz ela, reagindo ao meu silêncio como se ele fosse uma espécie de tática

10

de negociação. — *Um mês*. Deixo a eletricidade ativa pelo mês inteiro se você ficar com um gatinho.

Ela entra no apartamento, mas deixa a porta entreaberta.

Não quero um gatinho de jeito nenhum, mas, em troca de não precisar pagar 250 dólares à companhia elétrica neste mês, eu toparia ficar com muitos gatinhos.

Ela reaparece com uma gatinha malhada, a pelagem preta e laranja, e a põe nas minhas mãos.

— Tome aqui. Meu nome é Ruth, caso precise de alguma coisa, mas tente não precisar de nada.

Ela começa a fechar a porta outra vez.

— Espera. Pode me dizer onde tem um orelhão?

Ela dá uma risadinha.

— Posso. Lá em 2005.

Então ela fecha a porta completamente.

A gatinha mia, mas não é um miado afetuoso. Parece mais um pedido de ajuda.

— Pois é, eu te entendo — murmuro.

Vou até a escada com minha mala e minha... gatinha. Talvez eu devesse ter esperado mais alguns meses antes de voltar para cá. Trabalhei até juntar pouco mais de dois mil dólares, mas gastei a maior parte disso com a mudança. Deveria ter juntado mais. E se eu não encontrar um emprego logo? E agora ainda tenho a responsabilidade de manter uma gatinha viva.

Minha vida acabou de se tornar dez vezes mais difícil do que era ontem.

Subo até o apartamento com a gatinha agarrada à minha camiseta. Ponho a chave na fechadura e preciso usar as duas mãos para puxar a porta e fazer a chave girar. Quando abro a porta do meu novo apartamento, prendo a respiração, com medo do cheiro que estou prestes a sentir.

Acendo a luz e dou uma olhada ao redor, expirando lentamente. Não tem muito cheiro. O que é bom e ruim ao mesmo tempo.

Tem um sofá na sala de estar, mas é praticamente só isso. Uma sala de estar pequena, uma cozinha menor ainda, sem sala de jantar. Sem quarto. É uma quitinete com armário e com um banheiro tão pequeno que a privada encosta na banheira.

O apartamento é uma merda. Um muquifo de 45m², mas, para mim, já é um progresso. Depois de dividir uma cela de 10m² com outra pessoa, de viver numa moradia provisória com mais seis pessoas, tenho um apartamento inteiro de 45m² para chamar de meu.

Tenho 26 anos, e essa é a primeira vez que moro oficialmente sozinha em algum lugar... o que é, ao mesmo tempo, apavorante e libertador.

Não sei se vou conseguir pagar o aluguel daqui no fim do mês, mas vou tentar. Mesmo que isso signifique tentar arranjar emprego em todos os estabelecimentos comerciais que aparecerem na minha frente.

Ter meu próprio apartamento vai me ajudar quando eu for me explicar para os Landry. Vai mostrar que agora sou independente. Mesmo que essa independência seja difícil.

A gatinha quer descer, então a ponho no chão da sala. Ela anda pelos cantos, chamando quem quer que ela tenha deixado lá embaixo. Sinto um aperto no peito quando a vejo procurar alguma saída nos cantos do apartamento. Uma saída que a leve para sua casa. Para sua mãe e seus irmãos.

Ela parece um zangão ou algum tipo de fantasia de Halloween, com suas listras pretas e laranja.

— Que nome vamos te dar, hein?

Sei que é bem provável que ela passe alguns dias sem nome enquanto penso no assunto. Levo muito a sério a responsabilidade de dar nomes às coisas. Da última vez que estive encarregada de escolher o nome de alguém, foi a coisa que mais levei a sério na vida. Talvez porque, durante todo o tempo que passei sentada na minha cela durante a gravidez, eu não tinha nada para fazer além de pensar em nomes de bebês.

Escolhi o nome Diem porque, assim que me soltaram, eu sabia que voltaria até aqui e faria tudo o que pudesse para encontrá-la.

E cá estou eu.

Carpe Diem.

CAPÍTULO DOIS

LEDGER

Estou estacionando a picape no beco atrás do bar quando percebo que ainda tem esmalte nas unhas da minha mão direita. *Merda*. Esqueci que brinquei de salão de beleza com uma menina de quatro anos ontem à noite.

Pelo menos o roxo combina com o uniforme do trabalho.

Roman está jogando os sacos de lixo na caçamba quando saio do carro. Ele vê a sacola de presente na minha mão e deduz que é para ele, então estende o braço.

— Deixa eu adivinhar. Uma caneca de café?

Ele dá uma olhada dentro da sacola.

É uma caneca de café. Sempre é.

Ele não agradece. Ele nunca agradece.

Não mencionamos a sobriedade que as canecas simbolizam, mas compro uma para ele todas as sextas. É a nonagésima sexta caneca que lhe dou.

Talvez eu devesse parar, pois o apartamento dele está entulhado delas, mas já investi demais nessa história para desistir a essa altura do campeonato. Ele está sóbrio há quase cem semanas, e já faz um tempo que estou guardando a centésima caneca — um marco. É uma do Denver Broncos, o time de que ele menos gosta.

Roman gesticula na direção dos fundos do bar.

— Tem um casal lá dentro incomodando os outros clientes. É melhor ficar de olho neles.

Que estranho. Normalmente não precisamos lidar com pessoas descontroladas tão cedo assim. Não são nem 18h ainda.

— Onde eles estão sentados?

— Ao lado da jukebox. — Seus olhos se voltam para a minha mão. — Que unhas lindas, cara.

— Né? — Ergo a mão e balanço os dedos. — Para uma menina de quatro anos, ela mandou bem.

Abro a porta dos fundos do bar e me deparo com o som irritante da minha música preferida sendo assassinada por Ugly Kid Joe nos alto-falantes.

Não é possível.

Passo pela cozinha, entro no bar e avisto os dois na mesma hora. Estão encurvados sobre a jukebox. Me aproximo depressa e vejo que a mulher está apertando os mesmos quatro números sem parar. Olho a tela por cima dos ombros deles enquanto ambos riem como duas crianças travessas. Eles puseram "Cat's in the Cradle" para tocar 36 vezes seguidas.

Pigarreio.

— Vocês acham isso engraçado? Acham engraçado me obrigar a ouvir a mesma música pelas próximas seis horas?

Meu pai se vira ao ouvir minha voz.

— Ledger!

Ele me puxa para um abraço. Está com cheiro de cerveja e de óleo de carro. E de limão, talvez? *Eles estão bêbados?*

Minha mãe se afasta da jukebox.

— Estamos tentando consertar. Não fomos nós que fizemos isso.

— É óbvio que não.

Puxo-a para abraçá-la.

Os dois nunca avisam quando vão me visitar. Eles simplesmente aparecem, ficam um, dois ou três dias e depois vão embora no trailer.

Mas isso de os dois chegarem bêbados é novidade. Olho por cima do ombro, e agora Roman está atrás do balcão. Aponto para os meus pais.

— Foi você quem fez isso com eles, ou eles já chegaram assim?

Roman dá de ombros.

— Um pouco das duas coisas.

— Estamos comemorando nossas bodas — diz minha mãe.

— Espero que não tenham dirigido até aqui.

— Não dirigimos — diz meu pai. — Nosso carro está com o trailer na oficina para uma revisão de rotina, então viemos de Uber. — Ele dá um tapinha na minha bochecha. — A gente queria te ver, mas ficamos duas horas esperando você aparecer, e agora vamos embora, porque estamos morrendo de fome.

— É por isso que é melhor vocês me avisarem antes de virem pra cá. Eu tenho meus compromissos.

— Você se lembrou das nossas bodas? — pergunta meu pai.

— Esqueci. Desculpe.

— Bem que eu falei — diz ele para minha mãe. — Passa a grana, Robin.

Minha mãe põe a mão no bolso e lhe entrega uma nota de dez dólares.

Eles fazem apostas para tudo. Minha vida amorosa. As datas comemorativas que vou lembrar. Todas as partidas de futebol americano que já joguei. Mas tenho quase certeza de que eles estão apenas passando, há muitos anos, a mesma nota de dez dólares um para o outro.

Meu pai ergue o copo vazio e o balança.

— Barman, traz mais uma aqui pra gente.

Pego o copo.

— Que tal água gelada?

Deixo os dois perto da jukebox e vou para trás do balcão.

Estou servindo água em dois copos quando uma garota entra no bar parecendo um tanto perdida. Ela dá uma olhada no local como se fosse sua primeira vez aqui, e, ao perceber um lugar vazio na outra ponta do balcão, caminha diretamente até ele.

Encaro-a o tempo todo enquanto ela atravessa o bar. Encaro-a tão concentrado que acabo acidentalmente enchendo demais os copos, fazendo água se esparramar por toda a parte. Pego um pano de prato e seco a bagunça que fiz. Quando me viro para minha mãe, ela está olhando para a garota. Depois para mim. Depois para a garota novamente.

Merda. A última coisa que eu quero é que ela tente me arranjar com uma cliente. Ela já adora dar uma de cupido quando está sóbria, então nem imagino o quanto essa sua tendência não deve piorar depois de alguns drinques. Preciso tirar os dois daqui.

Levo os copos de água até eles e entrego meu cartão de crédito para minha mãe.

— Vocês dois deveriam ir jantar no Jake's Steakhouse. É por minha conta. Vão a pé, assim o efeito da bebida passa no caminho.

— Você é tão bonzinho. — Ela põe a mão no peito dramaticamente e desvia o olhar para o meu pai. — Benji, nós o criamos tão bem. Vamos comemorar isso com o cartão de crédito dele.

— Pois é, nós o criamos bem mesmo — diz meu pai, concordando. — Deveríamos ter mais filhos.

— Menopausa, querido. Lembra quando passei um ano inteiro te odiando?

Minha mãe pega a bolsa, e os dois levam consigo os copos de água ao dirigirem-se à saída.

— Já que ele vai pagar, vamos pedir filé de costela — murmura meu pai enquanto ambos se afastam.

Dou um suspiro de alívio e volto ao balcão. A garota está sentada em silêncio no canto, escrevendo algo em um caderno.

Roman não está atrás do balcão, então imagino que ninguém tenha anotado o pedido dela ainda.

Eu me voluntario alegremente como tributo.

— O que deseja? — pergunto a ela.

— Uma água e uma Coca Diet, por favor. — Ela não me olha, então me afasto para trazer o pedido. Ela ainda está escrevendo no caderno quando volto com as bebidas. Tento dar uma olhada no que ela está escrevendo, mas ela fecha o caderno e ergue os olhos. — Obriga...

Ela para no meio do que imagino que seja uma tentativa de dizer *obrigada*. Murmura a sílaba *da* e põe o canudo na boca.

Ela parece nervosa.

Quero lhe fazer algumas perguntas, como qual é seu nome e de onde ela é, mas ao longo dos anos como dono daqui fui aprendendo que perguntas para pessoas sozinhas num bar se transformam rapidamente em conversas impossíveis de conseguir cair fora.

No entanto, a maioria das pessoas que entra aqui não chama minha atenção como ela chamou. Gesticulo para seus dois copos e digo:

— Está esperando alguém?

Ela puxa os copos para perto de si.

— Não. Estou só com sede mesmo.

Ela desvia o olhar e se encosta no banco, aproximando-se do caderno e dedicando ao objeto plena concentração.

Entendo a indireta. Vou até a outra ponta do balcão para lhe dar privacidade.

Roman volta da cozinha e aponta a cabeça na direção da garota.

— Quem é ela?

— Sei lá, mas não está usando aliança, então não faz seu tipo.

— Palhaço.

CAPÍTULO TRÊS

KENNA

Querido Scotty,

A antiga livraria foi transformada em um bar. Dá pra acreditar nessa merda?

O que será que fizeram com o sofá onde a gente se sentava todos os domingos?

Juro que é como se a cidade inteira fosse um grande tabuleiro de Banco Imobiliário e que, depois que você morreu, alguém chegou, ergueu o tabuleiro e mudou todas as peças de lugar.

Nada mais é o mesmo. Tudo me parece estranho. Passei as últimas duas horas dando uma volta pelo centro, tentando absorver tudo. Estava a caminho do mercado quando me distraí com o banco em que a gente costumava tomar sorvete. Eu me sentei e fiquei observando as pessoas por um tempinho.

Todos parecem tão despreocupados nesta cidade. As pessoas daqui andam por aí como se o mundo delas não estivesse invertido — como se não estivessem prestes a cair da calçada e bater no céu. Elas apenas vão de um instante a outro, sem nem perceber as mães andando pelos cantos sem as próprias filhas.

Acho que eu não deveria estar num bar, especialmente na minha primeira noite de volta aqui. Não que eu tenha algum problema com álcool — aquela noite terrível foi uma exceção. Mas a última coisa que seus pais precisam saber é que parei num bar antes de passar na casa deles.

Mas achei que aqui ainda fosse a livraria, e livrarias costumam ter café. Fiquei bem decepcionada quando entrei, pois tive um dia longo com a viagem de ônibus até aqui e depois o táxi. Eu estava a fim de mais cafeína do que vou conseguir em um refrigerante diet.

Talvez tenha café aqui no bar. Ainda não perguntei.

Eu provavelmente não deveria te contar isso, e prometo que a história vai fazer sentido antes de eu terminar a carta, mas uma vez beijei um agente penitenciário.

Fomos pegos no flagra, e ele foi transferido para outra prisão. Fiquei me sentindo culpada por ele ter se encrencado por causa do nosso beijo. Mas ele conversava comigo como se eu fosse uma pessoa, não um número, e, apesar de não sentir atração por ele, eu sabia que ele sentia atração por mim. Então, quando ele se aproximou para me beijar, retribuí. Foi minha forma de agradecer, e acho que ele sabia disso e aceitava. Fazia dois anos desde a última vez que você tinha me tocado, então quando ele me pressionou na parede e agarrou minha cintura, achei que sentiria algo mais intenso.

Fiquei triste quando não senti nada.

Estou te contando isso porque ele tinha gosto de café, mas um café melhor do que aquele servido na prisão. Ele tinha gosto daquele café caro de oito dólares do Starbucks, com caramelo, chantilly e cereja. Foi por isso que não interrompi o beijo. Não porque estava gostando do beijo em si, nem dele, nem da mão dele na minha cintura, mas porque estava sentindo falta de tomar café de gosto caro.

E de você. Sinto falta de café caro e de você.

Com amor,
Kenna.

— Quer mais um refrigerante? — pergunta o barman.

Suas tatuagens deslizam até entrarem por baixo das mangas de sua camiseta, que é de um tom roxo-escuro, uma cor que não se vê tanto na prisão.

Só quando eu estava lá que pensei nisso pela primeira vez, mas a prisão é sem cor e sem graça, e, depois de um tempo, a pessoa começa a se esquecer da aparência das árvores no outono.

— Vocês têm café? — pergunto.

— Temos, sim. Quer com creme e açúcar?

— Tem caramelo? E chantilly?

Ele joga o pano de prato por cima do ombro.

— Lógico! Quer leite de soja, desnatado, de amêndoas ou integral?

— Integral.

O barman dá uma risada.

— Eu estava brincando. Aqui é um bar; tem o café que foi preparado quatro horas atrás, e você pode escolher entre açúcar, creme, os dois ou nenhum dos dois.

A cor da camisa dele e a maneira como ela complementa o tom de sua pele já não me impressionam mais. *Babaca*.

— Pode trazer o que tiver — murmuro.

O barman se afasta para pegar meu café básico da prisão. Fico observando enquanto ele tira a jarra da cafeteira e a aproxima do nariz para cheirá-la. Ele faz uma careta e derrama a bebida na pia. Abre a torneira enquanto enche de cerveja o copo de um cara enquanto prepara uma nova jarra de café enquanto fecha a conta de outra pessoa e enquanto sorri apenas o necessário, mas não demais.

Nunca vi alguém se mover com tanta fluidez, como se tivesse sete braços, três cérebros e todos funcionassem ao mesmo tempo. É hipnotizante observar alguém que é bom no que faz.

Não sei no que eu sou boa. Não sei se existe alguma coisa neste mundo que eu faria com tanta naturalidade.

Eu *quero* ser boa em algumas coisas. Quero ser uma boa mãe — para os filhos que eu tiver no futuro, mas principalmente para a minha filha que já nasceu. Quero ter um jardim onde eu possa plantar coisas. Coisas que vão desabrochar, e não morrer. Quero aprender a conversar com os outros sem ter vontade de desdizer toda palavra que sai da minha boca. Quero ser boa em sentir coisas quando um rapaz toca a minha cintura. Quero ser boa na vida. Quero que a vida pareça fácil, mas até o momento dificultei demais todos os aspectos dela.

O barman volta até mim quando o café fica pronto. Observo-o enquanto ele enche a caneca, e desta vez realmente assimilo sua aparência. Seu tipo de beleza deveria repelir uma garota que está tentando conseguir a guarda da filha: ele tem olhos que parecem já ter visto demais e mãos que provavelmente já bateram em um ou outro cara por aí.

O cabelo dele é fluido, assim como seus movimentos. Mechas longas e escuras alcançam seus olhos e se movem na mesma direção em que ele se move. Ele não toca no próprio cabelo; não fez isso nenhuma vez desde que me sentei aqui: ele apenas deixa as mechas o atrapalharem, mas balança a cabeça uma vez ou outra com o mais sutil dos movimentos, e então seu cabelo vai para onde ele quer. É um cabelo grosso, um cabelo agradável, um cabelo do tipo quero-minhas-mãos-no-seu-cabelo.

Agora minha caneca está cheia de café, mas ele ergue o dedo e diz:

— Um segundo. — Ele se vira, abre um frigobar e tira de lá uma caixa de leite integral. Serve um pouco na caneca. Guarda o leite, abre uma geladeira e... *surpresa*, chantilly. Ele estende o braço para trás e, quando sua mão reaparece, está segurando uma única cereja que é cuidadosamente colocada em cima da minha bebida. Ele desliza a caneca para perto de mim e abre os braços como se tivesse acabado de fazer um truque de mágica. — Não tem caramelo — diz ele. — Foi o melhor que deu para fazer em uma não cafeteria.

Provavelmente ele acha que acabou de preparar uma bebida metida a besta para uma patricinha acostumada a tomar cafés de oito dólares todos os dias. Não faz a mínima ideia de há quanto tempo não tomo um bom café. Mesmo nos meses em que passei na moradia provisória, eles serviam café da prisão para as moças da prisão que tinham passado um tempo na prisão.

Eu poderia até chorar.

E *realmente* choro.

Assim que ele volta sua atenção para uma pessoa do outro lado do bar, tomo um gole do café, fecho os olhos e choro, porque a vida pode ser cruel e difícil pra cacete, e quantas vezes já não quis deixar de vivê-la, mas momentos como este me lembram de que a felicidade não é aquele estado permanente que todos estamos tentando alcançar na vida — é apenas algo que aparece de tempos em tempos, às vezes em doses minúsculas que bastam para nos fazer seguir em frente.

CAPÍTULO QUATRO

LEDGER

Sei o que fazer quando uma criança chora, mas, quando é uma adulta, já é outra história. Fico o mais longe possível enquanto ela toma o café.

Não descobri muita coisa a seu respeito desde que ela chegou aqui uma hora atrás, mas tenho certeza de que ela não veio encontrar ninguém. Veio para ficar sozinha. Três homens tentaram puxar papo com ela na última hora, e ela ergueu a mão e os rejeitou sem fazer contato visual com nenhum deles.

Ela tomou o café em silêncio. Ainda são 19h, então talvez ela esteja apenas se preparando para as bebidas mais fortes. Eu meio que espero que não. Estou intrigado com a ideia de que ela veio até um bar para tomar bebidas que raramente servimos enquanto rejeita homens para os quais nem sequer olhou.

Roman e eu somos os únicos trabalhando aqui, até Mary Anne e Razi chegarem. O bar está começando a ficar mais movimentado agora, então não posso dar a ela a atenção que eu gostaria, ou seja, *toda* a minha atenção. Faço questão de me manter afastado o bastante para não dar a impressão de que estou invadindo demais seu espaço.

Assim que ela termina o café, sinto vontade de perguntar o que ela quer tomar em seguida, mas em vez disso a deixo ali com a caneca vazia por uns dez minutos. Talvez eu consiga aguentar até quinze antes de ir até ela.

Enquanto isso, apenas lanço olhares furtivos em sua direção. Seu rosto é uma obra de arte. Queria que houvesse um quadro dele na parede de algum museu, para que eu parasse em frente e o encarasse pelo tempo que quisesse. Em vez disso, consigo só dar uma espiada ou outra, admirando como as mesmas partes de um rosto que compõem todos os outros rostos do mundo simplesmente parecem se complementar melhor nela.

É raro as pessoas irem a um bar no início de uma noite de fim de semana vestindo-se de forma tão simples, mas ela não está toda produzida. Está vestindo uma camiseta desbotada com estampa da Mountain Dew e calça jeans, mas o verde da camiseta combina tão perfeitamente com o verde dos seus olhos que é como se ela tivesse se empenhado ao máximo para encontrar a cor perfeita de camiseta, mas tenho certeza de que ela nem sequer pensou nisso. Seu cabelo é castanho-avermelhado, a cor uniforme, potente, e o comprimento logo abaixo do queixo. Ela passa as mãos nele de vez em quando, e sempre que faz isso parece que está prestes a cair em prantos. Sinto vontade de dar a volta no balcão, erguê-la e abraçá-la.

Qual é a história dela?

Não quero saber.

Não preciso saber.

Não fico com nenhuma garota que conheço aqui no bar. Já descumpri essa regra duas vezes e paguei um preço alto por isso.

Além disso, ela tem algo de assustador. Não sei exatamente o que é, mas, quando converso com ela, parece que minha voz está presa dentro do meu peito. E não é como se ela me deixasse sem ar, é de uma maneira mais relevante, como se meu cérebro estivesse me dando um alerta para não interagir com ela.

Alerta vermelho! Perigo! Pare!

Mas por quê?

Fazemos contato visual quando vou pegar sua caneca. Ela não olhou para mais ninguém durante a noite, somente para mim. Eu deveria me sentir lisonjeado, mas, na verdade, isso me assustou.

Já fui jogador profissional de futebol americano e sou dono de um bar, mas estou com medo de olhar nos olhos de uma garota bonita. Eu deveria é colocar isso no meu perfil do Tinder: *Fui jogador dos Broncos. Sou dono de um bar. Morro de medo de contato visual.*

— Algo mais? — pergunto.

— Vinho. Branco.

É difícil achar um equilíbrio entre ser dono de bar e se manter sóbrio. Quero que todos fiquem sóbrios, mas, ao mesmo tempo, preciso de clientes. Sirvo a ela uma taça de vinho e a ponho na sua frente.

Fico perto dela, fingindo usar um pano de prato para enxugar os copos que estão secos desde ontem. Percebo o lento movimento da sua garganta enquanto ela encara a taça, quase como se não tivesse certeza se deveria beber. A fração de segundo de hesitação, ou talvez de arrependimento, já é o suficiente para que eu pense que talvez ela tenha problemas com álcool. Sempre consigo perceber quando as pessoas estão abrindo mão da sobriedade pela maneira como elas olham para o copo.

Beber só é uma atividade estressante para alcoólatras.

No entanto, ela não toma o vinho: pelo contrário, bebe o refrigerante em silêncio até a última gota. Estendo a mão para pegar o copo vazio no mesmo momento que ela.

Quando nossos dedos se encostam, sinto mais alguma coisa presa dentro do meu peito além da minha voz. Talvez sejam algumas batidas a mais do meu coração. Talvez seja um vulcão em erupção.

Seus dedos se afastam dos meus e ela põe as mãos no colo. Tiro o copo de refrigerante vazio de perto dela e também a taça cheia de vinho, e ela nem me olha para perguntar por que fiz isso. Em vez disso, ela suspira, como se talvez estivesse aliviada por eu ter levado o vinho. Por que o pediu, então?

Encho o copo de refrigerante outra vez e, quando ela não está olhando, derramo o vinho na pia e lavo a taça.

Ela fica tomando o refrigerante por um tempo, mas não volta mais o olhar na minha direção. Talvez eu a tenha chateado.

Roman percebe que estou encarando a moça. Ele apoia o cotovelo no balcão e diz:

— Divórcio ou morte?

Roman sempre gosta de adivinhar os motivos pelos quais as pessoas vêm para cá sozinhas e ficam parecendo deslocadas. Ela não parece estar aqui por causa de um divórcio. Quando é esse o caso, as mulheres costumam comemorar indo a bares com um grupo de amigas, usando faixas que dizem "Ex-Esposa".

Essa garota parece triste, mas não de uma maneira que indica luto.

— Acho que é divórcio — diz Roman.

Não respondo. Não me parece certo tentar adivinhar sua tragédia, pois espero que não seja divórcio, nem morte, nem um dia ruim. Eu desejo coisas boas a ela, porque a minha impressão é que nada de bom lhe acontece há muito, muito tempo.

Paro de encará-la enquanto vou atender os outros clientes. Faço isso para lhe dar privacidade, mas ela aproveita para deixar dinheiro no balcão e sair furtivamente.

Fico olhando o banco vazio e a nota de dez dólares por vários segundos. Ela foi embora e não sei seu nome, não conheço sua história e não sei se um dia a verei novamente, então aqui estou eu dando a volta no balcão, atravessando o bar depressa e indo até a porta por onde ela acabou de sair.

O céu está pegando fogo quando chego ao lado de fora. Protejo a vista, esquecendo o quanto a luz sempre é agressiva quando saio do bar antes de anoitecer.

Ela se vira bem na hora em que a vejo. Está a cerca de três metros de mim. Não precisa proteger os olhos porque o sol está logo atrás, contornando sua cabeça como se houvesse um halo acima dela.

— Deixei o dinheiro no balcão — diz ela.

— Eu sei.

Nós nos entreolhamos por um instante de silêncio. Não sei o que dizer. Fico apenas parado, como um bobo.

— Então o que foi?

— Nada — digo.

Mas imediatamente penso que gostaria de ter dito "*tudo*".

Ela me encara, e nunca faço isso, *não devia* fazer isso, mas sei que se a deixasse ir embora eu não conseguiria tirar da cabeça a garota triste que me deu uma gorjeta de dez dólares quando tenho a impressão de que ela não tem condições de me dar gorjeta nenhuma.

— Você devia voltar aqui às 23h.

Não lhe dou chance de negar nem de explicar por que não poderia vir. Volto para o bar, esperando que meu pedido a deixe curiosa o suficiente para voltar mais tarde.

CAPÍTULO CINCO

KENNA

Estou sentada num colchão inflável com minha gatinha sem nome, refletindo sobre todas as razões pelas quais não devo retornar àquele bar.

Não voltei para esta cidade para conhecer cara nenhum. Nem mesmo caras tão bonitos quanto aquele barman. Estou aqui pela minha filha, só isso.

Amanhã vai ser um dia importante. Amanhã preciso me sentir hercúlea, mas o barman, sem querer, fez com que eu me sentisse fraca quando levou minha taça de vinho. Não sei o que ele viu na minha expressão que o fez tirar o vinho de mim. Eu não ia beber. Pedi apenas para sentir um certo controle ao *não* tomá-lo. Queria olhá-lo e cheirá-lo e então deixá-lo de lado me sentindo mais forte do que quando me sentei.

Agora estou me sentindo transtornada porque ele viu a forma como olhei para o vinho mais cedo, e a maneira como ele levou embora a taça me faz pensar que ele acha que estou atualmente enfrentando algum problema com álcool.

Não tenho. Há anos não tomo nenhuma bebida alcoólica, porque uma noite de bebedeira somada a uma tragédia arruinaram os últimos cinco anos da minha vida, e os últimos cinco anos da minha vida me trouxeram de volta a esta cidade, e esta cidade me deixa angustiada, e a única coisa capaz de me acalmar é fazer coisas que me dão a sensação de que ainda estou no controle da minha vida e das minhas decisões.

Era por isso que eu queria rejeitar o vinho, cacete.

Agora não vou dormir bem. Não tenho nenhum motivo para me sentir realizada, pois ele fez com que eu me sentisse o completo oposto disso. Se eu quero dormir bem hoje, preciso rejeitar alguma outra coisa que eu queira.

Ou *alguém*.

Faz muito, muito tempo que não desejo ninguém... desde que conheci Scotty. Mas o barman era meio que gato e tinha um sorriso lindo e faz um café delicioso e já me convidou para voltar ao bar, então vai ser fácil ir até lá e rejeitá-lo.

Então vou dormir bem e me sentir preparada para acordar e enfrentar o dia mais importante da minha vida.

Queria poder levar minha gatinha nova. Sinto como se eu precisasse de uma parceira, mas ela está dormindo no travesseiro novo que comprei na loja mais cedo.

Não comprei muita coisa. O colchão inflável, dois travesseiros e lençóis, umas bolachas, queijo e um pouco de ração e areia para gato. Decidi que vou viver dois dias de cada vez nesta cidade. Antes de saber como vai ser o dia de amanhã, não adianta desperdiçar o dinheiro que poupei ao longo de seis meses de trabalho. Já estou com pouco, e é por isso que decido não chamar um táxi.

Saio do apartamento para ir ao bar a pé, mas desta vez não levo minha bolsa nem meu caderno. Preciso apenas da minha carteira de motorista e da chave do apartamento. É uma caminhada de 2,5km da casa até o bar, mas o tempo está ameno e o percurso é bem iluminado.

Fico ligeiramente preocupada com a possibilidade de alguém me reconhecer no bar, ou até mesmo no meio do trajeto, mas estou completamente diferente de como eu era cinco anos atrás.

Eu costumava me importar mais com minha aparência, mas cinco anos na prisão me fizeram ligar menos para tintas e apliques de cabelo, cílios postiços e unhas artificiais.

Não morei aqui por tempo o suficiente para fazer muitas amizades além de Scotty, então duvido que a maior parte das pessoas saiba quem sou. Tenho certeza de que muitas delas já ouviram falar de mim, mas é difícil ser reconhecida quando ninguém nem mesmo sente sua falta.

Talvez Patrick e Grace me reconhecessem caso me vissem, mas só os encontrei uma vez antes de ir para a prisão.

Prisão. Nunca vou me acostumar com essa palavra. É tão difícil de dizer em voz alta. Quando as letras são escritas uma a uma no papel, elas não parecem tão árduas; mas dizer a palavra em voz alta — "*prisão*" — é pesado pra cacete.

Quando penso no lugar onde passei os últimos cinco anos, não gosto de chamá-lo mentalmente de *prisão*. Gostaria de pensar no período em que estive lá como *quando eu estava fora* e não entrar em maiores detalhes. Nunca vou me acostumar a dizer "quando eu estava na prisão".

Vou ter que dizer isso esta semana, quando estiver procurando emprego. Vão me perguntar: "Já foi condenada por algum crime?" Vou ter que responder: "Sim, passei cinco anos presa por homicídio culposo."

E então a pessoa vai me contratar ou não. Provavelmente não.

As mulheres são tratadas de outro jeito, mesmo atrás das grades. Quando elas dizem que já foram presas, as pessoas pensam *ralé, vadia, drogada, ladra*. Mas quando os homens dizem que já foram presos, as pessoas acrescentam medalhas de honra aos pensamentos negativos, como ralé, *mas durão*, drogado, *mas casca-grossa*, ladrão, *mas impressionante*.

O estigma ainda existe para os homens, mas as mulheres nunca saem de lá com o estigma *e* as medalhas de honra.

Segundo o relógio do tribunal, chego ao centro às 23h30. Espero que o barman ainda esteja lá, apesar do meu atraso de meia hora.

Não reparei no nome do bar mais cedo, provavelmente porque ainda estava claro e porque fiquei chocada quando vi que o lugar não era mais uma livraria, mas tem um letreiro em néon acima da porta que diz WARD'S.

Hesito antes de entrar novamente. Minha volta é meio que um sinal para aquele cara, e não sei ao certo se quero que ele o receba. No entanto, a alternativa é retornar àquele apartamento e ficar sozinha com meus pensamentos.

E nos últimos cinco anos já passei tempo demais sozinha com meus pensamentos. Estou ansiando por pessoas e barulho e todas as coisas que fui impedida de viver, e meu apartamento me lembra um pouco uma prisão — tem solidão e silêncio demais lá dentro.

Abro a porta do bar. Está mais barulhento e enfumaçado e, de alguma maneira, mais escuro do que antes. Não tem nenhum lugar vazio, então passo entre as pessoas, encontro o banheiro, espero no corredor, espero do lado de fora, passo entre as pessoas de novo. Finalmente uma mesa fica livre. Atravesso o bar e me sento sozinha.

Fico observando o barman se movimentar atrás do balcão. Gosto do quanto ele parece tranquilo. Dois caras começam a discutir, mas ele não liga — apenas faz um gesto em direção à porta e os dois vão embora. Ele faz muito isso de apontar para as coisas, e as pessoas simplesmente fazem aquilo que ele aponta para elas fazerem.

Ele aponta para dois clientes enquanto olha para o outro barman. Este último se aproxima dos clientes e fecha a conta deles.

Ele aponta para uma prateleira vazia, e uma das garçonetes assente, então dentro de alguns minutos a prateleira está cheia de novo.

Ele aponta para o chão, e o outro barman desaparece pelas portas duplas e reaparece com um esfregão para limpar algo que tinha sido derramado.

Ele aponta para um gancho na parede, e outra garçonete, grávida, articula um "obrigada" com a boca, pendura o avental no gancho e vai para casa.

Ele aponta e as pessoas fazem, e então é hora da saideira e depois, finalmente, é hora de fechar. As pessoas saem aos poucos. Ninguém entra.

Ele não olhou para mim. Nem uma vez.

Questiono minha decisão de estar aqui. Ele parece ocupado, e talvez eu tenha interpretado errado sua intenção. Quando ele me disse para voltar, simplesmente presumi que ele tivesse algum motivo, mas talvez ele diga isso a todos os clientes.

Me levanto, achando que talvez eu também devesse ir embora, mas, ao ver que me levantei, ele aponta na minha direção. Faz um movimento simples com o dedo, indicando para eu me sentar de novo, então me sento.

Fico aliviada ao perceber que minha intuição estava correta, mas, quanto mais o bar se esvazia, mais nervosa fico. Ele supõe que sou uma mulher-feita, mas mal me sinto uma adulta. Sou uma adolescente de 26 anos, inexperiente, começando do zero.

Não sei se estou aqui pelos motivos certos. Achei que simplesmente chegaria, daria em cima dele e iria embora, mas o cara é mais tentador do que qualquer café metido a besta. Vim aqui para rejeitá-lo, mas não fazia a mínima ideia de que ele passaria a noite toda apontando para várias direções, nem fazia ideia de que ele apontaria para mim. *Não tinha ideia de que apontar podia ser tão sexy.*

Eu me pergunto se teria achado isso sexy cinco anos atrás ou se agora ficou ridiculamente fácil me agradar.

Quando dá meia-noite, não tem mais ninguém além de nós dois. Os outros funcionários foram embora, a porta está trancada e ele está levando um engradado de copos vazios para os fundos.

Coloco a perna no assento e a abraço. Estou nervosa. Não voltei para esta cidade para conhecer um cara. Meu propósito aqui é muito maior. E ele parece ser capaz de frustrá-lo com a ponta do dedo.

Mas sou uma reles humana. Humanos precisam de companhia, e, mesmo que eu não tenha voltado para cá para conhecer ninguém, é difícil ignorar este rapaz.

Ele passa pelas portas duplas vestindo outra camiseta. Não está mais com a camiseta roxa de colarinho e mangas dobradas que todos os outros funcionários estavam usando. Agora ele está com uma camiseta branca: tão simples, mas tão complicada.

Ele sorri ao se aproximar de mim, e sinto seu sorriso me cobrir e me aquecer como um edredom pesado.

— Você voltou.

Tento parecer indiferente.

— Você pediu que eu voltasse.

— Quer beber alguma coisa?

— Não, estou bem.

Ele mexeu no próprio cabelo, jogando-o para trás e me encarando. Tem uma guerra sendo travada dentro dos seus olhos, e estou longe de ser neutra como a Suíça, mas mesmo assim ele se aproxima e senta-se do meu lado. *Bem* do meu lado. Meu coração acelera, batendo mais rápido do que quando Scotty se aproximou do meu caixa pela quarta vez tantos anos atrás.

— Como você se chama? — pergunta ele.

Não quero que ele saiba meu nome. Ele parece ter mais ou menos a mesma idade que Scotty teria se estivesse vivo, o que significa que talvez ele reconheça o meu nome, a minha pessoa ou lembre o que aconteceu. Não quero que ninguém me conheça, que ninguém se lembre de nada e muito menos que avisem à família Landry que estou na cidade.

A cidade não é pequena, mas também não é imensa. Minha presença não vai passar despercebida por tanto tempo. Só preciso que passe despercebida por tempo *o bastante*, então meio que minto e digo a ele meu nome do meio.

— Nicole.

Não pergunto seu nome, porque não me importo. Jamais vou precisar utilizá-lo. Jamais vou voltar aqui depois desta noite.

Brinco com uma mecha do meu cabelo, tensa por estar tão perto de alguém depois de tanto tempo. Sinto como se tivesse esquecido o que fazer, então simplesmente falo de uma vez o que vim até aqui dizer:

— Eu não ia beber.

Ele inclina a cabeça, confuso com a minha confissão, então explico:

— O vinho. Às vezes eu... — Balanço a cabeça. — É besteira, mas tenho esse hábito de pedir uma bebida alcoólica só para poder não tomá-la. Não tenho problemas com alcoolismo. Acho que é mais uma questão de controle... Faz com que eu me sinta menos fraca.

Seus olhos estudam meu rosto com um sorrisinho discreto.

— Justo — diz ele. — Também é mais ou menos por isso que raramente bebo. Tem bêbados ao meu redor toda noite, e quanto mais tempo passo com eles, menos quero ser um deles.

— Um barman que não bebe? Que raridade. Né? Eu achava que sua profissão teria uma das taxas mais elevadas de alcoolismo. Acesso fácil e tal.

— Na verdade, é o ramo de construção... o que provavelmente não é bom para mim. Estou há vários anos construindo uma casa.

— Você está mesmo fadado ao fracasso.

Ele sorri.

— Pois é, parece que sim. — Ele relaxa um pouco no encosto da cadeira. — O que você faz, Nicole?

Esse é o momento em que eu devia ir embora. Antes que eu fale demais, antes que ele faça mais perguntas. Mas gosto da voz e da presença dele, e sinto como se ficar aqui fosse servir de distração, e estou precisando demais de uma distração neste instante.

Só não quero conversar. Conversar nesta cidade só vai me causar problema.

— Quer mesmo saber com o que eu trabalho?

Tenho certeza de que ele preferiria passar a mão sob minha camiseta a escutar o que quer que uma garota fosse dizer neste momento. E como não quero admitir que não trabalho porque passei cinco anos presa, deslizo até o seu colo.

Ele se surpreende, quase como se realmente esperasse que fôssemos ficar sentados conversando por mais uma hora.

Sua expressão passa de um leve choque para consentimento. Suas mãos descem até meus quadris, e ele os agarra. Estremeço com o toque.

Ele me ajusta para que eu fique sentada um pouco mais para cima, e consigo senti-lo através da calça jeans, e subitamente não tenho mais tanta certeza de que consigo ir embora quanto cinco segundos atrás. Pensei em talvez beijá-lo e depois dizer boa-noite e voltar para casa com orgulho. Queria apenas me sentir um pouco poderosa antes de amanhã, mas agora ele está deslizando os dedos pela pele da minha cintura, e estou ficando cada vez mais fraca e *imprudente*, cacete. Não por não ligar para nada, mas por não ter nenhum pensamento coerente na cabeça, sentindo tudo em cheio no peito, como se houvesse uma bola de fogo crescendo dentro de mim.

Sua mão direita sobe pelas minhas costas, e fico boquiaberta porque sinto seu toque ecoar depressa por mim, como uma corrente. Agora ele está tocando meu rosto, passando os dedos pela minha bochecha, e então a ponta dos dedos nos meus lábios. Ele me encara como se estivesse tentando descobrir de onde me conhece.

Mas talvez seja apenas minha paranoia falando.

— Quem é você? — sussurra ele.

Já respondi isso, mas, de todo modo, repito meu nome do meio:

— Nicole.

Ele sorri, mas então se interrompe e diz:

— Eu sei o seu nome. Mas de onde você veio? Por que a gente só se conheceu hoje?

Não quero suas perguntas. Não tenho respostas sinceras para dar. Eu me aproximo levemente de sua boca.

— Quem é *você*?

— Ledger — responde ele, logo antes de escancarar meu passado, arrancar o que sobrou do meu coração, largá-lo no chão e me beijar.

As pessoas dizem que caem de amores, mas *cair* é uma palavra tão triste quando paramos para pensar. Nunca é bom cair. Alguém cai no chão, cai em prantos, cai de um prédio e morre.

Quem quer que tenha sido a primeira pessoa a dizer que caiu de amores já devia ter se desapaixonado. Caso contrário, ela teria dado um nome muito melhor.

Scotty disse que me amava na metade do nosso namoro, na noite em que eu conheceria o melhor amigo dele. Eu já tinha conhecido seus pais, o que o alegrara, mas ele estava bem mais animado para me apresentar ao amigo que considerava um irmão.

Esse encontro nunca aconteceu. Não me lembro o porquê; já faz bastante tempo. Mas o amigo teve de cancelar, e Scotty ficou triste, então fiz cookies para ele, fumamos um baseado e depois o chupei. Melhor namorada do mundo.

Até eu matá-lo.

Mas isso foi três meses antes de ele morrer, e naquela noite em particular, embora estivesse triste, também estava vivíssimo. Estava com o coração batendo e a pulsação rápida e a respiração ofegante e lágrimas nos olhos quando disse, "Kenna, eu te amo, porra. Te amo mais do que já amei qualquer pessoa. Sinto saudade de você o tempo inteiro, mesmo quando estamos juntos."

Aquilo ficou grudado na minha cabeça: "Sinto saudade de você o tempo inteiro, mesmo quando estamos juntos."

E eu achava que isso era a *única* coisa daquela noite que tinha grudado na minha cabeça, mas me enganei: outra coisa também teve o mesmo efeito. Um nome. *Ledger.*

O melhor amigo que cancelou o encontro. O melhor amigo que nunca conheci.

O melhor amigo que acaba de pôr a língua na minha boca e a mão debaixo da minha camiseta e o nome no meu peito.

CAPÍTULO SEIS

LEDGER

Não entendo nada sobre como funciona a atração.

O que faz as pessoas se sentirem atraídas umas às outras? Como é que dezenas de mulheres entram aqui no bar toda semana sem que eu sinta vontade de olhá-las novamente? Mas então essa garota aparece e não consigo tirar meus olhos dela, cacete.

E agora não consigo tirar meus lábios dela.

Não sei por que estou descumprindo a regra que eu mesmo criei: "nada de dar em cima de clientes." Mas alguma coisa nela me diz que só vou ter uma chance. Sinto que ou ela está só de passagem pela cidade ou não planeja voltar aqui. Hoje parece ser uma exceção em sua rotina, qualquer que seja ela, e acho que perder a oportunidade de ficar com essa garota acabaria sendo o único arrependimento sobre o qual eu ainda pensaria na velhice.

Ela parece ser uma pessoa quieta, mas não do tipo tímida. Ela é quieta de um jeito intenso — uma tempestade que aparece de fininho, que você só se dá conta quando sente o trovão chacoalhar seus ossos.

Ela é quieta, mas disse o bastante para me fazer desejar ouvir o resto das suas palavras. Tem gosto de maçã, apesar de mais cedo ter tomado café, e maçã é minha fruta preferida. Agora talvez seja até minha comida preferida *de todas*.

Nos beijamos por vários segundos, e, embora ela tenha tomado a iniciativa, pareceu se surpreender quando a puxei para a minha boca.

Talvez ela achasse que eu fosse esperar mais um pouco antes de sentir seu gosto, ou talvez ela não pensasse que fosse se sentir assim — *espero que ela esteja se sentindo assim* —, porque o que quer que a tenha deixado surpresa antes de a minha boca encostar na sua não foi falta de vontade de me beijar.

Ela se afasta, indecisa por um instante, mas depois parece se resolver, pois se inclina e me beija outra vez com ainda mais convicção.

Mas essa convicção desaparece. Rápido demais. Ela se afasta uma segunda vez, e agora seus olhos estão cheios de arrependimento. Ela balança a cabeça rapidamente e põe as mãos no meu peito. Cubro suas mãos com as minhas bem no momento em que ela diz:

— Me desculpe.

Ela sai de cima de mim, com a parte interna da coxa roçando meu zíper e me deixando ainda mais duro enquanto se retira da mesa. Estendo o braço para segurar sua mão, mas seus dedos escapam dos meus à medida que ela vai se distanciando.

— Eu não deveria ter voltado.

Ela me dá as costas e caminha na direção da porta.

Eu murcho.

Não decorei seu rosto, e não gosto da ideia de ela ir embora sem mim antes de eu conseguir me lembrar do formato exato da boca que estava na minha ainda agora.

Saio da mesa e vou atrás dela.

Ela não consegue abrir a porta. Sacode a maçaneta e tenta empurrá-la como se estivesse morrendo de vontade de se afastar de mim. Quero implorar para que fique, mas também quero ajudá-la a sair de perto de mim, então puxo a tranca de cima enquanto ponho o pé na frente da garota para empurrar a tranca do chão. A porta se abre e ela sai depressa.

Ela inspira uma grande quantidade de ar e depois se vira para mim. Observo sua boca, desejando ter memória fotográfica.

Seus olhos não estão mais da mesma cor da sua camiseta. Agora estão um tom mais claro de verde, pois ela está lacrimejando. Mais uma vez, percebo que não sei o que fazer. Nunca vi uma garota ficar tão confusa em tão pouco tempo, e nada disso me parece forçado ou dramático. A cada movimento que ela faz e a cada sentimento que ela tem, é como se ela quisesse puxá-los de volta para dentro de si e guardá-los.

Ela parece envergonhada.

Está arquejando, tentando enxugar as poucas lágrimas que começam a se formar, e, como não faço ideia de que porra dizer, simplesmente a abraço.

O que mais eu posso fazer?

Puxo-a para perto de mim e, por um segundo, seu corpo enrijece, mas quase imediatamente ela suspira e relaxa.

Somos as únicas pessoas aqui. Já passa de meia-noite; todos estão em casa dormindo, vendo filmes, fazendo amor. Mas cá estou eu na Main Street, abraçando uma garota muito triste, me perguntando por que ela está se sentindo assim, querendo não achá-la tão bonita.

Ela está com o rosto pressionado no meu peito e com os braços firmes ao redor da minha cintura. Sua testa chega até a altura da minha boca, mas ela está acomodada debaixo do meu queixo.

Acaricio seus braços.

Minha picape está bem ali na esquina. Sempre estaciono no beco, mas ela parece chateada e não quero fazê-la me acompanhar até um beco quando ela está chorando. Me encosto na base de um toldo e a aproximo mais.

Dois minutos se passam, talvez três. Ela não me solta. Seu corpo acomoda-se no meu, absorvendo o consolo que meus braços, meu peito e minhas mãos lhe proporcionam. Acaricio suas costas para cima e para baixo, com a voz ainda presa na garganta.

Tem alguma coisa de errado com ela, algo que, a essa altura, nem sei se quero saber, mas é algo que me impede de deixá-la na calçada e ir embora.

Acho que ela não está mais chorando quando diz:

— Preciso ir para casa.

— Eu te dou uma carona.

Ela balança a cabeça e se afasta de mim. Mantenho as mãos em seus braços, e, quando ela cruza os braços por cima do peito, percebo que ela toca minha mão direita com dois dedos. Ela os desliza com rapidez, mas é proposital, como se quisesse sentir um pouquinho de mim pela última vez antes de partir.

— Não moro longe daqui. Vou a pé.

Ela perdeu o juízo se acha que vai a pé.

— É tarde demais para você ir a pé sozinha. — Aponto para o beco. — Minha picape está a uns três metros daqui.

Por razões óbvias, meu gesto a faz hesitar, mas ela aceita a mão que lhe estendi e me acompanha até a esquina.

Ao ver minha picape, ela para de andar. Eu me viro, e ela está encarando o veículo com uma expressão preocupada.

— Posso chamar um Uber, se preferir. Mas juro que estou apenas te oferecendo uma carona, sem nenhuma expectativa.

Ela abaixa os olhos, mas continua andando em direção à minha picape. Abro a porta do passageiro para ela, e, após sentar no banco, ela não se vira para a frente. Continua virada para mim, e suas pernas me impedem de fechar a porta. Ela me olha como se estivesse dividida, franzindo as sobrancelhas. Acho que nunca vi alguém com uma tristeza tão natural assim.

— Está tudo bem?

Ela apoia a cabeça no banco e me encara.

— Vou ficar bem — diz ela baixinho. — Amanhã é um dia importante para mim. Estou nervosa, só isso.

— O que vai acontecer amanhã? — pergunto.

— Um dia importante para mim.

Ela obviamente não quer entrar em detalhes, então faço que sim, respeitando sua privacidade.

Ela passa a prestar atenção no meu braço. Toca na bainha da minha manga, então ponho a mão no seu joelho, porque quero tocar alguma parte do seu corpo. Seus joelhos me parecem o lugar mais seguro antes que ela demonstre onde mais pode querer a minha mão.

Não sei quais são suas intenções. A maioria das pessoas que aparece nos bares deixa óbvio o que quer. Dá para perceber quem veio para conseguir um encontro e quem veio para encher a cara.

Já no caso dela, não sei dizer. Parece que ela acidentalmente abriu a porta e acabou entrando no meu bar e não faz ideia do que quer esta noite.

Talvez ela queira apenas pular a noite de hoje e ir direto para o dia importante que vai ter amanhã.

Fico esperando algum sinal seu que indique o que ela quer que eu faça em seguida, pois pensei que a levaria para casa, mas ela não se virou para a frente. É como se ela quisesse que eu a beijasse de novo. Mas não quero fazê-la chorar mais uma vez. *Mas quero beijá-la de novo.*

Toco seu rosto e ela cede, se encostando na minha mão. Ainda não tenho certeza se que ela está se sentindo à vontade, então hesito até ela se aproximar de mim. Me posiciono entre suas pernas, e ela pressiona as coxas nos meus quadris.

Saquei a indireta.

Deslizo a língua por entre seus lábios e ela me puxa para perto até seu hálito doce invadir minha boca. Ela ainda está com gosto de maçã, mas a boca está mais salgada e a língua, mais decidida. Ela se inclina, mais próxima de mim, e eu me curvo no interior da picape, me aproximando dela, até ela se reclinar lentamente e deitar-se no banco, puxando-me consigo. Fico parado sobre ela no espaço entre suas pernas, pressionando-me em seu corpo.

A maneira como ela inspira um pouquinho de ar pela boca enquanto a beijo está me fazendo perder a cabeça.

Ela pega minha mão e a guia por baixo de sua camiseta, e eu agarro seu seio enquanto ela enrosca as pernas ao redor da minha cintura, e depois o tecido de nossas calças jeans está se encostando, e ficamos nos movendo para trás e para a frente, como se fôssemos dois adolescentes sem ter para onde ir.

Quero levá-la de volta ao bar e rasgar suas roupas, mas já deu. Mais do que isso seria demais. Para ela. Ou talvez para mim. Sei lá, só sei que sua boca e esta picape já bastam.

Depois de um minuto nos agarrando no escuro, me afasto o suficiente de sua boca e vejo que ela está de olhos fechados e com a boca ainda aberta. Mantenho um ritmo constante contra seu corpo, e ela ergue o quadril, e juro que a fricção entre nossas roupas já seria o bastante para causar um incêndio de verdade. A região entre suas coxas está bem quente, e acho que não consigo terminar desse jeito. Acho que nem ela. Vamos enlouquecer se a gente não arranjar uma maneira de nos aproximar ainda mais ou então parar de vez.

Eu até a convidaria para a minha casa, mas meus pais estão aqui na cidade e não vou levar ninguém para perto daqueles dois.

— Nicole — sussurro. Me sinto constrangido só de sugerir isso, mas não dá para continuar me agarrando com ela num beco como se ela não merecesse uma cama. — A gente pode ir lá pra dentro.

Ela balança a cabeça e diz:

— Não. Gostei da sua picape.

E logo depois aproxima minha boca de novo da sua.

Se ela gosta da minha picape, então eu *amo* minha picape. Neste momento, minha picape é a segunda coisa de que mais gosto no mundo.

Sua boca é a primeira.

Ela leva minha mão até o botão da sua calça jeans, então obedeço e a desabotoo enquanto minha língua se arrasta na sua. Ponho a mão dentro da frente da sua calça jeans até meus dedos deslizarem sobre sua calcinha. Ela geme, fazendo um barulho muito alto para a trilha sonora silenciosa desta cidade pacata.

Afasto sua calcinha para o lado com os dedos e me deparo com uma pele macia e quente e com um gemido. Ao inspirar, escuto o quanto minha própria respiração está trêmula.

Pressiono minha boca no pescoço dela bem na hora em que vejo faróis virando na rua ao lado.

— Merda.

Minha picape está estacionada no beco, mas não estamos escondidos de quem passa na rua. De repente começamos a nos mexer depressa, voltando à realidade. Tiro a mão de sua calça jeans, e ela a abotoa. Eu a levanto, e ela se vira para a frente enquanto ajeita o cabelo.

Fecho a porta e dou a volta na picape enquanto o carro se aproxima, desacelera e depois para bem diante do beco. Dou uma olhada e vejo Grady na viatura. Ele abaixa o vidro, então me afasto da picape e vou até o carro dele.

— Noite movimentada? — pergunta ele enquanto se inclina por cima do banco do passageiro para poder me ver do lado do motorista.

Olho para Nicole atrás de mim, na picape, e depois para ele novamente.

— Pois é. Acabei de fechar. Vai trabalhar até de manhã?

Ele abaixa o rádio.

— Whitney pegou um novo turno no hospital, então voltei a trabalhar à noite por enquanto. Eu gosto. É calmo.

Dou um tapinha no seu capô e depois recuo.

— Bom saber. Vou nessa. A gente se vê amanhã no campo?

Grady percebe que tem alguma coisa rolando; não costumo dispensá-lo com tanta rapidez. Ele se inclina para a frente, olhando ao meu redor e tentando enxergar quem está na minha picape. Inclino-me para a direita, bloqueando sua visão.

— Boa noite, Grady.

Gesticulo para a rua, indicando que ele poderia muito bem continuar a patrulha. Ele sorri.

— Sim. Pra você também.

Não estou tentando escondê-la. Mas sei que a esposa dele adora uma fofoca, e não quero ser o assunto principal de amanhã no campo de beisebol.

Entro na picape, e ela está com os pés apoiados no painel. Está olhando para fora pela janela do passageiro, evitando fazer contato visual comigo. Não quero que ela se sinta constrangida. É a última coisa que eu quero. Estendo a mão e coloco uma mecha do cabelo dela atrás da orelha.

— Está tudo bem?

Ela faz que sim com a cabeça, mas seu movimento é rígido, assim como seu jeito, assim como seu sorriso.

— Eu moro perto do Cefco.

Esse posto de gasolina fica a quase três quilômetros daqui. Antes ela me disse que morava perto, mas três quilômetros à meia-noite não é perto.

— O Cecfo perto de Bellview?

Ela dá de ombros.

— Acho que sim. Não me lembro dos nomes de todas as ruas. Eu me mudei para cá hoje.

Isso explica por que eu não a conhecia. Quero dizer algo do tipo, "De onde você veio? Por que está aqui na cidade?", mas fico em silêncio, pois tenho a impressão de que ela não quer que eu diga nada.

Quando não tem trânsito, três quilômetros demoram apenas dois minutos, e dois minutos não é muita coisa, mas certamente parecem uma eternidade quando se está numa picape ao lado da garota com quem quase transou. E não teria sido uma transa gostosa. Tenho quase certeza de que teria sido uma transa rápida, desleixada, egoísta, do tipo não-seria-legal-para-ela.

Quero me desculpar, mas não sei pelo que eu me desculparia e não quero que ela ache que estou arrependido. A única coisa que lamento é o fato de ela estar indo para a casa dela, e não para a minha.

— Eu moro ali — diz ela, apontando para o Paradise Apartments.

Não venho com muita frequência para esta área da cidade. Fica em direção oposta à minha casa, então raramente passo por esta rua. Na verdade, achava que este lugar tinha sido expropriado.

Paro no estacionamento, e queria desligar o motor e abrir a porta para ela, mas ela sai da picape antes mesmo de eu desligá-lo.

— Valeu pela carona — diz ela. — E... pelo café.

Ela fecha a porta e se vira como se devêssemos nos despedir assim.

Abro a porta.

— Ei. Pera aí.

Ela para, mas só se vira quando me aproximo. Está com os braços ao redor do corpo, mordendo os lábios, arranhando nervosamente o braço. Ela me olha.

— Você não precisa dizer nada.

— Como assim?

— Quero dizer... eu sei o que foi aquilo. — Ela gesticula na direção da minha picape. — Não precisa pedir meu telefone. Eu nem tenho telefone.

Como ela sabe o que foi aquilo? Nem *eu* sei o que foi aquilo. Minha mente ainda está tentando assimilar tudo. Talvez eu devesse lhe perguntar: "O que foi aquilo? O que significa aquilo? Pode acontecer de novo?".

Estou num território desconhecido. Já tive ficadas de uma noite só, mas tudo era discutido e combinado antes do sexo. E sempre acontecia em uma cama ou algo assim.

Mas com ela a pegação simplesmente rolou e depois foi interrompida e aconteceu logo num beco. Estou me sentindo um babaca.

Não faço ideia do que dizer. Não sei onde pôr as mãos, porque sinto como se eu devesse abraçá-la para me despedir, mas agora parece que ela não quer que eu chegue perto. Coloco as mãos nos bolsos da calça.

— Quero te ver de novo.

Não estou mentindo.

Seus olhos desviam dos meus e se voltam para o prédio.

— Eu não... — Ela suspira e depois diz, simplesmente: — Não, obrigada.

Ela responde com tanta educação que nem consigo me chatear.

Fico parado diante do seu prédio enquanto a observo se afastar até ela subir a escada e entrar em um apartamento e eu não conseguir mais vê-la. E, ainda assim, continuo parado no mesmo lugar porque acho que estou chocado ou ao menos abalado.

Não sei nada sobre ela, mas faz muito tempo que não conheço alguém tão intrigante assim. Quero lhe fazer mais perguntas. Ela nem chegou a responder à única pergunta que fiz sobre sua vida. Quem diabos é ela?

Por que sinto que preciso descobrir mais a seu respeito?

CAPÍTULO SETE

KENNA

Querido Scotty,

Quando as pessoas dizem que o mundo é pequeno, elas não estão brincando. É minúsculo. Microscópico. Super-lotado.

Só estou te dizendo isso porque sei que você não vai poder realmente ler estas cartas, mas vi a picape de Ledger hoje à noite e achei que fosse chorar.

Na verdade, eu já estava chorando, porque ele tinha dito o nome dele e percebi quem ele era e eu estava o beijando e me senti tão culpada que saí correndo envergonhada e quase tive um ataque de pânico.

Mas enfim. Aquela maldita picape. Não acredito que ele ainda a tem. Ainda me lembro da noite em que você chegou nela para me buscar na primeira vez em que a gente saiu. Dei uma risada porque era um laranja tão berrante e eu não conseguia imaginar que tipo de pessoa escolheria aquela cor de propósito.

Já te escrevi mais de trezentas cartas, e só hoje, ao dar uma olhada nelas, percebi que nenhuma conta os detalhes do momento em que nos conhecemos. Escrevi sobre o nosso primeiro encontro, mas nunca mencionei a primeira vez que nos vimos.

Eu estava trabalhando como caixa do Dollar Days. Foi o primeiro emprego para o qual me candidatei depois que saí de Denver. Eu não conhecia ninguém, mas isso não me incomodava. Era um estado novo e uma cidade nova, e ninguém tinha nenhuma ideia preconcebida em relação a mim. Ninguém conhecia minha mãe.

Quando você entrou na minha fila, não te notei de imediato. Eu raramente olhava os clientes, especialmente se fossem rapazes da mesma faixa etária que eu. Até aquele momento, os rapazes da minha idade só tinham me decepcionado. Achei que talvez eu devesse me sentir atraída por homens mais velhos, ou talvez até por mulheres, pois nenhum rapaz da minha idade tinha feito com que eu me sentisse bem em relação a mim mesma. Entre as cantadas na rua e as expectativas relacionadas a sexo, eu tinha perdido completamente a fé na população masculina da minha geração.

Era uma loja pequena e tudo lá dentro custava apenas um dólar, então as pessoas costumavam encher os carrinhos de coisas. Você entrou na fila com apenas um prato raso. Me perguntei que tipo de pessoa compra somente um prato. A maioria das pessoas espera receber amigos em casa de vez em quando, ou pelo menos espera que isso aconteça. Mas comprar um único prato dava a impressão de que você achava que ia sempre comer sozinho.

Passei o prato e o embrulhei antes de colocá-lo numa sacola e entregá-la a você.

Foi somente quando você entrou na minha fila pela segunda vez, alguns minutos depois, que finalmente olhei para o seu rosto. Você ia comprar outro prato raso. Fiquei me sentindo melhor por você. Passei o prato, você me deu o seu dólar e uns trocados, eu entreguei a sacola, e foi então que você sorriu.

Você me conquistou naquele momento, mas nem deve ter percebido. Foi como se o seu sorriso tivesse me coberto de afeto. Era perigoso e confortável, e eu não sabia o que fazer com aqueles sentimentos, então desviei o olhar.

Dois minutos depois, você estava na fila outra vez com um terceiro prato.

Passei o prato. Você pagou. Fiz o embrulho e lhe entreguei a sacola, mas desta vez eu disse alguma coisa.

— Volte sempre — falei.

Você sorriu e disse:

— Se você insiste...

Você deu a volta no caixa e foi de novo para o corredor onde ficavam os pratos. A minha fila estava vazia, então fiquei observando até você reaparecer com o quarto prato e trazê-lo até o caixa.

Passei o prato e disse:

— Sabia que pode comprar mais de um produto de cada vez?

— Sabia — respondeu você. — Mas só preciso de um único prato.

— Então por que está comprando quatro?

— Porque estou criando coragem para te chamar para sair comigo.

Eu estava torcendo para que fosse isso. Entreguei a sacola, querendo que seus dedos tocassem os meus. E tocaram. A sensação foi exatamente como imaginei, como se nossas mãos fossem magnéticas. Tive que me esforçar muito para afastar minha mão da sua.

Tentei parecer indiferente ao seu flerte, pois era o que eu sempre fazia com os homens, então respondi:

— Os funcionários da loja não podem sair com clientes.

Não havia nenhuma firmeza nem verdade na minha voz, mas acho que você gostou do jogo que estávamos fazendo e respondeu:

— Tudo bem. Preciso só de um minutinho para corrigir a situação. — *Você foi até o outro caixa da loja, a apenas alguns metros de distância, e te ouvi dizer:* — Preciso devolver estes pratos, por favor.

A outra funcionária estava ao telefone com um cliente durante suas quatro idas ao caixa, então não sei se ela sabia que você estava brincando. Ela me olhou do caixa e fechou a cara. Dei de ombros, como se eu não tivesse uma explicação para o rapaz com quatro notas fiscais diferentes para quatro pratos, e então me virei de costas para atender outro cliente.

Alguns minutos depois, você voltou para a minha fila e pôs um comprovante de devolução no balcão.

— Não sou mais cliente. E agora?

Peguei o comprovante, fingindo lê-lo com cuidado. Devolvi-o para você e lhe disse:

— Saio do trabalho às 19h.

Eu devia ter dito 18h, pois terminei largando mais cedo. Passei a hora extra na loja ao lado comprando uma roupa nova. Quando deu 19h20 e você ainda não tinha chegado, eu desisti, e já estava indo para o meu carro no momento em que seu carro entrou em disparada no estacionamento e parou do meu lado. Você abaixou o vidro e disse:

— Desculpe o atraso.

Sempre me atraso, então quem sou eu para julgar o atraso de alguém, mas te julguei com base na sua picape. Achei que talvez você fosse louco ou metido. Era uma Ford F-250 antiga, com cabine dupla espaçosa, e o laranja mais horroroso que eu tinha visto na vida.

— Curti a picape.

Não sabia se eu estava dizendo a verdade ou mentindo. Era uma picape tão feia que a odiei. Mas, como era tão feia, adorei o fato de você ter ido me buscar nela.

— Não é minha. É do meu melhor amigo. Meu carro está na oficina.

Fiquei aliviada quando soube que não era sua, mas também um pouco decepcionada porque achei a cor bem divertida. Você gesticulou para que eu entrasse. Parecia estar orgulhoso e cheirava àquelas bengalinhas doces de Natal.

— É por isso que está atrasado? Seu carro quebrou?

Você balançou a cabeça e disse:

— Não. Tive que terminar com minha namorada.

Virei bruscamente a cabeça na sua direção:

— Você tem namorada?

— Não mais.

Você me olhou com uma expressão encabulada.

— Mas tinha quando me convidou para sair?

— Tinha, mas assim que comprei o terceiro prato percebi que ia terminar com ela. Já estava mais do que na hora — você disse, e prosseguiu. — Faz um tempo que a gente queria isso, só estávamos em uma posição confortável demais para terminar. — Você ligou a seta, entrou num posto e se aproximou de uma bomba de combustível. — Minha mãe adora ela, vai ficar triste.

— As mães não costumam gostar muito de mim — admiti, ou talvez fosse um alerta.

Você sorriu.

— Dá para entender. As mães preferem imaginar os filhos com meninas com cara de boazinha. Uma mãe não se sentiria à vontade com alguém tão sensual como você.

Eu não ia me ofender com um cara me chamando de sensual. Naquele dia, me esforcei para ficar sensual. Gastei uma grana com o sutiã e com a camiseta decotada que eu tinha comprado trinta minutos antes, com o objetivo de deixar meus seios parecendo silicone.

Gostei do elogio, mesmo que você estivesse sendo um pouco indelicado.

Enquanto você enchia o tanque da picape do seu amigo, fiquei pensando na garota com cara de boazinha cujo coração você tinha acabado de partir só porque aceitei sair com você, e naquele momento me senti meio que como uma víbora.

Mas, apesar de me sentir uma víbora, não quis cair fora. Estava gostando tanto da sua energia que senti vontade de me enroscar em você e nunca mais soltar.

Quando Ledger disse o nome dele bem nos meus lábios mais cedo, quase respondi: "O Ledger do Scotty?". Mas a pergunta teria sido inútil, pois eu soube que ele era o seu Ledger na mesma hora. Quantos Ledgers existem por aí? Nunca conheci nenhum outro.

Me senti sobrecarregada com tantos questionamentos, mas Ledger me beijou e aquilo me partiu no meio, pois eu também queria beijá-lo, mas, mais do que isso, queria fazer perguntas sobre você. Queria dizer: "Como Scotty era quando criança? O que você gostava nele? Ele falou de mim alguma vez? Ainda tem contato com os pais dele? Você conheceu minha filha? Pode me ajudar a encaixar todas as peças da minha vida destruída?".

Mas não consegui dizer nada, porque seu melhor amigo estava com a língua escaldante dele na minha boca e parecia estar marcando a ferro quente a palavra TRAIDORA em mim.

Não sei por que senti como se estivesse te traindo. Faz cinco anos que você está morto, e beijei o agente penitenciário, então você nem foi o último cara que beijei. Mas o beijo no agente não me deu a sensação de que eu estava te traindo. Talvez porque ele não fosse o seu melhor amigo.

Ou talvez eu tenha me sentido como uma traidora por realmente ter sentido o beijo de Ledger. Ele se espalhou por todo o meu corpo, da mesma forma como seus beijos faziam, mas eu também estava me sentindo uma traidora, ou uma mentirosa, ou uma imprestável, porque Ledger não fazia ideia de quem eu era. Para Ledger, ele estava sendo beijado por uma garota passageira que ele passara a noite encarando.

Para mim, eu estava sendo beijada pelo barman gato cujo melhor amigo tinha morrido por minha causa.

Tudo explodiu. Parecia que eu estava sendo estilhaçada. Estava deixando Ledger me tocar sabendo muito bem que, caso soubesse quem eu era, ele provavelmente iria preferir me esfaquear. Quando me afastei de seu beijo, a sensação era que eu estava tentando apagar um incêndio florestal com uma bomba atômica.

Eu queria me desculpar, queria fugir.

Achei que eu fosse desmoronar quando pensei que Ledger provavelmente te conhecia melhor do que eu. Odiei perceber que o único cara com quem eu esbarrara nesta cidade era o único cara que eu deveria evitar.

Ledger, no entanto, não se afastou quando chorei. Ele fez o que você teria feito: pôs os braços ao meu redor e me deixou ficar como eu precisava ficar, e foi tão bom, porque ninguém me abraçava daquele jeito desde você.

Fechei os olhos e fingi que seu melhor amigo era meu aliado. Que ele estava do meu lado. Fingi que ele estava me abraçando apesar do que eu fizera com você e também que ele queria me ajudar a ficar bem.

Também deixei aquilo acontecer porque, se Ledger está de volta aqui na cidade e se ele ainda dirige a mesma picape em que te conheci tantos anos atrás, isso significa que ele gosta de rotina. E é bem provável que nossa filha faça parte da rotina dele.

Será que estou a uma pessoa de distância de Diem?

Se pudesse ver as páginas em que estou escrevendo esta carta, você veria as manchas de lágrimas. Parece que chorar é a única coisa que ainda sei fazer bem na vida. Chorar e tomar decisões ruins.

E, óbvio, também sou boa em escrever poemas ruins pra você. Vou encerrar com um que compus no ônibus, quando estava voltando para esta cidade.

"Tenho uma filha que nunca abracei
Ela tem um nome que nunca gritei
Ela tem uma mãe que nunca a beijou
Ela tem uma mãe que já fracassou."

Com amor,
Kenna.

CAPÍTULO OITO

LEDGER

Não estacionei na garagem quando cheguei ontem à noite. Diem gosta de acordar e olhar pela janela de manhã para conferir que estou em casa, e, quando deixo a picape na garagem, Grace diz que Diem fica triste.

Moro na frente deles desde que Diem tinha oito meses, mas, se eu não contar os anos em que saí desta casa para morar em Denver, tecnicamente morei nela minha vida inteira.

Meus pais não moram aqui há anos, embora os dois estejam dormindo no quarto de hóspedes neste momento.

Eles compraram o trailer quando meu pai se aposentou, e agora viajam pelo país. Comprei a casa deles quando voltei para cá, e então eles se organizaram e partiram. Imaginei que aquilo duraria no máximo um ano, mas agora já faz mais de quatro anos e eles não deram nenhum sinal de que vão desacelerar.

Queria apenas que eles tivessem me avisado antes de chegarem. Talvez eu devesse instalar um aplicativo de GPS no celular deles, assim eu teria alguma espécie de alerta no futuro. Não que eu não goste das visitas deles, mas seria legal poder me preparar para recebê-los.

É por isso que vou instalar um portão na minha casa nova.

Um dia.

Está tudo lento porque Roman e eu estamos fazendo sozinhos boa parte do trabalho. Todos os domingos, entre o nascer e o pôr do sol, estou em Cheshire Ridge com Roman trabalhando na casa. Contratei outras pessoas para a parte mais difícil, mas nós dois completamos sozinhos boa parte da construção. Após dois anos de domingos trabalhando, a casa finalmente está começando a tomar forma. Acho que em uns seis meses me mudo para lá.

— Para onde está indo?

Eu me viro quando chego à porta da garagem. Meu pai está parado na frente do quarto de hóspedes. De cueca.

— Diem tem um jogo de beisebol. Vocês querem ir?

— Não. Estou com muita ressaca para lidar com crianças hoje, e precisamos mesmo voltar para a estrada.

— Vocês já vão?

— A gente volta daqui a algumas semanas. — Meu pai me abraça. — Sua mãe ainda está dormindo, mas eu aviso que você mandou tchau para ela.

— Se vocês me avisassem antes da próxima visita, de repente eu poderia tirar uma folga no trabalho.

Meu pai balança a cabeça.

— Que nada, a gente gosta é de ver a surpresa na sua cara quando chegamos sem avisar.

Ele entra no banheiro e fecha a porta.

Passo pela garagem e vou até a casa de Patrick e Grace do outro lado da rua.

Espero que Diem não esteja muito falante, pois minha concentração vai estar uma merda hoje. Só consigo pensar na garota de ontem e no quanto quero vê-la outra vez. Será que seria estranho deixar um bilhete na porta dela?

Bato à porta da frente de Patrick e Grace e entro. Entramos tanto nas casas uns dos outros que depois de um certo tempo cansamos de dizer: "Está aberta." As portas sempre estão abertas.

Grace está na cozinha com Diem, que está sentada no meio da mesa de pernas cruzadas e com uma tigela cheia de ovos no colo. Ela nunca se senta em cadeiras. Está sempre em cima das coisas, como o encosto do sofá, o balcão da cozinha, a mesa da cozinha. Ela gosta de escalar.

— Você ainda está de pijama, D. — Pego a tigela com ovos e aponto para o corredor. — Vá se vestir, a gente tem que sair.

Ela corre até o quarto para vestir o uniforme de beisebol.

— Achei que a partida fosse às 10h — diz Grace. — Eu teria arrumado ela.

— É às 10h, mas ficamos de levar o Gatorade, então preciso passar no mercado e depois buscar Roman na casa dele.

Eu me apoio no balcão e pego uma tangerina. Descasco-a enquanto Grace liga o lava-louça.

Ela sopra uma mecha de cabelo para afastá-la do rosto.

— Ela está querendo um playground — diz ela. — Um daqueles enormes, como o que você tinha no seu quintal. A amiga dela, Nyla, da escola, ganhou um, e você sabe que a gente não consegue negar. Ela vai fazer cinco anos.

— Eu ainda tenho o meu.

— Tem? Onde está?

— Está desmontado, mas posso ajudar Patrick a montar. Não deve ser tão difícil.

— Acha que ainda está bom?

— Estava quando eu desmontei.

Não digo que foi por causa de Scotty que o desmontei. Depois que ele morreu, me aborrecia toda vez que o via.

Coloco outro gomo de tangerina na boca e redireciono meus pensamentos.

— Nem acredito que ela já vai fazer cinco anos.

Grace suspira.

— Pois é. Surreal. E *injusto*.

Patrick aparece na cozinha e bagunça meu cabelo como se eu não tivesse quase 30 anos nem fosse oito centímetros mais alto.

— E aí, garoto. — Ele estende o braço na minha direção e pega uma das tangerinas. — Grace avisou que não vamos conseguir ir ao jogo hoje?

— Ainda não — diz Grace. Ela revira os olhos, e sua expressão irritada se volta para mim. — Minha irmã está no hospital. É uma cirurgia eletiva, ela está bem, mas precisamos passar na casa dela para alimentar os gatos.

— O que ela vai fazer desta vez?

Grace balança a mão na direção do próprio rosto.

— Alguma coisa nos olhos. Quem é que sabe? Ela é cinco anos mais velha do que eu, mas parece dez anos mais nova.

Patrick cobre a boca de Grace.

— Deixa disso. Você é perfeita.

Grace ri e afasta a mão dele.

Nunca vi os dois brigarem. Nem mesmo quando Scotty era pequeno. Meus pais encrencam muito um com o outro, e em grande parte é de brincadeira, mas nunca vi Grace e Patrick brigarem desde que os conheci, vinte anos atrás.

É isso que eu quero. Um dia. Mas ainda não tenho tempo para isso. Trabalho demais e parece que, aos poucos, estou chegando ao meu limite. Se quero ficar com uma garota por tempo o bastante para ter o que Patrick e Grace têm, preciso mudar.

— Ledger! — grita Diem do quarto dela. — Vem me ajudar! — Ando pelo corredor para ver do que ela está precisando. Ela está ajoelhada dentro do closet, remexendo nas coisas. — Não estou achando a outra bota — preciso da minha bota.

Ela está segurando uma bota de cowboy vermelha e procurando a outra.

— Por que precisa da bota? Você precisa é das suas chuteiras.

— Não quero usar chuteiras hoje. Quero usar minhas botas.

As chuteiras estão do lado da cama, então as pego.

— Não dá para jogar beisebol de bota. Suba aqui na cama que eu te ajudo a pôr as chuteiras.

Ela se levanta e arremessa a segunda bota vermelha na cama.

— Achei!

Ela dá uma risadinha, sobe na cama e começa a calçar as botas.

— Diem. É beisebol. Ninguém usa botas para jogar beisebol.

— Eu uso. Vou usar botas hoje.

— Não, você não pode...

Eu me interrompo. Não tenho tempo de discutir com ela, e sei que, quando chegar ao campo e vir todas as outras crianças de chuteira, ela vai me deixar tirar suas botas. Ajudo-a a calçá-las e levo as chuteiras enquanto a carrego para fora do quarto.

Grace nos encontra na porta e entrega uma caixinha de suco para Diem.

— Divirta-se.

Ela beija a bochecha de Diem e depois seus olhos se voltam para as botas da menina.

— Melhor nem perguntar — digo enquanto abro a porta da casa.

— Tchau, vovó! — diz Diem.

Patrick está na cozinha, e, quando Diem não se despede dele, ele vem até nós pisando com força, dramaticamente.

— E o popô?

Patrick queria ser chamado de *vovô* quando Diem começou a falar, mas, por algum motivo, ela chamava Grace de *vovó* e Patrick de *popô*, e era tão engraçado que eu e Grace repetimos a palavra até ela pegar.

— Tchau, popô — fala Diem, rindo.

— Talvez a gente não volte antes de vocês — diz Grace. — Você se incomoda em ficar com ela se a gente ainda não estiver aqui?

Não sei por que Grace sempre me pergunta isso. Nunca respondi que não. Nunca *vou responder* que não.

— Sem pressa. Almoço com ela em algum lugar.

Ponho Diem no chão quando saímos da casa.

— McDonald's! — diz ela.

— Não quero McDonald's — respondo enquanto atravessamos a rua na direção da minha picape.

— Drive-thru do McDonald's!

Abro a porta de trás da picape e a ajudo a se sentar no assento de elevação.

— Que tal comida mexicana?

— Nada disso. McDonald's.

— E chinesa? Faz tempo que não comemos comida chinesa.

— McDonald's.

— Vamos fazer o seguinte: se você calçar as chuteiras quando chegarmos ao jogo, a gente come McDonald's.

Afivelo o cinto de segurança dela. Ela balança a cabeça.

— Não, quero ficar de bota. E nem quero almoçar mesmo... estou cheia.

— Na hora do almoço você vai estar com fome.

— Não vou, comi um dragão. Vou ficar cheia pra sempre.

Às vezes me preocupo com todas essas histórias que Diem nos conta, mas ela é tão convincente que fico mais impressionado do que apreensivo. Não sei com que idade a criança deve conseguir saber a diferença entre mentir e usar a imaginação, mas vou deixar isso para Grace e Patrick. Não quero reprimir a parte dela de que mais gosto.

Levo a picape até a rua.

— Você comeu um dragão? Um dragão *inteiro*?

— É, mas foi um dragão bebê. É por isso que ele coube na minha barriga.

— Onde você achou um dragão bebê?

— No Walmart.

— O Walmart vende dragões bebês?

Ela me explica que o Walmart vende dragões bebês, mas que é preciso ter um cupom especial e que somente crianças podem comê-los. Quando chegamos à casa de Roman, ela já está me explicando como eles devem ser cozinhados.

— Com sal e xampu — diz ela.

— A gente não pode comer xampu.

— Mas a gente não *come* o xampu, ele só é usado para cozinhar o dragão.

— Ah, tá. Como eu sou besta.

Roman entra na picape e parece tão entusiasmado quanto alguém indo para um enterro. Ele odeia os dias de beisebol e nunca gostou de crianças. Ele só me ajuda a treiná-las porque nenhum dos outros pais topou. E, como ele é meu funcionário, incluí o treino como parte do seu trabalho.

Ele é a única pessoa que conheço que é paga para participar de uma escolinha de beisebol, mas não parece se sentir culpado por isso.

— Oi, Roman — cantarola Diem do banco de trás.

— Só tomei uma xícara de café. Não fale comigo.

Roman tem 27 anos, mas ele e Diem se encontraram no meio do caminho e os dois se comportam como se tivessem 12 anos pela maneira como se tratam com amor e ódio ao mesmo tempo.

Diem começa a dar tapinhas no encosto de cabeça do banco dele.

— Acorda aí, acorda aí, acorda aí.

Roman vira a cabeça até me encarar.

— Todas essas bobagens que você faz para ajudar as criancinhas no seu tempo livre não vão te beneficiar em nada na vida após a morte, pois a religião é uma construção social criada por sociedades que queriam regular o povo, então o paraíso é um conceito. A gente podia estar dormindo neste exato momento.

— Caramba. E *antes* do café, como é que você fica? — Saio da entrada da casa dele. — Se o paraíso é um conceito, o que é o inferno?

— Um campo de beisebol.

CAPÍTULO NOVE

KENNA

Já passei em seis lugares diferentes atrás de um emprego, e ainda não são nem 10h. Foi a mesma coisa em todos eles. Alguém me entregou um formulário, perguntou sobre a minha experiência, fui obrigada a dizer que não tinha nenhuma. Fui obrigada a explicar o porquê.

Então a pessoa se desculpa, mas não antes de me olhar dos pés à cabeça. Sei o que ela está pensando. É a mesma coisa que Ruth, a proprietária do meu apartamento, disse ao me ver pela primeira vez. "Não achava que você fosse ser assim."

As pessoas acham que as mulheres que já foram presas têm uma aparência específica. Que nos comportamos de uma maneira específica. Mas somos mães, esposas, filhas, *humanas*.

E tudo o que queremos é uma única oportunidade, cacete.

Só uma.

O sétimo lugar onde tento é um mercado. Fica um pouco mais longe do meu apartamento do que eu gostaria — quase quatro quilômetros de distância —, mas já esgotei todas as outras opções entre este mercado e o meu prédio.

Estou suada quando entro no estabelecimento, então vou ao banheiro para jogar uma água no rosto. Estou lavando as mãos na pia quando uma mulher baixinha de cabelos pretos e brilhantes entra. Ela não entra na cabine, apenas se recosta na parede e fecha os olhos. Está usando um crachá com o nome dela: AMY.

Ao abrir os olhos, ela percebe que estou encarando seus sapatos. É um par de mocassins com contas brancas e vermelhas formando um círculo em cima.

— Curtiu? — pergunta ela, erguendo o pé e o inclinando de um lado a outro.

— Curti. São lindos.

— É minha avó quem faz. Eles pedem que a gente use tênis aqui, mas o gerente geral nunca falou nada dos meus sapatos. Acho que ele tem medo de mim.

Olho para os meus tênis enlameados. Dou um passo para trás, horrorizada. Não percebi que estava andando por aí com sapatos tão sujos.

Não posso me candidatar para um emprego desse jeito. Tiro um deles e começo a lavá-lo na pia.

— Estou me escondendo — diz a mulher. — Não costumo ficar de bobeira em banheiros, mas tem uma senhora no mercado que sempre reclama de tudo, e, francamente, não estou a fim de lidar com as bobagens dela hoje. Tenho uma filha de dois anos e ela não pregou os olhos esta noite, e eu queria muito ter avisado que não ia conseguir vir por estar doente, mas sou gerente de turno e gerentes de turno não faltam por causa de doença. A gente vem.

— E se esconde no banheiro.

Ela sorri.

— Exatamente.

Troco de sapato e começo a lavar o outro. Sinto um nó na garganta ao dizer:

— Vocês estão contratando? Estou atrás de um emprego.

— Estamos, mas não acho que seja o tipo de trabalho que te interessaria.

Ela não deve ter percebido o desespero estampado no meu rosto.

— É para qual vaga?

— Empacotador. Não é tempo integral, mas costumamos deixar essas vagas abertas para adolescentes com necessidades especiais.

— Ah. Bem, não quero tirar o emprego de ninguém.

— Não, não é isso — diz ela. — É que não temos muitos candidatos porque a carga horária é pequena, mas estamos mesmo precisando de alguém para trabalhar aqui em meio período. São umas vinte horas por semana.

Talvez o pagamento nem cubra meu aluguel, mas, se eu trabalhar duro, de repente consigo ser promovida.

— Posso fazer isso até alguma pessoa com necessidades especiais aparecer. Estou precisando muito de grana.

Amy me olha dos pés à cabeça.

— Por que está tão desesperada? O salário é uma merda.

Calço o sapato novamente.

— Eu, hum... — Amarro o sapato, enrolando para não fazer a confissão inevitável. — Acabei de sair da prisão. — Digo com rapidez e confiança, como se isso não me incomodasse tanto quanto incomoda. — Mas eu não... eu posso fazer esse trabalho. Não vou decepcionar você nem causar nenhum problema.

Amy solta uma gargalhada. É uma gargalhada alta, mas, ao ver que eu não ri, ela cruza os braços por cima do peito e inclina a cabeça.

— Ah, merda. Está falando sério?

Faço que sim.

— Estou. Mas se for contra as normas daqui, eu entendo mesmo. Não tem problema.

Ela faz um gesto com a mão, como se fizesse pouco caso da frase.

— Ih, a gente nem tem normas por aqui. Não somos uma rede, podemos contratar quem quisermos. Sendo bem sincera, sou obcecada por *Orange is the New Black*, então se você prometer me contar quais partes da série são mentira, eu te dou um formulário para preencher.

Eu poderia chorar. Em vez disso, dou um sorriso falso.

— Já ouvi tantas piadas sobre essa série. Pelo jeito, preciso vê-la.

Amy joga a cabeça para trás.

— Ah, com certeza. Com certeza. Melhor série, melhor elenco. Vem comigo.

Acompanho-a até o balcão de atendimento ao cliente, na parte da frente do mercado. Ela vasculha uma gaveta, encontra um formulário e o entrega para mim junto de uma caneta.

— Se preencher enquanto está aqui, posso incluí-la no treinamento para novos funcionários da segunda-feira.

Pego o formulário e quero lhe agradecer, abraçá-la, dizer que ela está mudando minha vida. No entanto, apenas sorrio e levo o formulário em silêncio até um banco perto da entrada do mercado.

Preencho meu nome completo e ponho aspas em torno do meu nome do meio, para saberem que prefiro ser chamada de Nicole. Não posso usar um crachá com o nome "Kenna" nesta cidade. Alguém vai me reconhecê-lo. E a fofoca vai começar.

Estou na metade da primeira página quando sou interrompida.

— Oi.

Aperto com força a caneta quando ouço sua voz. Levanto a cabeça devagar, e Ledger está na minha frente com o carrinho cheio de uns doze engradados de Gatorade.

Viro o formulário, esperando que ele não tenha conseguido ler meu nome. Engulo a seco e tento parecer estar com o humor mais estável do que todos os meus humores que ele testemunhou ontem.

Gesticulo na direção dos engradados de Gatorade.

— Noite especial no bar hoje?

Ele parece ser tomado por um discreto alívio, como se estivesse esperando que eu fosse mandá-lo à merda. Ele encosta num dos engradados.

— Sou treinador numa escolinha de beisebol.

Desvio o olhar, porque sua resposta me constrange por algum motivo. Ele não parece ser treinador em uma escolinha de beisebol. Que mães de sorte.

Ah, não... Ele é treinador em uma escolinha. Será que tem filhos? Filhos e esposa?

Será que eu quase transei com um treinador casado?

Encaixo a caneta na parte de trás da prancheta.

— Você é... hum... você é casado, né?

O sorriso dele sugere que não. Ele nem precisa dizer, mas balança a cabeça e afirma:

— Sou solteiro. — Ele aponta para a prancheta no meu colo. — Vai tentar conseguir emprego aqui?

— Pois é.

Dou uma olhada no balcão de atendimento ao cliente, e Amy está me encarando. Preciso tanto desse emprego, mas desse jeito posso dar a impressão de que um barman gato pode me distrair durante o trabalho. Desvio a vista e me pergunto se o fato de Ledger ter parado aqui não está atrapalhando minhas chances de conseguir o trabalho. Viro a prancheta, mas a inclino para que ele não consiga ver meu nome. Começo a preencher meu endereço, torcendo para que ele vá embora.

Ele não vai. Empurra o carrinho para o lado, dando passagem para um cara, encosta o ombro direito na parede e diz:

— Eu estava torcendo para te encontrar de novo por aí.

69

Não vou fazer isso agora.

Não vou enganá-lo quando ele não faz ideia de quem eu sou.

Também não vou arriscar este emprego por estar socializando com clientes.

— Você pode ir embora? — sussurro, mas alto o bastante para que ele consiga ouvir.

Ele franze a testa.

— Fiz algo errado?

— Não, é que preciso mesmo terminar isto aqui.

Ele tensiona a mandíbula e se afasta da parede.

— É que você está agindo como se estivesse com raiva, e estou me sentindo meio mal por causa de ontem à noite...

— Eu estou bem. — Olho de novo para o balcão de atendimento ao cliente, e Amy continua me encarando. Volto o olhar para Ledger e imploro. — Preciso *muito* deste emprego. E neste momento minha possível chefe está olhando para cá sem parar, e não quero ofender, mas você tem um monte de tatuagens e cara de encrenqueiro, e ela precisa ter certeza de que não vou causar nenhum problema. Não ligo para o que aconteceu ontem à noite. Foi mútuo. Não foi nada de mais.

Ele faz que sim lentamente com a cabeça e segura a barra do carrinho.

— Não foi nada de mais — repete ele, parecendo ofendido.

Me sinto mal por um instante, mas não vou mentir para ele. Ele pôs a mão dentro da minha calça e, se não tivéssemos sido interrompidos, provavelmente teríamos transado. *Na picape dele.* Como é que isso poderia ter sido maravilhoso?

Mas ele tem razão — não posso dizer que não foi nada de mais. Nem consigo olhá-lo sem encarar sua boca. Ele beija bem, e isso está mexendo com minha cabeça, porque neste momento tenho muitas coisas mais importantes acontecendo na minha vida do que sua boca.

70

Ele fica parado por mais alguns segundos e depois põe a mão dentro de uma sacola no carrinho. Tira de lá uma garrafa marrom.

— Comprei caramelo. Caso você volte. — Ele joga a garrafa de volta no carrinho. — Enfim. Boa sorte.

Ele parece constrangido ao se virar e sair do mercado.

Tento continuar preenchendo o formulário, mas agora estou tremendo. Parece que tem uma bomba amarrada ao meu corpo e que ela começa a fazer a contagem regressiva na presença de Ledger, ficando cada vez mais perto de explodir em cima dele, revelando todos os meus segredos.

Termino de preencher o formulário, mas minha letra saiu desleixada por causa do tremor das minhas mãos. Quando volto ao atendimento ao cliente e o entrego a Amy, ela pergunta:

— Aquele era seu namorado?

Eu me faço de boba.

— Quem?

— Ledger Ward.

Ward? O nome do bar é Ward's. Ele é dono do bar?

Balanço a cabeça, respondendo à pergunta de Amy.

— Não, a gente mal se conhece.

— Que pena. Ele virou um rapaz disputado por aqui desde que ele e Leah terminaram.

Ela fala como se eu devesse saber quem é Leah. Imagino que, numa cidade deste tamanho, a maioria das pessoas se conhece. Olho para a porta por onde Ledger saiu.

— Não estou querendo um rapaz disputado. Só um emprego mesmo.

Amy ri e depois analisa meu formulário.

— Você cresceu aqui?

— Não, sou de Denver. Vim fazer faculdade aqui.

É mentira — nunca cursei uma faculdade —, mas tem uma universidade aqui na cidade e eu planejava estudar nela em algum momento. Mas isso nunca chegou a acontecer.

— Ah, é? Em que você se formou?

— Não terminei o curso. Foi por isso que voltei — minto. — Vou fazer a rematrícula no próximo semestre.

— O emprego é perfeito para isso. Podemos organizar seus horários em função das suas aulas. Esteja aqui na segunda-feira às 8h para o treinamento. Tem carteira de motorista?

Faço que sim.

— Tenho, eu trago. — Não menciono o fato de que consegui minha carteira de volta no mês passado, depois de meses tentando reverter a suspensão. — Obrigada.

Tento agradecer com o mínimo de entusiasmo possível na voz, mas até agora as coisas estão dando certo. Arranjei um apartamento e, agora, um emprego.

Agora só preciso encontrar minha filha.

Eu me viro para ir embora, mas Amy diz:

— Espera. Não quer saber quanto vai ganhar?

— Ah, é. Quero, sim.

— Salário mínimo. É ridículo, eu sei. Não sou dona do mercado, senão eu aumentaria. — Ela se inclina para a frente e abaixa a voz. — Sabia que você provavelmente conseguiria um emprego na Lowe's? Eles pagam o dobro disso para quem está começando.

— Tentei me candidatar pela internet na semana passada. Eles não me aceitam por causa dos meus antecedentes criminais.

— Ah. Que pena. Bem, então nos vemos na segunda.

Antes de ir embora, encosto o punho no balcão e faço uma pergunta que provavelmente não deveria fazer.

— Só mais uma coisa. Sabe o cara com quem eu estava conversando? O Ledger?

Ela ergue a sobrancelha, curiosa.

72

— O que tem ele?

— Ele tem filhos?

— Só uma sobrinha ou algo assim. Às vezes ela vem com ele. É bonitinha, mas tenho quase certeza de que ele é solteiro e não tem filhos.

Uma sobrinha?

Ou talvez a filha do seu melhor amigo falecido?

Ele vem fazer compras aqui com a minha filha?

Consigo dar um sorriso forçado em meio ao turbilhão de emoções que de repente começam a espiralar dentro de mim. Agradeço a ela mais uma vez, mas depois saio apressada na esperança de que, por algum milagre, a picape de Ledger ainda esteja lá fora e que minha filha esteja dentro do carro com ele.

Dou uma olhada no estacionamento, mas ele já foi embora. Sinto um aperto no peito, mas ainda consigo sentir a adrenalina disfarçada de esperança me percorrendo: agora sei que ele é treinador numa escolinha de beisebol e que Diem muito prova-velmente joga no time dele, porque qual outro motivo ele teria para ser treinador, se não tem filhos?

Penso em ir direto para o campo de beisebol, mas isso é algo que precisa ser feito da maneira certa. Antes preciso falar com Patrick e Grace.

CAPÍTULO DEZ

LEDGER

Estou no banco do campo tirando o equipamento da bolsa quando Grady desliza os dedos por entre a grade de arame, segurando-a.

— E aí? Quem era ela?

Finjo não saber do que ele está falando.

— Quem era quem?

— A garota que estava na sua picape ontem à noite.

Os olhos de Grady estão vermelhos. Parece que a mudança para o turno noturno está cobrando seu preço.

— Era uma cliente. Eu estava apenas dando uma carona para ela.

Whitney, esposa de Grady, está ao seu lado. Pelo menos ela está sem o restante da brigada das mães, pois, pela forma como está me olhando, imediatamente percebo que todo o campo de beisebol já está falando sobre isso. Eu só aguento ser confrontado por um casal de cada vez.

— Grady disse que tinha uma garota na sua picape ontem.

Olho para Grady, que ergue as mãos como se sua esposa tivesse arrancado a informação dele.

— Não era ninguém — repito. — Só estava dando uma carona para uma cliente.

Quantas vezes vou precisar repetir isso hoje?

— Quem era ela? — pergunta Whitney.

74

— Ninguém que você conheça.

— A gente conhece todo mundo daqui — diz Grady.

— Ela não é daqui — digo.

Talvez eu esteja mentindo; talvez esteja dizendo a verdade. Não sei, pois não sei quase nada a respeito da garota. A única coisa que sei é o gosto dela.

— Destin andou treinando a rebatida — diz Grady, passando a falar do filho. — Espera pra ver o que ele está conseguindo fazer.

Grady quer que todos os outros pais o invejem. Não consigo entender. A escolinha de beisebol é para ser divertida, mas pessoas como ele trazem tanta competitividade para o esporte que o arruínam.

Duas semanas atrás, Grady quase discutiu com o árbitro e provavelmente teria batido nele se Roman não o tivesse tirado do campo.

Não sei se ficar tão esquentado por causa de uma partida de beisebol infantil pega bem para alguém. Mas ele leva muito a sério o desempenho do filho nos esportes.

Já eu... nem tanto. Às vezes me pergunto se é porque Diem não é minha filha. Se fosse, será que eu me aborreceria por causa de um jogo em que nem se marca a pontuação? Não sei se eu seria capaz de amar um filho biológico mais do que amo Diem, então duvido que eu fosse agir de outra maneira em relação ao desempenho dele nos esportes. Como fui jogador profissional de futebol americano, alguns pais presumem que sou mais competitivo. Mas lidei com técnicos competitivos a vida inteira, e aceitei treinar especificamente este time para impedir que algum babaca competitivo chegasse e servisse de mau exemplo para Diem.

Era para as crianças estarem se aquecendo, mas Diem está parada atrás do *home plate* enfiando bolas de beisebol na calça. Está com duas em cada bolso, e agora tentou enfiar uma terceira. Sua calça está começando a cair por causa do peso.

Vou até ela e me ajoelho.

— D, você não pode pegar todas as bolas.

— São ovos de dragão — diz ela. — Vou plantar todos no meu jardim e deixar os dragões filhotes crescerem.

Jogo uma bola de cada vez para Roman.

— Não é assim que os dragões crescem. A dragoa mãe tem que se sentar nos ovos. Não é para enterrá-los no jardim.

Diem se curva para pegar uma pedrinha no chão e percebo que ela está com duas bolas enfiadas na parte de trás da camisa. Puxo sua camisa para fora da calça, e as bolas caem aos seus pés. Chuto-as para Roman.

— E *eu*, eu cresci dentro de um ovo? — pergunta ela.

— Não, D. Você é humana. Humanos não crescem em ovos, a gente cresce na...

Paro de falar, porque eu estava prestes a dizer "A gente cresce na barriga das nossas mães", mas sempre tenho o cuidado de evitar o tema pais e mães perto de Diem. Não quero que ela comece a me fazer perguntas às quais não posso responder.

— Onde a gente cresce? — pergunta ela. — Em árvores?

Merda.

Ponho a mão no ombro de Diem e ignoro completamente a pergunta, porque não faço ideia do que Grace e Patrick lhe contaram sobre a origem dos bebês. Essa não é a minha praia. Eu não estava preparado para esta conversa.

Chamo todas as crianças a irem para os bancos, e felizmente Diem se distrai com um colega e se afasta de mim.

Dou um suspiro, aliviado por ter encerrado a conversa.

Deixei Roman no bar para poupá-lo da ida ao McDonald's.

E, sim, estamos no McDonald's apesar de Diem não ter usado as chuteiras em nenhum momento da partida, pois comigo é mais comum ela conseguir exatamente o que quer do que o contrário.

Escolha suas batalhas, dizem por aí. Mas o que acontece quando você não escolhe *nenhuma*?

— Não quero mais jogar beisebol — afirma Diem, do nada.

Ela está mergulhando a batata frita no mel quando decide isso. O mel escorre pela sua mão.

Tento fazer com que ela coma as batatas com ketchup porque é muito mais fácil de limpar, mas ela não seria Diem se não fizesse tudo da maneira mais difícil possível.

— Não gosta mais de beisebol?

Ela balança a cabeça em negativa e lambe o punho.

— Tá bom. Mas temos só mais algumas partidas, e você se comprometeu com o time.

— O que é se comprometer?

— É quando você aceita fazer alguma coisa. Você aceitou fazer parte do time. Se sair no meio da temporada, seus amigos vão ficar tristes. Acha que consegue aguentar o resto da temporada?

— Só se a gente puder comer no McDonald's depois de todas as partidas.

Semicerro os olhos na direção dela.

— Por que tenho a impressão de que você está me enrolando?

— O que significa *enrolando*? — pergunta ela.

— Significa que você está tentando me enganar para conseguir comer no McDonald's.

Diem sorri e come a última batata. Ponho todo o nosso lixo na bandeja. Seguro sua mão para sair com ela da lanchonete e me lembro do mel: de tão grudentas, suas mãos estão mais parecidas com fita adesiva. É exatamente por isso que sempre deixo lenços umedecidos na picape.

Alguns minutos depois, ela está no assento de elevação, com o cinto afivelado, enquanto esfrego suas mãos e braços com o lenço umedecido. Ela diz:

— Quando é que minha mãe vai comprar um carro maior?

— Ela tem uma minivan. Por que precisaria de um carro maior ainda?

— Não a vovó — corrige Diem. — Minha mãe. Skylar disse que minha mãe nunca vai para os meus jogos de beisebol, e eu respondi que ela vai quando comprar um carro maior.

Paro de enxugar suas mãos. Ela nunca menciona a mãe. Só hoje, é a segunda vez que chegamos perto de ter essa conversa.

Acho que é algo próprio da idade, mas não faço ideia do que Grace e Patrick lhe disseram sobre Kenna, e realmente não sei por que ela está perguntando do carro da mãe.

— Quem te disse que sua mãe precisava de um carro maior?

— A vovó. Ela me disse que o carro da mamãe não era grande o bastante e que era por isso que eu morava com ela e com o popô.

Que confuso. Balanço a cabeça e jogo os lenços sujos numa sacola.

— Bom, eu não sei. Pergunte à sua vovó.

Fecho a porta e mando uma mensagem para Grace enquanto dou a volta na picape para ir até o lado do motorista.

> Por que Diem acha que a mãe dela não participa da vida dela por precisar de um carro maior?

Estamos a alguns quilômetros de distância do McDonald's quando recebo uma ligação de Grace. Faço questão de não atender no viva-voz.

— Oi. Eu e Diem estamos voltando.

É meu modo de avisar a Grace que não posso falar muita coisa.

Grace inspira como se estivesse se preparando para dar uma explicação demorada à minha mensagem de texto.

— Então, na semana passada Diem me perguntou por que não mora com a mãe. Não soube o que dizer, então respondi que ela mora comigo porque o carro da mãe dela não é grande o bastante para caber todos nós. Foi a primeira mentira que me veio à mente. Fiquei em pânico, Ledger.

— Imagino.

— Nós planejamos contar, mas como se conta para uma criança que a mãe dela foi presa? Ela nem sabe o que é uma prisão.

— Não estou julgando — digo. — Só quero garantir que estamos em sintonia. Mas acho melhor pensarmos numa versão mais precisa da verdade.

— Eu sei. É que ela é tão pequena.

— E está começando a ficar curiosa.

— Eu sei. É que... se ela perguntar de novo, diga que vou explicar.

— Foi o que fiz. Prepare-se para as perguntas.

— Ótimo — diz ela, suspirando. — Como foi o jogo?

— Foi bom. Ela usou as botas vermelhas *e* conseguiu comer no McDonald's.

Grace dá uma risada.

— Você é um molenga.

— Pois é, que novidade. Até daqui a pouco.

Encerro a ligação e olho para o banco de trás. O rosto de Diem está totalmente concentrado.

— No que está pensando, D?

— Eu queria participar de um filme — diz ela.

— Ah, é? Quer ser atriz?

— Não, quero participar de um filme.

— Eu sei. Isso se chama ser atriz.

— Então é isso que eu quero ser. Atriz. Quero participar de um desenho animado.

Não lhe digo que desenhos animados são apenas vozes e desenhos.

— Acho que você seria uma ótima atriz de desenhos animados.

— Vou mesmo. Vou ser um cavalo ou um dragão ou uma sereia.

— Ou um unicórnio — sugiro.

Ela sorri e olha pela janela.

Amo a imaginação de Diem, mas de jeito nenhum ela a herdou de Scotty. Na verdade, ele era mais engessado do que uma calçada.

CAPÍTULO ONZE

KENNA

Nunca vi uma foto de Diem. Não sei se ela se parece comigo ou com Scotty. Será que seus olhos são azuis ou castanhos? E o sorriso dela, é sincero como o do pai? Será que ela ri como eu?

Será que ela é feliz?

Esse é meu único desejo: que ela seja feliz.

Confio totalmente em Grace e Patrick. Sei que eles amavam Scotty, e está na cara que amam Diem. Eles a amavam antes mesmo de ela nascer.

Os dois começaram a disputar a guarda dela no mesmo dia em que contei que estava grávida. O feto não estava nem com os pulmões desenvolvidos, mas eles já lutavam para respirar pela primeira vez.

Perdi a disputa pela guarda antes mesmo de Diem nascer. Uma mãe não tem muitos direitos quando é condenada a passar vários anos na prisão.

O juiz disse que, devido à natureza da nossa situação e ao que eu causara à família de Scotty, ele não poderia, em sã consciência, atender ao meu pedido de ter direito de visita. Tampouco obrigaria os pais de Scotty a preservar uma relação entre mim e minha filha enquanto eu estivesse presa.

Disseram que eu poderia requerer meus direitos quando fosse solta, mas, como eles foram suspensos, acho que não tem muito que eu possa fazer. Entre o nascimento de Diem e a minha soltura, quase cinco anos depois, houve pouca coisa que alguém pudesse, ou quisesse, fazer por mim.

Tudo que tenho é uma esperança intangível à qual tento me agarrar com mãozinhas de criança.

Eu estava rezando para que os pais de Scotty precisassem apenas de um tempo. Presumi, ignorantemente, que eles acabariam percebendo que preciso participar da vida de Diem.

Não tive muito o que fazer enquanto estive isolada, mas, agora que estou solta, pensei bastante em como devo agir. Não faço ideia do que esperar, não sei nem que tipo de pessoas eles são. Só os vi uma vez quando Scotty e eu estávamos namorando, e o encontro não correu muito bem. Tentei encontrá-los nas redes sociais, mas seus perfis são extremamente fechados. Não consegui encontrar nenhuma foto de Diem na internet. Até pesquisei os nomes de todos os amigos de Scotty de quem eu me recordava, mas não consegui me lembrar de muitos, e *todos* os perfis deles eram fechados.

Sei muito pouco da vida de Scotty antes de ele me conhecer, e não ficamos juntos por tempo o bastante para que eu realmente conhecesse seus amigos e sua família. Foram apenas seis meses dos vinte e dois anos que ele viveu.

Por que todas as pessoas da vida dele são tão inacessíveis? É por minha causa? Será que elas têm medo de que justamente isto aconteça? De que eu apareça? De que eu alimente a esperança de participar da vida da minha filha?

Sei que os dois me odeiam, e eles têm todo o direito, mas uma parte de mim tem convivido com eles nos últimos quatro anos por meio de Diem. Minha esperança é que eles tenham conseguido me perdoar pelo menos um pouco em razão da minha filha.

O tempo cura todas as feridas, não é mesmo?

Mas não os deixei com uma simples ferida. Deixei-os com uma fatalidade. Uma fatalidade que, de tão arrasadora, talvez nunca seja perdoada. Mas, ainda assim, é difícil não se prender à esperança quando tudo o que consigo fazer é ansiar por este momento.

É algo que vai me completar ou me destruir. Não tem meio--termo.

Mais quatro minutos para eu descobrir.

Estou mais nervosa agora do que no tribunal, cinco anos atrás. Aperto com força a estrela-do-mar de borracha na minha mão. Era o único brinquedo à venda no posto de gasolina ao lado do meu apartamento. Eu poderia ter pedido para o taxista passar no Target ou no Walmart, mas ambos ficam na direção oposta do local onde espero que Diem ainda more, e não tenho dinheiro para uma corrida tão longa.

Hoje, depois de ter sido contratada para trabalhar no mercado, fui a pé para casa e tirei um cochilo. Não queria chegar lá quando Diem não estivesse na casa de Grace e Patrick, e, se Amy estiver certa e Ledger não tiver filhos, faz sentido supor que a menina que ele treina na escolinha de beisebol seja minha filha. E, julgando pela quantidade de Gatorade que ele comprou, ele devia estar se preparando para um longo dia com muitos times. Seguindo essa linha de raciocínio, isso quer dizer que Diem só voltaria horas depois para casa.

Esperei o máximo possível. Sei que o bar abre às 17h, o que significa que Ledger provavelmente vai levar Diem para casa antes disso, e não quero de jeito nenhum que ele esteja presente quando eu aparecer, então programei a corrida de táxi pensando em chegar lá às 17h15.

Não quero que seja mais tarde do que isso, pois não quero chegar durante o jantar nem depois da hora dela de dormir. Quero fazer tudo do jeito certo; nada que possa deixar Patrick e Grace se sentindo mais ameaçados com a minha presença do que provavelmente já irão se sentir.

Não quero que eles me peçam que vá embora antes mesmo que eu possa argumentar a meu favor.

Em um mundo perfeito, eles abririam para mim a porta de casa e permitiriam o meu reencontro com a filha que nunca segurei nos braços.

Em um mundo perfeito... o filho deles ainda estaria vivo.

O que será que verei nos olhos deles quando os dois se depararem comigo na porta de casa? Choque? Ódio?

O quanto será que Grace me despreza?

Às vezes, tento me imaginar no lugar dela.

Tento imaginar o ódio que ela sente por mim, como as coisas devem ser do seu ponto de vista. De vez em quando, eu me deito na cama, fecho os olhos e tento justificar todas as razões pelas quais ela está impedindo que eu conheça minha filha... a fim de que eu não a odeie também.

Eu penso: *Kenna, imagine que você é Grace.*

Imagine que você tem um filho.

Um lindo rapaz que você ama mais do que a própria vida, mais do que qualquer vida após a morte. E ele é bonito e bem-sucedido. Mais importante ainda, ele é bondoso. Todos lhe dizem isso. Os outros pais queriam que os filhos deles fossem mais parecidos com o seu. Você sorri porque se orgulha dele.

Você se orgulha bastante, mesmo quando ele traz uma namorada nova para casa, aquela que você ouviu gemer alto demais no meio da noite. Aquela que você viu observando a sala enquanto todo mundo rezava antes do jantar. Aquela que você viu fumando às 23h no quintal, mas não disse nada; você simplesmente esperava que seu filho perfeito fosse perder logo o interesse por ela.

Imagine que você recebe uma ligação do colega de quarto do seu filho, perguntando se você sabe onde ele está. Ele devia ter chegado ao trabalho mais cedo naquele dia, mas, por algum motivo, não apareceu.

Imagine sua preocupação, porque seu filho costuma aparecer. Seu filho sempre aparece.

Imagine que ele não atende quando você liga para saber por que ele não apareceu.

Imagine seu pânico à medida que as horas passam. Normalmente você consegue sentir a presença dele, mas hoje não consegue; tudo o que você sente é medo e nenhum orgulho.

Imagine que você começa a fazer ligações. Liga para a universidade, para o chefe dele, e ligaria até para a namorada de quem não gosta muito caso tivesse o número dela.

Imagine que você escuta a porta de um carro bater e respira aliviada, só para cair no chão ao ver a polícia na sua porta.

Imagine escutar coisas como "sinto muito", "acidente de carro" e "não sobreviveu".

Imagine-se não morrendo naquele momento.

Imagine-se sendo obrigada a seguir em frente, a viver aquela noite terrível, a acordar no dia seguinte, a ter alguém lhe pedindo que identifique o corpo dele.

O corpo dele sem vida.

Um corpo que você criou, ao qual deu vida, que cresceu em seu interior, que você ensinou a andar e a correr e a ser gentil com os outros.

Imagine-se tocando no rosto gelado dele, com suas lágrimas pingando no saco plástico dentro do qual ele se encontra, com seu grito preso na garganta, silencioso como os gritos que já deu em pesadelos.

E você continua vivendo. De alguma maneira.

De alguma maneira, você segue em frente sem a vida que criou. Você sente o luto. Está fraca demais até mesmo para planejar o funeral dele. Fica se perguntando por que seu filho perfeito, seu filho bondoso, seria tão descuidado.

Você está devastada, mas seu coração continua batendo sem parar, uma recordação constante de todos os batimentos cardíacos que seu filho jamais vai poder sentir.

Imagine que a situação ainda piora.

Imagine só.

Imagine que, quando acha que está no fundo do poço, você descobre um novo penhasco do qual termina caindo ao ouvir que nem era seu filho que estava dirigindo o carro que seguia rápido demais pelo cascalho.

Imagine ouvir que o acidente foi culpa dela. Da garota que fumou o cigarro e não fechou os olhos durante a oração antes do jantar e que gemeu alto demais em sua casa silenciosa.

Imagine ouvir o quanto ela foi descuidada e cruel com a vida que cresceu dentro de você.

Imagine ouvir que ela o abandonou lá. "Fugiu", disseram.

Imagine ouvir que ela foi encontrada no dia seguinte, na própria cama, de ressaca, coberta de lama e de cascalho e do sangue do seu filho.

Imagine ouvir que seu filho perfeito estava com a pulsação perfeita e poderia ter tido uma vida perfeita caso tivesse sofrido o acidente com uma moça perfeita.

Imagine descobrir que as coisas não precisavam ter acontecido daquele jeito.

Ele nem sequer estava morto. Estimaram que ele continuou vivo por mais seis horas. Arrastou-se por vários metros, procurando por você. Precisando da sua ajuda. Sangrando. Morrendo.

Por horas.

Imagine descobrir que a garota que gemeu alto demais e fumou o cigarro no seu quintal às 23h poderia tê-lo salvado.

Uma ligação que ela não fez.

Três números que ela jamais discou.

Cinco anos foi o tempo que ela ficou presa pela vida dele, como se você não o houvesse criado por dezoito anos nem o observado se virar bem sozinho por quatro; e talvez você tivesse mais cinquenta anos ao lado dele caso ela não os houvesse encurtado.

Imagine ter de seguir em frente depois disso.

Agora imagine essa garota... a garota pela qual você esperava que seu filho perdesse o interesse... imagine que, depois de todo o sofrimento que ela lhe causou, ela decidisse reaparecer na sua vida.

Imagine que ela tem a cara de pau de bater à sua porta.

Imagine que ela sorri para você.

Pergunta sobre a filha dela.

Espera fazer parte da linda vidinha que seu filho milagrosamente deixou.

Imagine só. Imagine ter de olhar nos olhos da garota que deixou seu filho rastejar por vários metros até morrer enquanto ela tirava um cochilo na própria cama.

Imagine o que você lhe diria depois de tanto tempo.

Imagine todas as maneiras como você poderia feri-la de volta.

É fácil entender por que Grace me odeia.

Quanto mais perto chego da casa, mais eu mesma começo a me odiar.

Nem sei por que estou aqui sem antes ter me preparado melhor. Não vai ser fácil, e, mesmo que eu esteja me preparando para este momento há cinco anos, nunca cheguei a realmente ensaiá-lo.

O taxista entra na antiga rua de Scotty. Parece que estou afundando no banco de trás, sentindo um peso diferente de tudo que já senti na vida.

Quando vejo a casa deles, meu medo se torna audível. Minha garganta faz um barulho que me surpreende, mas estou me esforçando ao máximo para não chorar.

Pode ser que Diem esteja dentro daquela casa neste exato momento.

Estou prestes a atravessar um jardim em que Diem brincou.

Estou prestes a bater a uma porta que Diem abriu.

— Deu doze dólares — diz o taxista.

Tiro quinze dólares do bolso e lhe digo para ficar com o troco. Quando saio do carro, parece que estou flutuando. Que sensação esquisita. Dou uma olhada no banco de trás do táxi para ter certeza de que não estou mais sentada lá.

Penso em pedir que o taxista espere, mas assim eu estaria admitindo a derrota de antemão. Depois vejo como volto para casa. Agora estou me atendo ao sonho impossível de que só vão me pedir que eu vá embora daqui a algumas horas.

O taxista vai embora assim que fecho a porta do carro, e fico parada do outro lado da rua. A essa hora, o sol ainda está forte no céu.

Eu devia ter esperado até anoitecer. Desse jeito estou me sentindo um alvo, vulnerável ao que quer que possa me atingir.

Quero me esconder.

Preciso de mais tempo.

Ainda nem ensaiei o que vou dizer. Penso nisso constantemente, mas nunca pratiquei em voz alta.

Fica cada vez mais difícil controlar minha respiração. Ponho as mãos na parte de trás da cabeça; inspiro e expiro, inspiro e expiro.

As cortinas da sala de estar não estão abertas, então acho que eles ainda não perceberam a minha presença. Me sento no meio-fio e fico ali por um instante até me recompor antes de ir até lá. Sinto como se meus pensamentos estivessem jogados aos meus pés, como se eu precisasse pegá-los um a um e ordená-los.

1. Pedir desculpas;
2. Expressar minha gratidão;
3. Implorar para que eles se compadeçam de mim.

Eu devia ter vestido uma roupa melhor. Estou de calça jeans e com a mesma camiseta do Mountain Dew de ontem. Era a roupa mais limpa que eu tinha, mas, agora que parei para me olhar, sinto vontade de chorar. Não quero conhecer minha filha usando uma camiseta com estampa de refrigerante. Como posso esperar que Patrick e Grace me levem a sério se nem mesmo me visto a sério?

Não devia ter vindo até aqui na pressa. Devia ter pensado melhor antes. Estou começando a entrar em pânico.

Queria ter um amigo.

— Nicole?

Me viro ao ouvir sua voz, e inclino o pescoço até olhar Ledger nos olhos. Em circunstâncias normais, eu ficaria abalada ao vê-lo, mas já estou sentindo o máximo de sensações possível, então meu raciocínio está mais para um apático "ah, legal, que beleza".

Ele me encara com uma intensidade que faz meus braços se arrepiarem.

— O que está fazendo aqui? — pergunta ele.

Merda. Merda. Merda.

— Nada.

Merda. Meus olhos se voltam para a rua. Depois olho para trás de Ledger, para o que presumo que seja sua casa. Lembro de Scotty dizer que Ledger morava na casa em frente à sua. *Qual a probabilidade de ele ainda morar aqui?*

Não faço ideia do que fazer. Eu me levanto, e a sensação é de que tem pesos sobre os meus pés. Olho para Ledger, mas ele não está mais me encarando. Está fitando a antiga casa de Scotty, do outro lado da rua.

Ele passa a mão na mandíbula, e observo uma nova expressão perturbadora em seu rosto. Ele diz:

— Por que está encarando aquela casa?

Ele encara o chão, depois a rua, depois o sol, mas então volta o olhar para mim após eu não responder à pergunta. Agora, é um homem completamente diferente daquele que encontrei mais cedo no mercado.

Não é mais o cara espontâneo que se move pelo bar como se estivesse de patins.

— Seu nome não é Nicole — diz ele, como se perceber isso fosse algo deprimente.

Estremeço.

Ele encaixou todas as peças.

E agora parece querer desencaixar todas.

Ele aponta para a casa dele.

— Entre. — A palavra sai brusca e em tom de exigência. Dou um passo em direção à rua, me afastando dele. Sinto que estou começando a tremer bem na hora em que ele vem até a rua e se aproxima de mim. Ele está de olho na casa do outro lado da rua outra vez e estende o braço ao meu redor, pressionando a mão com firmeza na minha lombar. Ele começa a me conduzir, apontando para a casa na frente daquela onde minha filha mora.

— Entre antes que eles te vejam.

Eu imaginava que ele fosse terminar encaixando as peças. Só queria que ele tivesse feito isso ontem. Não agora, quando estou a apenas cinco metros de distância dela.

Olho para a sua casa e depois para a casa de Patrick e Grace. Não tenho como escapar dele. A última coisa que quero neste momento é fazer um escândalo. Meu objetivo era vir em paz e fazer tudo correr o mais tranquilamente possível. Mas Ledger parece querer o oposto.

— Por favor, me deixa em paz — digo, rangendo os dentes. — Isso não é da sua conta.

— *Óbvio* que é, porra.

— Ledger, *por favor*.

Minha voz treme por conta do medo e das lágrimas. Estou com medo dele, com medo deste momento, com medo de pensar que isto vai ser muito mais difícil do que eu temia. Por qual outro motivo ele estaria me afastando da casa deles?

Olho para a casa de Patrick e Grace, mas meus pés continuam indo na direção da casa de Ledger. Eu até resistiria, mas, a esta altura, não sei mais se estou pronta para encarar o casal. Achei que estava pronta quando entrei no táxi mais cedo, mas agora que estou aqui e que Ledger está nitidamente aborrecido, não estou *nem um pouco* pronta para encará-los. Com base nos últimos minutos, está na cara que minha visita talvez tivesse sido um tanto precipitada e que não teria sido nem um pouco bem-vinda.

Eles provavelmente foram informados quando fui solta e enviada para uma moradia provisória; deveriam imaginar que isto fosse acontecer em algum momento.

Os pesos foram tirados dos meus pés. Parece que estou flutuando de novo, bem alto, como um balão, e sigo Ledger como se ele estivesse me puxando por uma corda.

Estou constrangida de estar aqui. Constrangida o suficiente para seguir Ledger como se eu não tivesse voz nem pensamentos próprios. Neste segundo, eu certamente não tenho nenhuma autoconfiança. E minha camiseta é ridícula demais para uma situação desta magnitude. *Eu* sou ridícula por achar que isto deveria ser feito assim.

Ledger fecha a porta quando chegamos à sua sala de estar. Ele parece enojado. Não sei se é por estar me vendo ou se ele está pensando na noite de ontem. Ele anda de um lado a outro da sala, com a palma da mão encostada na testa.

— Foi por isso que apareceu no meu bar? Estava tentando me enganar para que eu te trouxesse até ela?

— Não.

Minha voz soa patética.

Ele passa as mãos pelo rosto, frustrado. Depois para e apenas murmura:

91

— Cacete.

Ele está tão puto comigo. *Por que sempre tomo as piores decisões?*

— Tem um dia que você chegou aqui na cidade. — Ele pega chaves numa mesa. — Achou mesmo que essa era uma boa ideia? Aparecer aqui tão rápido assim?

Tão rápido? *Ela tem quatro anos de idade.*

Ponho o braço por cima da minha barriga embrulhada. Não sei o que fazer. O que faço? O que *posso* fazer? Tem que haver alguma coisa. Alguma espécie de meio-termo. Eles não podem simplesmente decidir em conjunto o que é melhor para Diem sem me consultar.

Podem?

Podem.

Neste contexto, sou *eu* que estou sendo insensata; eu só estava muito assustada para admitir isso. Quero lhe perguntar se tem algo que eu possa fazer para que eles me escutem, mas seu olhar fulminante me faz pensar que estou totalmente errada. Começo a me perguntar se sequer tenho o direito de fazer perguntas.

Ele desce o olhar para a estrela-do-mar de borracha na minha mão. Vem até mim e estende a mão. Ponho a estrela-do-mar em sua palma. Não sei por que a entrego. Se ele vir que eu trouxe um brinquedo, quem sabe ele não perceba que minhas intenções são boas?

— É sério? Um *mordedor* para bebê? — Ele o arremessa no sofá como se fosse a coisa mais imbecil que já viu. — Ela tem *quatro anos.* — Ele anda na direção da cozinha. — Vou levá-la para casa. Espere eu entrar com a picape na garagem. Não quero que eles te vejam.

Não me sinto mais como se estivesse flutuando; pelo contrário, me sinto pesada e congelada, como se meus pés estivessem presos no concreto desta casa.

Dou uma olhada pela janela da sala de estar, na direção da casa de Patrick e Grace.

Estou tão perto. Tudo que nos separa é uma rua. Uma rua vazia e sem trânsito.

Enxergo com nitidez o que está prestes a acontecer. Patrick e Grace não querem saber de mim, tanto que Ledger sabia que devia impedir minha visita. Isso significa que não vai haver negociação nenhuma. O perdão que eu esperava que tivesse chegado até eles nunca deu as caras.

Eles ainda me odeiam.

E, pelo jeito, todas as outras pessoas que fazem parte da vida deles também.

Só vou poder ver minha filha se, por algum milagre, eu conseguir levar a questão para o sistema judiciário, o que exigiria um dinheiro que não tenho e demoraria anos — e não suporto a ideia de esses anos passando. Eu já perdi tanta coisa.

Se quero ver Diem alguma vez na vida, esta é minha única chance. Se quero ter a oportunidade de implorar aos pais de Scotty que me perdoem, é agora ou nunca.

Agora ou nunca.

Provavelmente Ledger só perceberia que não estou indo atrás dele, em direção à garagem, após pelo menos uns dez segundos. Talvez eu até consiga chegar até lá antes de ele me alcançar.

Saio furtivamente e atravesso a rua correndo o mais rápido possível.

Estou no jardim deles.

Meus pés estão correndo pela grama em que Diem brincou.

Estou batendo à porta da casa deles.

Estou tocando a campainha deles.

Estou tentando espiar pela janela para vê-la.

— Por favor — sussurro, batendo mais forte. Meu sussurro se transforma em pânico quando escuto Ledger se aproximar de mim por trás. — Me desculpem! — grito, batendo à porta. Minha voz agora está saindo em tom de súplica, assustada. — Me desculpem, me desculpem, deixem-me vê-la, por favor!

Estou sendo puxada, e então carregada de volta para a casa do outro lado da rua. Apesar de eu me esforçar para escapar dos braços dele, fico encarando a porta enquanto ela diminui cada vez mais de tamanho, na esperança de vislumbrar minha filhinha nem que seja por meio segundo.

Enquanto estou do lado de fora, não vejo nenhum movimento na casa deles. Depois volto para a casa de Ledger e sou colocada em seu sofá.

Ele está segurando o telefone, andando de um lado para o outro da sala enquanto disca um número. Apenas três dígitos. *Ele está ligando para a polícia.*

Entro em pânico.

— Não. — Eu *imploro*. — Não, não, não.

Eu me jogo pela sala na tentativa de alcançar seu telefone, mas tudo que ele faz é colocar a mão no meu ombro e me conduzir de volta ao sofá.

Me sento, pressionando meus cotovelos nos joelhos encostando meus dedos trêmulos na boca.

— Por favor, não chame a polícia. *Por favor.*

Fico parada, tentando não parecer ameaçadora, torcendo para que ele apenas me olhe nos olhos por tempo o suficiente para sentir minha dor.

Seus olhos encontram os meus bem no instante em que lágrimas começam a escorrer pelas minhas bochechas. Ele para antes de completar a ligação. Depois me encara... me analisando. Procurando uma promessa no meu rosto.

— Eu não vou voltar.

Se ele ligar para a polícia, isso não vai pegar nada bem para mim. Não posso ter mais nenhum antecedente criminal, embora, até onde eu saiba, eu não tenha infringido nenhuma lei. Mas só estar aqui sem que minha presença seja desejada já pesa contra mim.

Ele dá um passo na minha direção.

— Você *não pode* voltar. Jure para mim que a gente nunca mais vai te ver, senão ligo para a polícia agora.

Não posso. Não posso jurar isso. O que mais eu tenho na vida além da minha filha? Ela é tudo que tenho. É por causa dela que ainda estou viva.

Não acredito que isto está acontecendo.

— *Por favor* — exclamo, sem nem saber o que estou suplicando.

Só quero que alguém me ouça. Que alguém me escute. *Que alguém entenda o quanto estou sofrendo.* Quero que ele seja o homem que conheci no bar ontem à noite. Quero puxá-lo para o meu peito e que ele me passe a impressão de que tenho um aliado. Quero que ele me diga que vai ficar tudo bem, apesar de eu ter certeza absoluta de que as coisas nunca, nunca vão ficar bem.

Os próximos minutos são um borrão de frustração. Estou em meio a um caos de emoções.

Entro na picape de Ledger, e ele me leva embora do bairro em que minha filha cresceu. Finalmente estou na mesma cidade que ela depois de tantos anos, mas, ao mesmo tempo, nunca me senti mais distante dela do que neste exato momento.

Pressiono a testa no vidro do passageiro e fecho os olhos, querendo poder recomeçar do início.

Exatamente do início.

Ou pelo menos pular direto para o fim.

CAPÍTULO DOZE

LEDGER

As pessoas costumam ser enaltecidas após a morte. São até aclamadas como heróis de vez em quando. Mas nada do que foi dito sobre Scotty foi aumentado para que ele fosse lembrado com carinho. Ele era tudo o que os outros disseram a seu respeito: gentil, engraçado, atlético, honesto, carismático, um bom filho. Um ótimo amigo.

Todo santo dia eu penso que queria ter trocado de lugar com ele, na vida e na morte. Eu abdicaria da vida que estou vivendo num piscar de olhos se isso significasse que ele poderia ter um único dia com Diem.

Não sei se eu estaria tão irritado — e me sentindo tão protetor em relação a Diem — se Kenna tivesse apenas sido a responsável pelo acidente. Mas ela foi muito além: estava dirigindo quando não devia, acima da velocidade permitida, tinha bebido, fez o carro capotar.

E depois foi embora. Ela abandonou Scotty lá para que ele morresse, voltou a pé para casa e foi dormir por achar que conseguiria se safar. Ele está morto porque ela teve medo de se meter em apuros.

E agora quer ser perdoada?

Nem consigo pensar nos detalhes da morte de Scotty neste momento. Não com ela sentada ao meu lado na picape, pois prefiro morrer a lhe dar o prazer de conhecer Diem. Se isso significa jogar a picape de uma ponte com nós dois dentro, talvez eu esteja me sentindo vingativo o suficiente para fazer isso agora.

O fato de que ela achou que pudesse aparecer assim me deixa perplexo. Estou puto com a presença dela aqui, mas acho que minha raiva é ainda maior porque, ontem à noite, ela sabia quem eu era. Quando nos beijamos, quando a abracei.

Eu não devia ter ignorado meu instinto. Tinha algo de estranho nela. Não parece a Kenna que vi nas reportagens cinco anos atrás. A Kenna de Scotty tinha cabelos longos e loiros. Mas nunca vi muito bem o rosto dela naquela época. Não cheguei a conhecê-la pessoalmente, mas acho que a foto policial da garota que matou meu melhor amigo devia ter grudado mais na minha cabeça.

Estou me sentindo um idiota. Estou com raiva e magoado, como se alguém tivesse se aproveitado de mim. Até mesmo hoje, no mercado, ela sabia quem eu era e não me deu nenhum sinal de quem *ela* era.

Abro o vidro para sentir um pouco de ar fresco, na esperança de que isso me acalme. As articulações dos meus dedos estão pálidas enquanto seguro o volante.

Ela está olhando pela janela, sem reação. Talvez esteja chorando. Sei lá.

Não estou nem aí, porra.

Não mesmo.

Ela não é a garota que conheci ontem. Aquela garota não existe. Ela estava fingindo, e eu caí direto na sua armadilha.

Meses atrás Patrick mencionou estar preocupado, quando descobrimos que ela tinha sido solta. Ele achou que isso poderia acontecer — que talvez ela aparecesse querendo conhecer Diem. Até instalei uma câmera de segurança na minha casa, apontando para o jardim deles. Foi assim que descobri que tinha uma pessoa sentada no meio-fio.

Falei para Patrick que era besteira se preocupar com isso. "Ela não apareceria assim. Não depois do que fez."

Seguro o volante com ainda mais força. Talvez Diem tenha nascido de Kenna, mas o direto dela em relação à menina acaba aí.

Quando o prédio dela aparece, paro a picape e ponho o câmbio automático no ponto morto. Não desligo o motor, mas Kenna não se mexe para sair. Achei que ela fosse saltar apressada antes mesmo de eu parar completamente, como fez ontem, mas ela parece estar querendo dizer alguma coisa. Ou talvez esteja receando voltar para o apartamento, provavelmente tanto quanto receia continuar aqui.

Ela está encarando suas mãos unidas no colo. Leva uma delas até o cinto e o desafivela, mas depois continua na mesma posição.

Diem se parece com ela. Sempre imaginei isso, pois não vejo muito de Scotty nas feições de Diem. Até esta noite, no entanto, eu não fazia ideia do quanto é parecida com a mãe. As duas têm o mesmo tom castanho-avermelhado no cabelo, que é liso e fino, sem nenhum indício de onda ou cacho. Ela tem os olhos de Kenna.

Talvez aí esteja a explicação do meu alerta vermelho de ontem: meu subconsciente a reconheceu antes mesmo de mim.

Quando os olhos de Kenna se voltam para mim, sinto um aperto de decepção: Diem se parece *tanto* com ela quando está triste. É como se eu estivesse vendo o futuro e quem Diem vai ser um dia.

Não gosto de perceber que a pessoa de que eu menos gosto do mundo lembra a pessoa que mais amo no mundo.

Kenna enxuga os olhos, mas não me inclino para pegar um guardanapo no porta-luvas. Ela pode usar a camiseta do Mountain Dew que está vestindo há dois dias.

— Eu não sabia quem você era quando cheguei ao seu bar ontem à noite — diz ela com a voz trêmula. — Juro.

Ela encosta a cabeça no apoio e fica olhando para a frente. Seu peito sobe com uma inspiração profunda. Ela expira bem no momento em que meu dedo toca o botão de destrancar a porta. É minha deixa para que ela vá embora.

— Não me importo com ontem. Eu me importo com Diem. E só.

Vejo uma lágrima deslizar pelo seu maxilar. Odeio o fato de que sei o gosto de suas lágrimas. Odeio a parte de mim que quer estender o braço e enxugá-la.

Será que ela chorou quando estava deixando Scotty para trás naquela noite?

Ela se mexe com uma tristeza graciosa, inclinando-se para frente, pressionando o rosto nas mãos. Seus movimentos enchem a picape com o cheiro do seu xampu. Tem cheiro de fruta. De *maçã*. Apoio o cotovelo na porta e me afasto dela, cobrindo a boca e o nariz. Olho pela janela, sem querer saber mais nada a seu respeito. Não quero saber como é seu cheiro, como é sua voz, como são suas lágrimas, o efeito que sua dor tem em mim.

— Eles não querem você na vida dela, Kenna.

O choro se mistura a um arquejo — que parece repleto de anos de mágoa — quando ela diz:

— Ela é minha *filha*.

Neste momento, sua voz decide se reconectar à sua consciência. Não é mais uma fina espiral de ar que escapa da sua boca; é uma voz cheia de pânico e desespero.

— Diem é filha *deles*. Seus direitos foram suspensos. Saia da minha picape e faça um favor para todos nós: volte para Denver.

Não sei se o soluço de choro que lhe escapa é mesmo real. Ela enxuga as bochechas, abre a porta e sai da minha picape. Vira-se para mim antes de fechar a porta, e ela se parece tanto com Diem; até mesmo seus olhos ficam um pouco mais escuros quando ela chora, assim como acontece com Diem.

Sinto seu olhar bem profundamente, mas sei que é somente por sua grande semelhança com Diem. *Estou sofrendo por Diem. Não por esta mulher.*

Kenna parece não saber se deve se afastar, me responder ou gritar. Ela abraça a si mesma e me encara com dois olhos imensos e arrasados. Inclina a cabeça para o céu por um instante, inspirando de forma trêmula.

— Vá se *foder*, Ledger.

A dor pungente de sua voz me faz estremecer, mas tento parecer o mais indiferente possível.

Suas palavras nem sequer foram um grito — foram apenas uma afirmação baixa e incisiva.

Ela bate a porta da picape com força e depois espalma as mãos na minha janela.

— Vá se foder!

Não fico esperando-a repetir pela terceira vez. Dou ré e volto para a rua. Sinto um nó na barriga que parece amarrado ao seu pulso. Quanto mais me afasto dela, mais o sinto se desfazer.

Não sei o que eu esperava. Era assim que eu a imaginei durante todos esses anos. Uma garota sem nenhum remorso pelo que fez. Uma mãe totalmente desapegada da filha a quem deu à luz.

Não é fácil deixar de lado cinco anos de noções preconcebidas, mas sólidas. Na minha cabeça, Kenna só existe de uma maneira. Uma garota sem remorsos. Indiferente. Insensível. Indigna.

Não consigo conciliar o turbilhão de emoções que deve fazê-la sofrer tanto por não poder participar da vida de Diem quanto pela falta de cuidado que ela teve com a vida de Scotty.

Sigo dirigindo enquanto penso em um milhão de coisas que deveria ter dito. Em um milhão de perguntas cujas respostas ainda não tenho.

Por que não chamou por socorro?

Por que o abandonou lá?

Por que acha que merece causar mais tumulto nas vidas que já destruiu?

Por que ainda quero abraçá-la?

100

CAPÍTULO TREZE

KENNA

Parece que estou vivendo a pior situação que imaginei. Não apenas não conheci minha filha hoje, mas agora a única pessoa que talvez pudesse me levar até ela se tornou meu maior inimigo.

Eu o odeio. Odeio o fato de tê-lo deixado me tocar ontem à noite. Odeio o fato de que o tempinho que passamos juntos ontem já serviu de munição para ele me rotular de mentirosa, de vadia, de alcoólatra. Como se *assassina* já não fosse o suficiente.

Ele vai direto falar com Grace e Patrick, reforçando o ódio que eles sentem por mim. Vai ajudá-los a construir uma parede ainda mais robusta, grossa e alta entre mim e minha filha.

Não tenho ninguém ao meu lado. Não tenho uma única pessoa.

— Oi.

Paro na metade da escada. No topo está sentada uma adolescente; ela tem síndrome de Down e está me olhando com um sorriso encantador, como se hoje não fosse o pior dia da minha vida. Está com o mesmo tipo de camisa que Amy estava usando no mercado. Deve trabalhar lá. Amy disse que eles empregam pessoas com necessidades especiais para empacotar as compras.

Enxugo as lágrimas das minhas bochechas e murmuro:

— Oi.

Depois, passo por ela. Numa situação normal, eu me esforçaria mais para ser simpática, especialmente se for trabalhar com

101

ela, mas neste momento tem mais lágrimas do que palavras na minha garganta.

Abro a porta do apartamento, e, depois de entrar, bato-a e me jogo de cara no colchão meio murcho.

Não dá nem para dizer que voltei à estaca zero. Parece mais que estou na estaca *menos um*.

Minha porta é escancarada, e me sento imediatamente. A garota da escada entra no meu apartamento sem ser convidada.

— Por que está chorando? — Ela fecha a porta atrás de si e se encosta nela, observando meu apartamento com olhos curiosos. — Por que você não tem nada?

Embora ela tenha simplesmente invadido minha casa sem permissão, estou triste demais para me chatear com isso. Ela não tem limites. Bom saber.

— Acabei de me mudar — digo, me explicando.

Ela vai até minha geladeira e a abre. Vê o pacote de bolachas salgadas pela metade que deixei lá pela manhã e o pega.

— Posso comer?

Pelo menos ela pediu permissão antes de comer.

— Pode, sim.

Ela dá uma mordida na bolacha, mas depois seus olhos se arregalam e ela joga o pacote no balcão.

— Meu Deus, você tem um gatinho! — Ela vai até ele e o pega. — Minha mãe não me deixa ter um. Foi Ruth que te deu?

Em qualquer outro momento, ela seria bem-vinda aqui. Sério. Mas não tenho forças para ser simpática durante um dos piores momentos da minha vida. Preciso sentir o meu colapso, e com ela aqui não consigo fazer isso.

— Você pode ir embora? — digo com o máximo de gentileza, mas as pessoas sempre ficam um pouco magoadas quando você pede que elas te deixem em paz.

— Uma vez, quando eu tinha cinco anos, hoje eu tenho 17, mas quando eu tinha cinco anos, tive um gatinho, mas ele ficou com vermes e morreu.

— Sinto muito.

Ela ainda não fechou a geladeira.

— Qual é o nome dela?

— Ainda não escolhi.

Ela não escutou que eu pedi que ela fosse embora?

— Por que você é tão pobre?

— Por que acha que sou pobre?

— Você não tem comida, nem cama, nem nada.

— Eu estava presa.

Quem sabe assim ela não se assusta e vai embora?

— Meu pai está preso. Você o conhece?

— Não.

— Mas eu nem te disse o nome dele.

— Eu estava numa prisão feminina.

— Able Darby. É o nome dele. Você o conhece?

— Não.

— Por que está chorando?

Me levanto do colchão, vou até a geladeira e a fecho.

— Alguém magoou você? Por que está chorando?

Não acredito que vou responder. Parece que vou ficar ainda mais patética se eu simplesmente desabafar com uma adolescente qualquer que entrou no meu apartamento sem permissão. Mas sinto como se falar em voz alta fosse me fazer bem.

— Eu tenho uma filha, e ninguém quer me deixar vê-la.

— Ela foi sequestrada?

Quero responder que sim, porque às vezes é essa a sensação.

— Não. Minha filha ficou com algumas pessoas enquanto eu estava presa, mas, agora que fui solta, elas não querem que eu a veja.

— Mas você quer?

— Quero.

Ela beija o topo da cabeça da gatinha.

— Talvez você devesse se alegrar. Não gosto de crianças pequenas. Meu irmão põe pasta de amendoim nos meus sapatos de vez em quando. Como você se chama?

— Kenna.

— Eu me chamo Lady Diana.

— Seu nome é mesmo esse?

— Não, é Lucy, mas prefiro Lady Diana.

— Você trabalha no mercado? — pergunto-lhe, apontando para sua camisa. Ela faz que sim. — Vou começar a trabalhar lá na segunda.

— Tem quase dois anos que trabalho lá. Estou economizando para comprar um computador, mas até agora não economizei nada. Agora vou jantar. — Ela me entrega a gatinha e começa a ir em direção à porta. — Tenho algumas velas estrela. Quando anoitecer, quer acendê-las comigo?

Me encosto no balcão e suspiro. Não quero negar, mas tenho a sensação de que meu colapso vai durar pelo menos até de manhã.

— Talvez outro dia.

Lady Diana sai do meu apartamento. Desta vez tranco a porta, e então imediatamente pego meu caderno para escrever uma carta para Scotty, pois é a única coisa que vai me impedir de desmoronar.

Querido Scotty,

Eu adoraria te dizer como é a aparência da nossa filha, mas ainda não faço ideia de como ela é.

Talvez seja minha culpa por não ter sido franca com o Ledger ontem à noite a respeito da minha identidade. Ele pareceu interpretar isso como uma espécie de traição quando percebeu hoje quem eu era. Nem consegui ver seus pais de tão puto que ele ficou com a minha presença lá.

Eu só queria ver nossa filha, Scotty. Só queria olhar para ela. Não estou aqui para tomá-la deles, mas acho que nem Ledger nem seus pais têm ideia de como é gestar um humano por meses e depois ver aquele bebezinho minúsculo ser arrancado de você antes mesmo que você possa conhecê-lo.

Sabia que quando uma mulher presa dá à luz, se a pena já estiver perto do fim, às vezes deixam o bebê ficar com ela? Isso é mais comum em casos de penas mais curtas.

No meu caso, eu estava no início da pena quando Diem nasceu, então ela não pôde ficar comigo na prisão. Ela nasceu prematura, e logo após o parto perceberam que sua respiração não estava perfeita, então a levaram imediatamente e a transferiram para a UTI Neonatal. Eles me deram uma aspirina, uns absorventes imensos e depois me levaram de volta para a prisão, de braços e útero vazios.

Dependendo das circunstâncias, algumas mães podem usar uma bombinha tira-leite, e o líquido é armazenado e entregue ao bebê. Não tive essa sorte. Não pude usar a bombinha e não pude fazer nada que ajudasse meu leite a secar.

Cinco dias depois que Diem nasceu, eu estava chorando num canto da biblioteca da prisão porque meu leite tinha descido, minhas roupas estavam encharcadas e eu ainda estava emocionalmente arrasada e fisicamente esgotada.

Foi então que conheci Ivy.

Ela estava lá fazia um tempo, conhecia todos os agentes penitenciários, todas as regras, o quanto podia infringi-las e quem lhe permitiria isso. Ela me viu chorando enquanto eu segurava um livro sobre depressão pós-parto. Depois viu minha camiseta encharcada, me levou até um banheiro e me ajudou a me limpar. Ela dobrou meticulosamente algumas folhas de papel-toalha em quadrados e as entregou uma por uma para mim enquanto eu as colocava dentro do meu sutiã.

— Foi menino ou menina?

— Menina.

— Que nome você escolheu?

— Diem.

— Que nome bom. Forte. Ela nasceu saudável?

— Ela nasceu prematura, então foi levada assim que nasceu. Mas uma enfermeira disse que ela está bem.

Ivy franziu a testa quando eu disse isso.

— Você vai poder vê-la?

— Não. Acho que não.

Ivy balançou a cabeça, e naquele momento eu ainda não sabia, mas Ivy era capaz de ter uma conversa inteira com seus diferentes jeitos de balançar a cabeça. Aprendi isso aos poucos, ao longo dos anos, mas naquele dia eu não sabia que aquela sua forma de balançar a cabeça podia ser traduzido como: "Canalhas."

Ela me ajudou a secar minha camiseta e, quando voltamos à biblioteca, ela me fez sentar e disse:

— Faça o seguinte: leia todos os livros desta biblioteca. Logo mais, você estará vivendo nos mundos mirabolantes que existem dentro deles, e não no mundo horrível desta prisão.

Nunca fui muito de ler. Não gostei do seu plano. Fiz que sim, mas ela percebeu que não lhe dei ouvidos.

Ela tirou um livro da prateleira e me entregou.

— Sua bebê foi levada. Você nunca vai superar isso. Então decida aqui e agora: você vai viver na sua tristeza ou vai morrer nela?

Sua pergunta foi como um soco na barriga — na barriga que não continha mais minha filha. Ivy não estava querendo me animar. De muitas maneiras, era exatamente o contrário. Ela não estava dizendo para eu superar o que estava sentindo, nem que as coisas iriam ficar mais fáceis. Estava dizendo que era aquilo mesmo — que a angústia que eu estava sentindo era o meu novo normal. Ou eu aprenderia a conviver com ela, ou me permitiria ser consumida por ela.

Engoli a seco e disse:

— Vou viver nela.

Ivy sorriu e apertou meu braço.

— Muito bem, mamãe.

Ivy não sabia, mas naquele dia sua sinceridade brutal me salvou. Ela tinha razão. Meu normal jamais seria o mesmo. Já não era o mesmo desde que eu tinha te perdido, e perder nossa filha para os seus pais só me fez ficar ainda mais fora dos eixos.

O que senti naquele dia, quando ela foi levada de mim, é exatamente a mesma angústia e o mesmo pesar que estou sentindo agora.

Ledger não faz ideia de como suas ações desta noite destruíram os últimos pedaços que restavam de mim.

Ivy não faz ideia de como suas palavras ditas quase cinco anos atrás ainda estão de alguma maneira me salvando.

Talvez a gatinha devesse se chamar assim. Ivy.

Com amor,
Kenna

CAPÍTULO CATORZE

LEDGER

Recebi três ligações de Patrick enquanto voltava para casa, mas não atendi nenhuma porque estava puto demais com Kenna para conversar sobre ela ao telefone. Estava esperando que os Landry não tivessem ouvido quando ela bateu à porta deles, mas é óbvio que ouviram.

Patrick está esperando no jardim quando estaciono a picape na frente de casa. Antes mesmo de eu sair do carro, ele começa a falar.

— O que é que ela quer? — pergunta ele. — Grace está péssima. Acha que ela vai tentar contestar a suspensão dos direitos? O advogado disse que seria impossível.

Ele continua fazendo perguntas enquanto me segue até a cozinha. Jogo as chaves na mesa.

— Não sei, Patrick.

— Acha melhor providenciarmos uma medida protetiva?

— Não acho que vocês tenham como justificar isso. Ela não ameaçou ninguém.

Ele anda de um lado para o outro da cozinha, e observo enquanto ele fica cada vez mais compenetrado. Sirvo-lhe um copo de água e o entrego a ele. Ele bebe tudo e depois se senta num dos bancos. Encosta a cabeça nas mãos.

— A última coisa de que Diem precisa é que aquela mulher entre e saia da vida dela. Depois do que ela fez com Scotty... não podemos...

— Ela não vai mais aparecer aqui — digo. — Ela tem muito medo de que alguém chame a polícia.

Meu comentário só aumenta a preocupação dele.

— Por quê? Ela está evitando infringir a lei para o caso de poder nos processar?

— Ela mora num buraco. Duvido que tenha dinheiro para contratar um advogado.

Ele se levanta.

— Ela está *morando* aqui?

Faço que sim.

— No Paradise Apartments. Não sei quanto tempo ela está planejando ficar.

— Merda — murmura ele. — Isso vai destruir Grace. Não sei o que fazer.

Não tenho nenhum conselho para lhe dar. Por mais que eu esteja envolvido na vida dela, não sou pai de Diem. Não fui eu que cuidei dela desde o nascimento. Essa briga não é minha, embora de alguma maneira eu tenha me envolvido nela.

Talvez eu não tenha influência juridicamente falando, mas tenho opiniões. Opiniões fortes. Por mais que a situação como um todo não tenha nenhum resultado positivo para as partes envolvidas, a verdade é que fazer parte da vida de Diem é um privilégio, e Kenna perdeu esse privilégio na noite em que decidiu que sua liberdade valia mais do que a vida de Scotty.

Grace não é forte o bastante para lidar com Kenna. Talvez nem Patrick seja, mas ele sempre fez questão de pelo menos fingir ter a força de que Grace precisa.

Ele nunca demonstraria tanta aflição na frente dela. Prefere deixar esse seu lado guardado para os momentos em que a morte de Scotty é demais para ele. Para os momentos em que ele precisa escapar e chorar sozinho no meu quintal.

Às vezes percebo quando os dois começam a ficar deprimidos. Sempre acontece em fevereiro, mês do aniversário de Scotty. Mas logo depois, em maio, chega o aniversário de Diem, que os anima novamente.

É isso que Kenna precisa entender. Grace e Patrick só estão vivos por causa de Diem. Ela é a cola que impede os dois de despedaçarem.

Não tem lugar para Kenna neste cenário. Algumas coisas podem ser perdoadas, mas às vezes o acontecimento é tão doloroso que só a lembrança é capaz de destruir a pessoa dez anos depois. Patrick e Grace seguem em frente porque eu e Diem os ajudamos a esquecer o que aconteceu com Scotty por tempo o bastante para que eles aguentem cada dia. Se Kenna estiver no meio da história, contudo, a morte dele vai estar ali, estampada, o tempo inteiro.

Patrick está de olhos fechados, com as mãos unidas e encostadas no queixo. Parece que está rezando em silêncio.

Inclino-me para a frente por cima do balcão e tento falar com uma voz tranquilizadora:

— Por enquanto, Diem está em segurança. Kenna tem muito medo de que alguém chame a polícia e não tem dinheiro para lutar pela guarda dela nos tribunais. Vocês estão em vantagem. Tenho certeza de que, depois de hoje, ela vai desistir e voltar para Denver.

Patrick fica encarando o piso por uns dez segundos. Percebo que tudo pelo que ele passou está pesando em seus ombros.

— Assim espero — diz ele.

Ele caminha até a porta da frente e, depois que vai embora, fecho os olhos e expiro.

Tudo o que eu disse para tranquilizá-lo era mentira. Com base no que agora sei sobre Kenna — ainda que seja bem pouco —, tenho a sensação de que isso está bem longe de acabar.

— Você parece distraído — diz Roman. Ele pega o copo na minha mão e começa a servir a cerveja que o cliente já me pediu três vezes. — É melhor fazer uma pausa. Está atrasando a gente.

— Eu estou bem.

Mas Roman sabe que não estou bem. Sempre que o vejo, ele está me encarando. Tentando descobrir o que está acontecendo comigo.

Tento trabalhar por mais uma hora, mas é sábado à noite e está o maior barulho, e, mesmo que a gente tenha um terceiro barman nas noites de sábado, Roman está certo: estou atrasando a gente e piorando a situação, então acabo fazendo a maldita pausa.

Me sento nos degraus do beco, olho para o céu e me pergunto o que diabos Scotty faria neste momento. Ele sempre era tão sensato. Não sei se ele puxou isso dos pais, no entanto. Talvez sim, não sei. Talvez seja difícil para eles serem sensatos quando estão tão magoados.

A porta se abre atrás de mim. Olho por cima do ombro e vejo Roman saindo. Ele se senta ao meu lado e fica em silêncio. É a maneira dele de me dar a palavra.

— Kenna voltou.

— A mãe de Diem.

Faço que sim.

— Que merda.

Esfrego os olhos com os dedos, aliviando um pouco da pressão da dor de cabeça que tem se acumulado ao longo do dia.

— Quase transei com ela ontem à noite. Na minha picape, depois que o bar fechou.

Ele não reage de imediato. Olho para ele, que está apenas me encarando sem reação. Depois ele leva a mão até o rosto e a passa por cima da boca.

— Você *o quê?* — Roman se levanta e vai para o beco. Ele está encarando os próprios pés, assimilando o que acabei de dizer. Parece tão chocado quanto fiquei quando minha ficha caiu lá na frente de casa. — Achei que odiasse a mãe de Diem.

— Ontem eu não sabia que ela era a mãe de Diem.

— Como é que não sabia? Ela era namorada do seu melhor amigo, não era?

— Não cheguei a conhecê-la, só vi uma foto dela uma vez. E acho que vi também sua foto policial. Mas naquela época ela tinha o cabelo longo e loiro, era totalmente diferente.

— Caramba — diz Roman. — Ela sabia quem *você* era?

Disso eu ainda não sei, então apenas dou de ombros. Ela não pareceu surpresa quando me viu na frente da minha casa mais cedo. Pareceu chateada e nada mais.

— Ela apareceu lá e tentou conhecer Diem mais cedo. E agora... — Balanço a cabeça. — Fiz merda, Roman. Patrick e Grace não precisam disso.

— Ela tem algum direito como mãe?

— Os direitos dela foram suspensos por conta da duração de sua pena. A gente estava torcendo para ela não aparecer querendo fazer parte da vida de Diem... Bem, eles tinham medo disso. Todos nós tínhamos. Acho que imaginamos que receberíamos alguma espécie de alerta antes, só isso.

Roman pigarreia.

— Bem, para ser justo, Diem nasceu dela. Acho que esse foi o seu alerta. — Roman gosta de dar uma de advogado do diabo em tudo; não me admira que ele esteja fazendo isso agora. — Qual é o plano deles? Eles vão deixar Diem conhecer a mãe, agora que sabem que ela quer se envolver?

— Seria muito difícil para Patrick e Grace se Kenna participasse da vida deles.

Roman franze a testa.

— E como Kenna vai aceitar isso?

— Não estou nem aí para Kenna. Nenhum avô deveria ser obrigado a receber a visita da assassina do filho deles.

Roman ergue a sobrancelha.

— *Assassina*. Está sendo um pouco radical. As ações dela causaram a morte de Scotty, isso é óbvio. Mas a garota não cometeu um assassinato a sangue frio. — Ele chuta uma pedrinha na calçada. — Sempre achei que eles foram duros demais com ela.

Roman não me conhecia quando Scotty morreu. Ele só sabe da história. Mas se ele tivesse visto como todos foram afetados cinco anos atrás e ainda assim dissesse o que acabou de dizer, eu teria dado um soco nele.

Mas ele está apenas sendo ele mesmo. O advogado do diabo. Desinformado.

— O que aconteceu quando ela apareceu lá? O que eles disseram para ela?

— Ela não conseguiu fazer muita coisa. Eu a detive na rua e a levei até o apartamento dela. E lhe disse para voltar para Denver.

Roman coloca as mãos nos bolsos. Observo o rosto dele, esperando ser julgado.

— Isso aconteceu faz muito tempo? — pergunta ele.

— Algumas horas atrás.

— Não está preocupado com ela?

— Com quem? Diem?

Ele balança a cabeça dando uma risadinha, como se eu não estivesse entendendo.

113

— Estou falando de Kenna. Ela tem família aqui? Amigos? Ou você a deixou sozinha depois de mandá-la à merda?

Me levanto e limpo a parte de trás da minha calça jeans. Entendo o que ele está querendo dizer, mas não é problema meu. *Pelo menos é isso que estou repetindo para mim mesmo.*

— Talvez devesse ir ver como ela está — sugere ele.

— Não vou *ver como ela está.*

Roman parece decepcionado.

— Você não é assim.

Sinto minha pulsação martelando na garganta. Não sei se estou mais puto com ele ou com Kenna neste momento.

Roman dá um passo, se aproximando de mim.

— Ela é responsável pela morte *acidental* de alguém por quem estava apaixonada. Como se isso já não fosse dureza o suficiente, ela foi presa por isso e obrigada a entregar a própria filha. Ela finalmente reaparece esperando conhecê-la, e você faz sei lá o quê com ela na sua picape, depois não a deixa conhecer a filha e *ainda* a manda à merda. Dá para entender por que você está tão perturbado esta noite. — Ele sobe os degraus, mas, antes de entrar, vira-se para mim. — É por sua causa que não estou morto numa vala qualquer, Ledger. Você me deu uma chance quando todos tinham desistido de mim, e não faz ideia do quanto te admiro por ter feito isso. Mas está sendo bem difícil te admirar neste momento. Está agindo como um babaca.

Roman volta para dentro do bar.

Fico encarando a porta depois que ela se fecha, e depois bato nela.

— Porra!

Começo a andar de um lado para o outro no beco. Quanto mais ando, mais culpado me sinto.

Estou inequivocamente do lado de Patrick e Grace desde o dia em que fiquei sabendo o que aconteceu com Scotty, mas quanto

114

mais os segundos se passam entre as palavras de Roman e minha próxima decisão, mais me sinto inquieto em relação a tudo.

Neste momento, existem duas possibilidades na minha cabeça. A primeira é que Kenna é exatamente quem eu sempre imaginei que fosse, e ela apareceu aqui de maneira egoísta, pensando somente em si mesma, sem nem considerar o impacto que sua presença teria sobre Patrick e Grace, e até mesmo sobre Diem.

A segunda possibilidade é que Kenna é uma mãe devastada e sofrida que apenas anseia ver sua filha e deseja desesperadamente agir da maneira certa em relação a ela. Se for esse o caso, não sei se aceito a maneira como encerrei a noite de hoje.

E se Roman tiver razão? E se eu tiver destruído o restinho de esperança que ela ainda tinha? Se isso for verdade, como ela está agora? Sozinha num apartamento, sem ter um futuro pelo qual ansiar?

Será que eu deveria me preocupar?

Será que eu deveria ver como ela está?

Fico andando pelo beco durante vários minutos, até que finalmente me faço a pergunta que não sai da minha cabeça: *o que Scotty faria?*

Scotty sempre enxergava o que as pessoas tinham de melhor, até mesmo naquelas em quem eu não conseguia enxergar nada de bom. Se ele estivesse aqui, consigo imaginar como seria seu raciocínio sobre tudo isso:

"*Você foi duro demais, Ledger. Todos merecem o benefício da dúvida, Ledger. Você não vai conseguir viver em paz consigo mesmo se ela se matar, Ledger.*"

— Merda — murmuro. — Merda, merda, *merda*.

Não sei nada sobre a personalidade de Kenna. A reação dela mais cedo, que eu saiba, pode ter sido puro drama. Mas pode ser que ela também esteja num momento muito sombrio, e não vou conseguir dormir com isso na minha consciência.

Me sinto perturbado e frustrado enquanto entro na picape e dirijo até a casa dela.

Talvez eu devesse sentir alívio agora que estou achando que Roman estava errado, mas só estou puto mesmo.

Kenna não está entocada no seu apartamento; ela está fora do prédio, parecendo totalmente despreocupada. Está brincando com *velas estrelas*, porra. Ela e uma menina, rodopiando no gramado como se fosse uma criança e não uma adulta que, horas atrás, agiu como se seu mundo estivesse acabando.

Ela não me viu chegar porque estava de costas para o estacionamento e não percebeu que estou aqui há vários minutos.

Ela acende outra vela para a menina, que depois sai em disparada com a vela na mão, deixando um rastro de luz após virar a esquina.

Quando Kenna fica sozinha, ela pressiona as palmas das mãos nos olhos e vira o rosto em direção ao céu. Fica assim por alguns minutos. Depois enxuga os olhos com a camiseta.

A garota reaparece e Kenna sorri; depois a garota desaparece, e o rosto de Kenna se entristece outra vez.

Ela se alegra e se entristece, se alegra e se entristece, e não gosto de perceber que é bom vê-la fingindo não estar triste sempre que a garota volta correndo. Talvez Roman tivesse mesmo razão.

A garota volta outra vez e lhe entrega mais uma vela. Enquanto a acende, Kenna olha para cima e avista minha picape. Seu corpo inteiro parece estremecer, mas ela se obriga a sorrir para a menina e gesticula para que ela dê a volta no prédio correndo. Assim que a garota desaparece de novo, Kenna vem na minha direção.

É óbvio que eu estava aqui a observando. Nem tento disfarçar. Destranco a porta logo antes de ela chegar à picape, e ela entra.

Ela bate a porta.

— Veio me dar alguma boa notícia?

Eu me mexo no banco.

— Não.

Ela abre a porta e começa a sair.

— Espere, Kenna.

Ela para, fecha a porta e continua dentro da picape. Está o maior silêncio. Ela está com cheiro de pólvora e fósforo, e tem uma energia esquisita aqui dentro, tão palpável que chego a pensar que a picape inteira vai explodir. Mas não explode. Nada acontece. Ninguém dá um pio.

Finalmente pigarreio.

— Você vai ficar bem?

Minha preocupação está camuflada por trás do meu semblante frio, então sei que a pergunta parece forçada, como se eu não me importasse com a resposta.

Kenna tenta sair da picape outra vez, mas detenho-a, segurando seu pulso. Seus olhos encontram os meus.

— Você vai ficar *bem*? — repito.

Ela me encara fixamente com seus olhos vermelhos e inchados.

— Você... — Ela balança a cabeça, aparentemente confusa. — Está aqui por ter medo de que eu vá me *matar*?

Não gosto da maneira como ela parece querer rir da minha preocupação.

— Quer saber se estou preocupado com o seu estado mental? — respondo, reformulando sua pergunta. — Estou, sim. Queria conferir se você estava bem.

Ela inclina levemente a cabeça para a direita enquanto vira o corpo inteiro para ficar de frente para mim no banco. Suas mechas de cabelo liso, na altura dos ombros, inclinam-se ao mesmo tempo.

— Não é isso — diz ela. — Você está preocupado pensando que, se eu me matar, vai se sentir culpado por ter sido tão insuportavelmente cruel comigo. Foi *por isso* que voltou. Você não se importa se eu *realmente* me matar: você só não quer pensar que incentivou minha decisão. — Ela balança a cabeça, dando uma risadinha. — Então está resolvido. Você veio dar uma conferida em mim e agora está com a consciência tranquila. Tchau.

Kenna se vira para abrir a porta, e a garota para quem ela estava acendendo as velas aparece de repente na janela do passageiro, pressionando o nariz no vidro.

— Baixe o vidro — diz Kenna para mim.

Giro a chave para poder baixar o vidro dela. A garota se inclina, sorrindo para nós dois.

— Você é o pai da Kenna?

A pergunta é tão inesperada que é impossível não rir. Kenna também dá uma risada.

Diem herdou a risada e o sorriso de Scotty. A risada de Kenna é só dela, e foi apenas agora que a ouvi. E quero ouvi-la novamente.

— Definitivamente ele não é o meu pai — diz Kenna, e volta o olhar para mim. — É o cara que mencionei mais cedo. O que não me deixa ver minha filhinha.

Kenna abre a porta e desce da picape. Ela bate a porta do veículo, e depois a adolescente se apoia na janela do passageiro e diz:

— Babaca.

Kenna segura a mão da menina e a afasta da picape.

— Venha, Lady Diana. Ele não está do nosso lado.

Kenna vai embora com a garota e não olha para trás, por mais que eu queira e *não* queira que ela olhe, e, *que merda, meu cérebro virou um pretzel.*

Nem sei se eu poderia ficar do lado dela, mesmo se quisesse. Essa situação inteira é tão intrincada que tenho a sensação de que *escolher um lado* seria a ruína de todos nós.

CAPÍTULO QUINZE

KENNA

A questão é a seguinte:

O fato de uma mãe não ser perfeita não deveria importar. O fato de ela ter cometido um grande e terrível erro no passado, ou então vários errinhos, não deveria importar. Se quer ver a filha, deveria ter permissão de vê-la, mesmo que apenas uma vez.

Sei por experiência própria que, se você vai crescer com uma mãe imperfeita, é melhor crescer sabendo que sua mãe imperfeita está lutando por você do que sabendo que ela não está nem aí.

Passei dois anos da minha vida — não consecutivos — em lares adotivos. Minha mãe não era viciada nem alcoólatra. Ela simplesmente não era uma mãe muito boa.

Sua negligência foi confirmada quando eu tinha sete anos, e ela me deixou sozinha por uma semana depois que um cara que ela conheceu na concessionária onde trabalhava a convidou para viajar para o Havaí.

Um vizinho percebeu que eu estava sozinha em casa e, apesar de minha mãe ter me pedido que mentisse caso alguém perguntasse, fiquei com muito medo de fazer isso quando a assistente social apareceu.

Passei nove meses no programa de acolhimento familiar enquanto minha mãe tentava reaver seus direitos. Havia muitas crianças e muitas regras na família que me acolheu; a casa mais parecia um acampamento de férias rigoroso, então fiquei aliviada quando minha mãe conseguiu minha guarda de volta.

Na segunda vez que entrei no programa eu tinha 10 anos. Eu era a única criança e quem cuidava de mim era uma mulher de uns 60 anos chamada Mona. Fiquei com ela por quase um ano.

Mona não era exatamente espetacular, mas o simples fato de ela assistir a filmes comigo de vez em quando, preparar o jantar todas as noites e lavar as roupas era mais do que minha própria mãe já havia feito. Mona era bem normal. Era na dela, não era muito engraçada nem divertida, mas estava *presente*. Com ela eu sentia que estava sendo cuidada.

Durante o ano que passei com Mona, percebi que eu não precisava que minha mãe fosse espetacular, nem mesmo ótima. Só queria que ela fizesse o mínimo para que o governo não interviesse no seu papel de mãe. Não é exagero uma criança querer isso da pessoa que lhe deu a vida. *"Apenas faça o mínimo. Me mantenha viva. Não me deixe sozinha."*

Quando minha mãe reobteve minha guarda da segunda vez e precisei deixar a casa de Mona, foi diferente da primeira vez que me devolveram para ela. Não fiquei animada ao vê-la. Eu tinha completado 11 anos enquanto estava com Mona e voltei para casa sentindo todas as emoções apropriadas para uma criança de 11 anos que tinha uma mãe como a minha.

Eu sabia que ia voltar para um ambiente em que precisaria me virar sozinha e tomar conta de mim mesma, e não fiquei contente. Estava sendo devolvida a uma mãe que não fazia nem mesmo o mínimo.

Depois disso, nosso relacionamento nunca mais foi o mesmo. Minha mãe e eu não conseguíamos conversar sem brigar. Depois de alguns anos desse jeito, quando eu tinha uns 14 anos, ela acabou parando de tentar fazer o papel de mãe e passou a achar que eu tinha me tornado uma inimiga.

No entanto, àquela altura eu já era autossuficiente o bastante e não precisava que minha mãe chegasse duas vezes na semana fingindo que tinha qualquer tipo de autoridade sobre mim, quando ela não sabia nada da minha vida nem da pessoa que eu era. Moramos juntas até eu concluir o ensino médio, mas não éramos amigas e não tínhamos nenhuma relação. Quando ela falava comigo, suas palavras eram insultos. Assim, simplesmente acabei parando de falar com ela. Preferia a negligência à agressão verbal.

Quando conheci Scotty, fazia dois anos que não ouvia a voz dela.

Pensei que nunca mais falaria com minha mãe novamente, não porque a gente tivesse se desentendido gravemente, mas porque nossa relação era um fardo e, quando ele chegou ao fim, acho que nós duas nos sentimos livres.

Mas eu não tinha ideia do quanto me sentiria desesperada no futuro.

Tínhamos passado quase três anos sem nos falarmos quando entrei em contato com ela da prisão. Eu estava desesperada. Estava com sete meses de gravidez, Grace e Patrick já tinham pedido a guarda da bebê, e, devido à duração da minha pena, descobri que eles também tinham pedido a suspensão dos meus direitos maternos.

Eu entendia por que estavam fazendo aquilo. A bebê precisaria ir para algum lugar, e eu achava melhor ela ficar com os Landry do que com qualquer outra pessoa que eu conhecesse, especialmente minha mãe. Mas descobrir que eles queriam a suspensão dos meus direitos foi apavorante. Significava que eu jamais poderia ver minha filha. Eu teria zero influência na vida dela, até mesmo após ser solta. No entanto, como minha pena era muito longa e não havia mais ninguém para quem eu pudesse ceder a guarda da minha filha, precisei entrar em contato com a única parente que talvez pudesse me ajudar.

Pensei que, talvez, se minha mãe tentasse obter o direito de visita como avó, ao menos eu teria algum controle sobre o que aconteceria com minha filha no futuro. E se minha mãe tivesse o direito de visitar minha filha, talvez ela pudesse trazer a bebê para a prisão depois do nascimento, e assim pelo menos eu poderia conhecê-la.

Quando minha mãe entrou na sala de visita naquele dia, estava com um sorriso presunçoso estampado no rosto. Não era um sorriso que dizia, "Que saudade, Kenna". Era um sorriso que dizia, "Não estou nada surpresa com isso."

Ela estava bonita, ainda assim. Usava um vestido, e seu cabelo tinha crescido muito desde a última vez que a vira. Foi esquisito enxergá-la pela primeira vez como uma semelhante, e não mais como uma adolescente.

Não nos abraçamos. Ainda havia tanta tensão e hostilidade entre nós que não sabíamos como interagir.

Ela sentou-se e apontou para a minha barriga.

— É seu primeiro?

Assenti. Ela não pareceu muito empolgada com a ideia de ser avó.

— Pesquisei você no Google — disse ela.

Foi a maneira dela de dizer *"eu li sobre o que você fez"*. Pressionei a unha do polegar na palma da mão para me impedir de dizer algo de que eu fosse me arrepender. Mas todas as palavras que eu queria dizer eram palavras de que eu me arrependeria, então ficamos em silêncio por um longuíssimo período enquanto eu tentava resolver por onde começar.

Ela tamborilou os dedos na mesa, ficando impaciente com meu silêncio.

— E então? Por que estou aqui, Kenna? — Ela apontou para a minha barriga. — Precisa que eu crie seu filho?

Balancei a cabeça. Não queria que ela criasse minha filha. Queria que os pais que criaram um homem como Scotty a criassem, mas ao mesmo tempo eu também queria *ver* minha filha, então, por mais que naquele momento eu quisesse me levantar e me afastar dela, não fiz isso.

— Não. Os avós paternos vão ficar com a guarda. Mas... — Minha boca estava seca. Senti meus lábios grudando. — Queria que você requeresse o direito de visita como avó.

Minha mãe inclinou a cabeça.

— Por quê?

A bebê se mexeu naquele momento, quase como se estivesse implorando para que eu não pedisse que aquela mulher se envolvesse na vida dela. Me senti culpada, mas não tinha nenhuma outra opção. Engoli a seco e pus as mãos na barriga.

— Eles querem a suspensão dos meus direitos como mãe, e, se conseguirem, nunca vou poder vê-la. Mas se você tiver direito de visita como avó, poderia trazê-la até aqui para me ver de vez em quando.

Eu falava como se ainda tivesse seis anos: com medo, mas ainda assim precisando dela.

— São cinco horas de carro — disse minha mãe. Não entendi o que ela quis dizer com esse comentário. — Tenho mais o que fazer, Kenna. Não tenho tempo de passar cinco horas num carro toda semana com uma bebê para que ela veja a mãe na prisão.

— Eu... não precisaria ser toda semana. Seria só quando você pudesse.

Minha mãe se mexeu no assento. Parecia irritada comigo, ou irritada. Eu sabia que ela se incomodaria com a viagem de carro, mas achei que, depois de me ver, ela ao menos acharia que valeria a pena fazer o trajeto. Estava esperando que ela fosse chegar aqui querendo se redimir. Achei que talvez, depois de descobrir que

123

seria avó, ela achasse que poderia ter um recomeço e que, desta vez, iria realmente *tentar*.

— Faz três anos que você não me liga, Kenna. E agora vem me pedir um favor?

Ela também não me ligou nenhuma vez, mas não menciono isso. Eu sabia que isso só serviria para deixá-la ainda mais irritada. Em vez disso, pedi:

— *Por favor*. Eles vão levar minha bebê embora.

Não vi nada nos olhos da minha mãe. Nenhuma compaixão. Nenhuma empatia. Naquele momento, percebi que ela estava feliz por ter se livrado de mim e que não tinha nenhuma intenção de ser avó. Eu já esperava isso; só estava torcendo para que ela tivesse se tornado uma pessoa mais correta nos anos em que eu não a encontrara.

— Agora você vai saber o que senti toda vez que o governo tirou você *de mim*. Passei por tanta coisa para conseguir pegá-la de volta nas duas vezes, e você não deu nenhum valor. Nunca nem me agradeceu.

Ela realmente queria que eu *agradecesse?* Ela queria que eu lhe agradecesse por ter sido uma mãe tão bosta que o governo me tirou dela *duas vezes*?

Naquele momento, me levantei e saí da sala. Ela disse alguma coisa enquanto eu ia embora, mas não consegui ouvi-la porque estava com muita raiva de mim mesma por ter me desesperado a ponto de lhe telefonar. Ela não tinha mudado. Era a mesma mulher egocêntrica e narcisista com quem eu tinha crescido.

Eu estava sozinha. Completamente.

Nem mesmo a bebê que ainda crescia na minha barriga me pertencia.

CAPÍTULO DEZESSEIS

LEDGER

Hoje Patrick e eu começamos a montar o playground no meu quintal. Diem faz aniversário somente daqui a algumas semanas, mas pensamos em montar antes da festa para que ela e os amiguinhos tivessem onde brincar.

O plano pareceu viável, mas nenhum de nós sabia que a montagem de um playground se assemelhava tanto à montagem de uma casa inteira. Tem peças por todo canto, e, sem o manual de instruções, Patrick acabou murmurando *porra* pelo menos três vezes. Ele raramente usa essa palavra.

Até agora, evitamos falar sobre Kenna. Ele não a mencionou, então fiz o mesmo, mas sei que Grace e ele não conseguem pensar em outra coisa desde que ela apareceu na nossa rua ontem.

Mas percebo que o silêncio sobre o assunto está prestes a acabar, pois ele para de trabalhar e diz:

— Bem...

É a palavra que Patrick sempre usa quando vai iniciar uma conversa que não está a fim de ter ou quando está prestes a dizer algo que sabe que não deveria dizer. Percebi isso quando ainda era adolescente. Ele entrava no quarto de Scotty para avisar que estava na hora de eu ir embora, mas nunca dizia o que queria dizer, dava apenas alguma indireta. Ele encostava na porta e dizia: "Bem... acho que vocês dois têm aula amanhã."

Patrick se senta numa das cadeiras do meu quintal e deixa as ferramentas na mesa.

— Está calmo por aqui hoje — diz ele.

Aprendi a decifrar as coisas que ele não diz. Sei que está se referindo ao fato de Kenna não ter voltado.

— Como Grace está?

— Nervosa — diz ele. — Conversamos com nosso advogado ontem à noite. Ele nos garantiu que não tem nada que ela possa fazer juridicamente a esta altura. Mas acho que Grace se preocupa mais com a ideia de ela fazer alguma idiotice, como pegar Diem no campo de beisebol quando ninguém estiver olhando.

— Kenna não faria isso.

Patrick dá uma risada sem vestígios de humor.

— Nenhum de nós a conhece, Ledger. Não sabemos do que ela é capaz.

Conheço-a mais do que ele imagina, mas jamais admitiria isso. No entanto, Patrick talvez tenha razão. Sei como é beijá-la, mas não faço a mínima ideia do ser humano que ela é.

Ela parece ter boas intenções, mas tenho certeza de que Scotty achava a mesma coisa antes que ela o abandonasse no momento em que ele mais precisava.

Minha lealdade mais parece um ioiô. Num momento, me sinto péssimo por Patrick e Grace. No outro, me sinto péssimo por Kenna. Tem que haver algum meio-termo que todos aceitem sem que Diem acabe sofrendo.

Tomo um gole de água para preencher o silêncio e depois pigarreio.

— Não quer nem saber o que ela quer? E se ela não quiser tentar ficar com Diem? Se só quiser conhecê-la?

— Isso não importa para mim — diz Patrick abruptamente.

— O quê?

— O que importa para mim é o nosso sofrimento. Não existe nenhuma maneira de Kenna Rowan participar das nossas vidas, ou da vida de Diem, sem afetar nossa sanidade. — Ele agora está encarando o chão como se estivesse raciocinando sobre tudo isso enquanto fala. — Não é que a gente pense que ela seria uma mãe ruim. Com certeza não acho que ela seria uma *boa* mãe. Mas como é que Grace ficaria se tivesse que compartilhar aquela menininha com aquela mulher? Se tivesse que olhá-la nos olhos toda semana? Ou pior ainda... e se Kenna conseguisse fazer com que algum juiz ficasse com pena dela e lhe devolvesse seus direitos? Como eu e Grace ficaríamos? Já perdemos Scotty. Não podemos perder a filha de Scotty também. Não vale a pena correr esse risco.

Entendo o que Patrick está dizendo. Completamente. Mas também sei que, depois de conhecer um pouco de Kenna nos últimos dois dias, o ódio que eu sentia por ela está começando a se transformar em outra coisa. Talvez esteja se transformando em empatia. Sinto que talvez isso pudesse acontecer com Patrick e Grace se eles dessem uma chance a ela.

Antes que eu sequer consiga pensar em algo para dizer, Patrick percebe a expressão no meu rosto.

— Ela matou nosso filho, Ledger. Não faça nós dois nos sentirmos culpados por não conseguirmos perdoar isso.

Estremeço com sua resposta. Com meu silêncio, acabei cutucando uma ferida, mas não estou aqui para fazê-lo se sentir culpado pelas decisões que eles tomaram.

— Eu jamais faria isso.

— Quero que ela saia das nossas vidas e desta cidade — diz Patrick. — Só vamos conseguir nos sentir em segurança quando essas duas coisas acontecerem.

O humor de Patrick mudou completamente. Me sinto culpado por ter apenas sugerido que eles considerassem o ponto de vista de Kenna. Foi ela que se meteu nessas circunstâncias, e, em vez de esperar que todos da vida de Scotty se adaptem à situação dela, seria mais fácil e menos prejudicial se ela aceitasse as consequências de suas ações e respeitasse a decisão dos pais de Scotty.

Fico me perguntando qual seria o desejo de Scotty se pudesse ver este desfecho. Todos sabemos que o acidente, apesar de evitável, não foi proposital. Mas será que ele ficou com raiva de Kenna por ela ter ido embora? Será que ele morreu a odiando?

Ou será que ele se envergonharia de seus pais — *e de mim* — por não deixar Kenna ver Diem?

Nunca vou saber a resposta; ninguém nunca vai sabê-la. É por isso que sempre encontro alguma outra coisa em que pensar quando começo a me perguntar se todos nós estamos contrariando o que Scotty iria preferir.

Me recosto na cadeira do quintal e encaro o playground que em breve deve começar a assumir sua forma. Enquanto o encaro, penso em Scotty. Foi exatamente por isso que o desmontei.

— Scotty e eu fumamos nosso primeiro cigarro naquele brinquedo ali — digo para Patrick. — A gente tinha 13 anos.

Patrick dá uma risada e se encosta na cadeira. Parece aliviado por eu ter mudado de assunto.

— Onde foi que conseguiram um cigarro com 13 anos?

— Na picape do meu pai.

Patrick balança a cabeça.

— Foi ali que tomamos nossa primeira cerveja. Foi ali que ficamos chapados pela primeira vez. E, se não me falha a memória, foi ali que Scotty deu seu primeiro beijo.

— Foi com quem? — pergunta Patrick.

— Dana Freeman. Ela morava aqui na rua. Meu primeiro beijo também foi com ela. Foi a única vez que eu e Scotty brigamos.

— Quem a beijou primeiro?

— Eu. Scotty veio igual uma porra de uma águia e a tomou de mim. Fiquei pê da vida, não porque gostava dela, e sim porque ela o escolheu em vez de mim. Passamos umas oito horas inteiras sem nos falarmos.

— Ah, mas dá para entender. Ele era muito mais bonito do que você.

Dou uma risada.

Patrick suspira, e agora nós dois estamos pensando em Scotty, deixando o clima pesado. Odeio o fato de isso acontecer com tanta frequência, e me pergunto se talvez um dia isso vai começar a acontecer menos.

— Acha que Scotty queria que eu tivesse sido diferente? — pergunta Patrick.

— Como assim? Você foi um ótimo pai.

— Passei a vida inteira trabalhando num escritório, contabilizando vendas. Às vezes, fico me perguntando se ele não queria que eu tivesse tido uma profissão melhor, como um bombeiro. Ou um atleta. Eu não era o tipo de pai de que ele podia se gabar.

Que pena que Patrick ache que Scotty queria que ele tivesse sido diferente. Penso nas muitas conversas que Scotty e eu tivemos sobre o futuro, e uma delas é a que mais chama a minha atenção.

— Scotty nunca quis mudar de cidade — digo. — Ele queria conhecer uma garota e ter filhos e levá-los para o cinema todo fim de semana e para a Disney todo verão. Lembro que pensei que ele era louco quando disse isso, pois meus sonhos eram bem mais expansivos. Respondi que queria jogar futebol e viajar pelo mundo e ter meus negócios e uma renda estável. Eu não pensava tanto em levar uma vida simples quanto ele — prossigo. — Lembro que, depois que eu disse o quanto queria ser importante, ele respondeu: "Não quero ser importante. Não quero essa pressão.

Quero ser discreto como meu pai, porque à noite, quando ele chega, está sempre de bom humor."

Patrick fica em silêncio por um tempo e então diz:

— Que mentira. Ele nunca disse isso.

— Juro — respondo, rindo. — Ele dizia essas coisas o tempo todo. Ele te amava exatamente como você é.

Patrick inclina-se para a frente e encara o chão, entrelaçando as mãos.

— Obrigada por ter dito isso. Mesmo que não seja verdade.

— É verdade — digo, tranquilizando-o. Mas Patrick ainda parece triste. Tento pensar numa história mais leve de Scotty. — Uma vez estávamos sentados dentro do playground e, do nada, um pombo pousou no quintal. Ele estava a apenas um metro da gente. Scotty o olhou e disse: "Porra, isso é um *pombo*?" E não sei o motivo, talvez fosse porque nós dois estivéssemos chapados, mas a gente riu tanto. Choramos de rir. E durante anos, até ele morrer, sempre que víamos algo que não fazia sentido, Scotty dizia: "Porra, isso é um pombo?".

Patrick ri.

— Então era *por isso* que ele sempre dizia aquilo?

Faço que sim.

Patrick começa a rir mais ainda. Ele chora de rir.

E depois apenas chora.

Quando as lembranças abalam Patrick desse jeito, sempre me afasto e o deixo sozinho. Ele não é o tipo de pessoa que quer ser consolada quando está triste. Ele quer ficar sozinho, só isso.

Entro em casa e fecho a porta. Me pergunto se, em algum momento, as coisas vão melhorar para ele e Grace. Apenas cinco anos se passaram, mas será que ele ainda vai precisar chorar sozinho daqui a dez anos? Daqui a vinte anos?

Quero tanto que os dois melhorem, mas perder um filho é uma ferida que nunca sara. Fico me perguntando se Kenna também chora como Patrick e Grace.

Será que ela sentiu esse tipo de perda quando tiraram Diem dela?

Porque, se a resposta for positiva, não consigo imaginar que Grace e Patrick, que sabem muito bem como é passar por essa situação, permitiriam de bom grado que ela continuasse se sentindo assim.

CAPÍTULO DEZESSETE

KENNA

Querido Scotty,

Hoje foi meu primeiro dia no emprego novo. Estou aqui agora, na verdade, no meio do treinamento, que é bem chato. Já passaram duas horas de vídeo sobre como embalar as compras, empilhar ovos, manter as carnes separadas, e estou tentando ficar de olhos abertos, mas ultimamente não tenho dormido muito bem.

Felizmente, descobri que os vídeos do treinamento continuam passando quando minimizo a aba do vídeo. Estou escrevendo esta carta usando o Word.

Usei a impressora daqui para imprimir todas as cartas antigas que digitei no Google Docs enquanto estava presa. Enfiei-as na minha bolsa e a deixei no guarda-volumes dos funcionários para escondê-las, pois duvido que eu possa imprimir algo aqui.

Quase tudo de que me lembro a seu respeito está documentado. Cada conversa importante que tivemos. Cada momento marcante que aconteceu após a sua morte.

Passei cinco anos digitando cartas para você, tentando lembrar todas as recordações que eu tinha caso Diem queira saber sobre o pai em algum momento. Sei que seus pais têm mais para compartilhar com ela sobre você do que eu, mas ainda acho que vale a pena compartilhar a parte de você que eu conheci.

Quando eu estava andando pelo centro um dia desses, reparei que o antiquário não existia mais. Agora é uma loja de ferragens.

Aquilo me fez pensar na primeira vez em que fomos lá, quando você comprou para mim aquelas mãozinhas de borracha. A gente ia completar seis meses de namoro dali a alguns dias, mas estávamos comemorando antes porque eu teria de trabalhar no fim de semana e não sairia cedo o bastante para a gente sair.

Àquela altura, nós já tínhamos dito "eu te amo" um ao outro. Já tínhamos tido o nosso primeiro beijo, a nossa primeira vez, a nossa primeira briga.

A gente tinha acabado de comer num novo restaurante japonês no centro e estávamos dando uma olhada nos antiquários, mais nas vitrines mesmo, porque ainda estava claro. Estávamos de mãos dadas, e de vez em quando você parava e me beijava. Estávamos naquela fase nauseante dos namoros — a fase que, antes de você, eu nunca alcançara. Estávamos felizes, apaixonados, cheios de hormônios, cheios de esperança.

Era pura alegria. Uma alegria que achávamos que fosse durar para sempre.

Você me puxou para dentro do antiquário durante nossa caminhada e disse:

— Escolha alguma coisa. Eu compro pra você.

— Não estou precisando de nada.

— Não é por você. É por mim. Eu quero te dar alguma coisa.

Eu sabia que você não tinha tanto dinheiro. Você estava prestes a se formar na faculdade e planejava fazer um

133

curso em tempo integral de pós-graduação. Eu ainda estava trabalhando na Dollar Days e ganhava um salário mínimo, então fui até a bancada de joias torcendo para encontrar algo barato. Talvez um bracelete ou um par de brincos.

Mas foi um anel que chamou minha atenção. Era elegante, dourado e parecia ter saído do dedo de alguém do século XIX. Tinha uma pedra rosa no meio. Você percebeu quando o avistei, porque fiquei boquiaberta.

— Gostou daquele? — você perguntou.

Estava numa bandeja com todos os outros anéis, então você perguntou ao rapaz atrás do balcão se podíamos vê-lo. Ele pegou-o e te entregou. Você pôs o anel no dedo anelar da minha mão direita e ele encaixou perfeitamente.

— É tão lindo — falei, e era mesmo o anel mais perfeito que eu já tinha visto.

— Quanto custa? — você perguntou ao funcionário.

— Quatro mil. Acho que consigo dar um desconto de uns duzentos dólares. Faz alguns meses que ele está aqui na bancada.

Você arregalou os olhos por causa do preço.

— Quatro mil? — você perguntou, sem acreditar. — Porra, isso é um pombo?

Caí na gargalhada porque eu não sabia por que você sempre dizia aquela frase, mas era pelo menos a terceira vez que eu te escutava dizê-la. E ri também porque, porra, o anel custava quatro mil dólares. Acho que nunca usei nada que valesse quatro mil dólares.

Você agarrou minha mão e disse:

— Depressa. Tire logo antes que você quebre.

E então o devolveu ao rapaz. Ao lado do caixa havia um mostruário com mãozinhas de borracha. Era um presente *de brincadeira — a pessoa devia colocá-las nas pontas dos dedos para ficar com cinquenta dedos em vez de dez. Você pegou uma delas e disse:*

— Quanto custa?

— Dois dólares — respondeu o funcionário.

Você comprou dez para mim. Uma para cada dedo. Era o presente mais ridículo que eu já ganhara na vida, mas também era, de longe, o meu favorito.

Quando saímos da loja, nós dois estávamos rindo.

— Quatro mil dólares — murmurou você, balançando a cabeça. — O anel vem com um carro, é? Todos os anéis custam tanto assim? Preciso começar a poupar para o nosso noivado a partir de agora?

Você estava colocando as mãos de borracha nas pontas dos meus dedos enquanto reclamava do preço das joias.

Mas sua reclamação me fez sorrir, pois foi a primeira vez que você mencionou a palavra noivado. Acho que você percebeu o que tinha dito, porque depois acabou ficando em silêncio.

Quando todas as mãozinhas estavam nos meus dedos, toquei as suas bochechas. Era algo tão ridículo de ver. Você estava sorrindo quando segurou meus pulsos, e beijou a palma da minha mão.

Depois você beijou as palmas de todas as mãos de borracha.

— Agora eu tenho tantos dedos — falei. — Como é que você vai conseguir comprar anéis para os meus cinquenta dedos?

Você riu e me puxou para perto.

— Eu dou um jeito. Vou roubar um banco. Ou vou roubar meu melhor amigo. Daqui a pouco ele vai estar rico, aquele sortudo desgraçado.

Você estava se referindo a Ledger, mas não sei se eu sabia disso na época, pois eu não o conhecia. Ele tinha acabado de assinar um contrato com os Broncos. No entanto, eu entendia muito pouco de esportes e não sabia nada sobre os seus amigos.

Estávamos tão obcecados um pelo outro que mal tínhamos tempo para outras pessoas. Você tinha aula na maioria dos dias enquanto eu trabalhava na maioria dos dias, então no pouco tempo que tínhamos juntos preferíamos ficar sozinhos.

Eu achava que aquilo acabaria mudando. Estávamos em momentos das nossas vidas em que éramos a prioridade um do outro, e nenhum de nós enxergava isso como algo ruim, porque era tudo tão bom.

Você apontou para alguma coisa na janela do outro lado da rua, agarrou uma das mãozinhas de plástico e a segurou enquanto andávamos naquela direção.

Eu imaginava que um dia você me pediria em casamento, nos casaríamos, teríamos filhos e os criaríamos nesta cidade, porque você amava morar aqui, e eu teria amado qualquer lugar onde você quisesse estar. Mas você morreu, e não pudemos viver nosso sonho.

E agora nunca o viveremos, pois a vida é muito, muito cruel com sua maneira de selecionar quem ela maltrata. Mesmo em circunstâncias de merda, a sociedade nos diz que também podemos viver o sonho americano. O que ela nunca nos diz, entretanto, é que sonhos quase nunca se tornam realidade.

É por isso que dizem que é o sonho americano, e não a realidade americana.

Nossa realidade é que você está morto, eu estou participando de um treinamento para um emprego de merda que paga um salário mínimo e nossa filha está sendo criada por pessoas que não são nós dois.

A realidade é deprimente pra caralho.
Assim como este emprego.
É melhor eu voltar ao trabalho.

Com amor,
Kenna

Amy me colocou para trabalhar assim que terminei de assistir às três horas de vídeos de treinamento. Fiquei nervosa no início, pois estava esperando acompanhar alguém no meu primeiro dia, mas Amy disse: "É só deixar as coisas pesadas embaixo e tratar o pão e os ovos como bebês que você vai se sair bem."

Ela tinha razão. Faz duas horas que estou empacotando compras e levando-as até os carros dos clientes, e até agora é apenas o que se esperaria de um trabalho comum que paga pouco.

No entanto, ninguém me alertou dos riscos ocupacionais no primeiro dia.

O risco ocupacional se chama Ledger, e, embora eu não o tenha visto, acabo de avistar sua picape laranja horrorosa no estacionamento.

Minha pulsação acelera, porque não quero que ele crie um barraco. Não o vejo desde que ele apareceu lá em casa no sábado à noite para conferir se eu estava bem.

Acho que me comportei muito bem. Ele parecia arrependido de ter me tratado como me tratou, mas agi com indiferença e me mantive tranquila, embora sua visita certamente tenha me abalado.

Fiquei levemente esperançosa. Se ele se sentiu mal pela maneira como me tratou, talvez seja possível que ele acabe se compadecendo da minha situação.

Tenho certeza de que a probabilidade disso é mínima, mas existe, ainda assim.

Talvez eu *não devesse* evitá-lo. Quem sabe a minha presença não o faça perceber que não sou o monstro que ele pensa que sou?

Volto para o mercado e guardo o carrinho na fila. Amy está atrás do balcão do atendimento ao consumidor.

— Posso fazer um intervalo para ir ao banheiro?

— Não precisa pedir permissão para ir fazer xixi — diz ela. — Lembra como a gente se conheceu? Eu finjo que vou fazer xixi a cada hora que passo aqui. É só assim que mantenho a sanidade.

Adoro ela.

Não preciso ir ao banheiro. Só quero dar uma volta e ver se consigo avistar Ledger. Parte de mim torce para que ele esteja aqui com Diem, mas sei que ele não está. Ele viu quando eu estava me candidatando a um emprego aqui, então provavelmente nunca mais vai trazer Diem ao mercado.

Acabo encontrando-o no corredor dos cereais. Estava apenas querendo espiá-lo e observá-lo enquanto ele faz compras, mas ele está na mesma extremidade do corredor quando apareço e me vê no mesmo instante em que o vejo. Estamos a apenas um metro de distância. Ele está segurando uma caixa de Froot Loops.

Será que é para Diem?

— Você conseguiu o emprego — diz Ledger, sem nenhum sinal de que se importa com o fato de que consegui o emprego ou de que isso o incomoda.

Tenho certeza de que, caso isso o incomodasse, ele teria ido fazer compras em outro lugar hoje. Ele sabia que eu estava tentando arranjar um emprego aqui.

Caso isso o incomode, ele vai ter que achar outro mercado, pois não vou a lugar nenhum. Não posso. Ninguém mais quer me contratar.

Levanto o olhar da caixa de cereal em suas mãos e imediatamente me arrependo. Hoje ele parece diferente. Talvez sejam as lâmpadas fluorescentes, ou quem sabe seja o fato de que, quando estou em sua presença, tento não observá-lo tão de perto. Mas aqui, no corredor dos cereais, todas as lâmpadas parecem iluminá-lo.

Odeio o fato de que ele fica mais bonito com esta iluminação. Como isso é possível? Seus olhos estão mais simpáticos, sua boca está ainda mais convidativa, e não gosto de pensar coisas boas sobre o homem que me arrancou da casa onde minha filha estava.

Deixo o corredor dos cereais com um novo nó na garganta.

Mudei de ideia: não quero mais ser boazinha com ele. Ele já passou cinco anos me julgando. Não vou mudar a opinião que ele tem sobre mim no corredor de um mercado, e fico abalada demais em sua presença para conseguir lhe transmitir alguma impressão positiva.

Tento me programar para não estar disponível na hora em que ele vai pagar, mas, por desejo do carma, todos os outros empacotadores estão ocupados. Sou chamada até o caixa dele para empacotar suas compras, o que significa que vou ter de levá-las até sua picape, conversar com ele e ser simpática.

Não faço contato visual com ele, mas sinto que ele está me observando enquanto separo os itens nas sacolas.

Há algo de íntimo em saber o que cada pessoa da cidade compra para comer. Parece que quase dá para defini-las com base em suas compras. Mulheres solteiras compram muitos alimentos saudáveis. Homens solteiros compram muitos bifes e refeições congeladas. Famílias extensas compram muita carne a granel, frutas e vegetais.

Ledger compra refeições congeladas, bifes, molho inglês, Pringles, biscoitos em formato de bichinhos, uma caixa de Froot Loops, leite, achocolatado e mais um monte de Gatorade. Com base nas escolhas dele, concluo que ele é um homem solteiro que passa muito tempo com minha filha.

Os últimos produtos que o caixa passa são três latas de Spa-ghettiOs. Invejo o fato de ele saber do que minha filha gosta e demonstro isso jogando ruidosamente as latas na sacola e depois no carrinho.

O caixa me olha de soslaio enquanto Ledger paga pelas compras. Após pegar a nota fiscal, ele a dobra e a guarda na carteira enquanto se aproxima do carrinho.

— Pode deixar que eu levo.

— Eu preciso levar — digo secamente. — É a norma do mercado.

Ele assente e indica o caminho até sua picape.

Não gosto de perceber que ainda o considero atraente. Tento olhar para qualquer lugar, menos para ele, enquanto andamos pelo estacionamento.

Quando eu estava no seu bar na outra noite, antes de saber que ele era o dono, não pude deixar de notar a diversidade entre seus funcionários, o que me fez pensar bem do dono, quem quer que fosse. Os outros dois barmen, Razi e Roman, são negros. Uma das garçonetes é latina.

Gosto de saber que ele faz parte da vida da minha filha. Quero que ela seja criada por pessoas boas, e, embora eu mal o conheça, até agora Ledger me parece um ser humano decente.

Quando chegamos à picape, Ledger pega os Gatorades e os guarda na caçamba enquanto coloco o restante das compras no banco de trás, no lado oposto de onde fica o assento de elevação de Diem. Tem um elástico de cabelo branco e cor-de-rosa no chão. Quando termino de descarregar as sacolas, encaro o elástico por alguns segundos e depois estendo o braço para ele.

Tem um fio de cabelo castanho enroscado nele, e o puxo até ele se soltar. Tem uns vinte centímetros de comprimento e é exatamente da mesma cor que o meu.

Ela tem o meu cabelo.

Sinto Ledger se aproximar por trás, mas não ligo. Quero subir neste banco e ficar aqui com o assento de elevação e o elástico dela e quero ver se consigo encontrar algum outro resquício que me dê alguma pista sobre a aparência e o tipo de vida que ela tem.

Eu me viro, ainda encarando o elástico.

— Ela é parecida comigo?

Olho para ele, e suas sobrancelhas estão mais franzidas enquanto ele me encara. Seu braço esquerdo está apoiado em cima da picape, e me sinto presa entre ele, a porta e o carrinho.

— É, sim.

Ele não diz *de que maneira* ela se parece comigo. São os olhos? A boca? O cabelo? Ela inteira? Quero perguntar se nossas personalidades são semelhantes, mas ele não sabe nada sobre mim.

— Há quanto tempo você a conhece?

Ele cruza os braços por cima do peito e desce os olhos em direção aos pés, como se não se sentisse à vontade respondendo a essas perguntas.

— Desde que eles a trouxeram para casa.

Quase dá para escutar a onda de inveja que percorre o meu corpo. Inspiro tremulamente pela boca e contenho as lágrimas, fazendo outra pergunta:

— Como ela é?

A pergunta o faz dar um suspiro pesado.

— *Kenna*. — Tudo que ele diz é o meu nome, mas é o suficiente para que eu entenda que ele não vai mais responder às minhas perguntas. Ele desvia os olhos de mim e dá uma conferida no estacionamento. — Você vem a pé para o trabalho?

Uma conveniente mudança de assunto.

— Venho.

Agora ele está olhando para o céu.

— Parece que vai cair uma tempestade hoje à tarde.

— Que ótimo.

— Você pode chamar um Uber. — Ele volta a me encarar. — Existia Uber antes de você...

Ele não termina a frase.

— Antes de eu ser presa? — concluo, revirando os olhos.
— Sim, existia Uber. Mas não tenho celular, então não tenho o aplicativo.

— Você não tem um celular?

— Eu tinha, mas o deixei cair no mês passado e só vou conseguir comprar um novo quando receber meu salário.

Alguém usa a chave de longe para destrancar um carro a uma vaga de distância da gente. Olho ao redor e vejo Lady Diana indo até o carro com um casal mais velho e um carrinho cheio de compras. Não estamos atrapalhando o caminho deles, mas aproveito a desculpa para fechar a porta de Ledger.

Lady Diana o vê enquanto abre o porta-malas. Ela pega a primeira sacola e murmura:

— Babaca.

A reação dela me faz sorrir. Olho para Ledger, e acho que talvez até ele esteja sorrindo. Não gosto do fato de que ele não parece um babaca. Seria muito mais fácil odiá-lo se ele fosse mesmo um babaca.

— Vou ficar com o elástico — digo enquanto viro o carrinho.

Quero lhe dizer que, se ele ainda vai insistir em fazer compras aqui, deveria trazer minha filha da próxima vez. Quando estou em sua presença, contudo, não consigo decidir se devo ser educada porque ele é a única coisa que me liga à minha filha ou se devo ser maldosa porque ele é uma das coisas que me *impede* de ver minha filha.

Não dizer nada quando quero dizer tudo talvez seja a melhor opção no momento. Dou mais uma olhada nele antes de entrar no mercado, e ele ainda está encostado na picape e me encarando.

Entro e devolvo o carrinho à fila. Depois prendo meu cabelo com o elástico de Diem e fico com ele durante o restante do expediente.

142

CAPÍTULO DEZOITO

LEDGER

Tem doze cupcakes de chocolate me encarando quando entro no bar.

— Que droga, Roman.

Toda semana ele passa na padaria aqui da rua e compra cupcakes. Ele só faz isso para ter uma desculpa para ver a dona de lá, mas nem sequer os come... o que significa que eu fico encarregado de comê-los. Costumo levar para Diem os que sobrevivem à noite.

Pego um bem na hora em que Roman passa pelas portas duplas, vindo dos fundos do bar.

— Por que não a chama para sair, hein? Já engordei cinco quilos desde que você a viu pela primeira vez.

— Acho que o marido dela não ia gostar — diz Roman.

Ah, é. Ela é casada.

— Bem lembrado.

— Eu nunca nem falei com ela, sabe. Continuo comprando os cupcakes só porque acho ela gata e, pelo jeito, porque gosto de me torturar.

— Você com certeza gosta de se torturar se continua trabalhando aqui, sabe-se lá por quê.

— Exatamente — diz Roman de um jeito seco. Ele se encosta no balcão. — E aí? Quais as novidades de Kenna?

Olho por cima do seu ombro.

— Mais alguém já chegou?

Não quero falar sobre Kenna perto de outras pessoas. A última coisa que quero é Patrick e Grace descobrindo que interagi com ela sem ser naquele dia.

— Não. Mary Anne chega às 19h, e Razi está de folga hoje.

Dou uma mordida no cupcake e falo de boca cheia.

— Ela trabalha no mercado da Cantrell. Não tem carro. Não tem celular. Estou começando a achar que nem família ela tem. Ela vai a pé até o trabalho. Que cupcakes gostosos, porra.

— Gostosa é a mulher que os faz — diz Roman. — Os avós de Diem já decidiram o que vão fazer?

Ponho metade do cupcake de volta na caixa e limpo a boca com um guardanapo.

— Tentei conversar com Patrick ontem, mas ele não quer nem que o assunto seja discutido. Ele só quer que ela saia da cidade e da vida deles.

— E você?

— Eu quero o que for melhor para Diem — respondo de uma só vez.

Eu *sempre* quis o que fosse melhor para Diem. Só não sei se o que eu considerava o melhor para ela continua sendo a mesma coisa.

Roman fica em silêncio. Está encarando os cupcakes. Depois diz:

— Ah, foda-se.

E pega um.

— Acha que ela também faz outras comidas gostosas?

— Espero que um dia eu descubra. Quase metade dos casais se divorcia — diz ele com a voz esperançosa.

— Aposto que Whitney conhece alguma moça solteira e gente boa para você.

— Vai à merda — murmura ele. — Prefiro esperar o casamento da Moça do Cupcake acabar.

— A Moça do Cupcake tem nome?

— Todo mundo tem um nome.

É a noite mais lenta que estamos tendo em um bom tempo; deve ser porque é segunda-feira e está chovendo. Não costumo perceber toda vez que a porta do bar se abre, mas, como só temos três clientes no momento, todos os olhos se voltam para Kenna quando ela entra no estabelecimento, molhada de chuva.

Roman também a percebe. Nós dois estamos olhando em sua direção quando ele diz:

— Tenho a sensação de que sua vida está prestes a ficar incrivelmente complicada, Ledger.

Kenna se aproxima de mim de roupas encharcadas. Ela escolhe o mesmo banco em que se sentou da primeira vez que esteve aqui. Tira o elástico de Diem do cabelo, inclina-se por cima do balcão e pega um punhado de guardanapos.

— Bem, você tinha razão em relação à chuva — diz ela, secando o rosto e os braços. — Preciso voltar de carro para casa.

Estou confuso, pois, da última vez que Kenna saiu da minha picape, ela estava com tanta raiva de mim que jurei que ela nunca mais entraria lá.

— Quer que eu te leve?

Ela dá de ombros.

— Você. Um Uber. Um táxi. Tanto faz. Mas antes eu queria um café. Ouvi dizer que agora vocês têm caramelo por aqui.

Ela está marrenta. Entrego-lhe um pano limpo e começo a preparar seu café enquanto ela se seca. Vejo que horas são, e percebo que faz pelo menos dez horas que estive no mercado.

— Só saiu do trabalho agora?

— Pois é, alguém adoeceu e acabei fazendo dois turnos seguidos.

O mercado fecha às 21h, e ela deve levar uma hora andando para chegar ao seu prédio.

— Não devia voltar para casa a pé a esta hora.

— Então me dê um carro — ela devolve.

Olho para ela, que arqueia a sobrancelha como se estivesse em um desafio silencioso. Ponho uma cereja no topo de seu café e deslizo a caneca até ela.

— Há quanto tempo é dono daqui? — pergunta ela.

— Alguns anos.

— Você não era jogador profissional de alguma coisa?

Sua pergunta me faz rir. Talvez porque normalmente as pessoas só querem puxar assunto comigo sobre os dois anos em que fui jogador da NFL, mas, para Kenna, isso parece ser só um pensamento passageiro.

— Isso. Joguei futebol americano para os Broncos.

— Você era bom?

Dou de ombros.

— Bem, cheguei à NFL, então ruim eu não era. Mas eu não era bom o suficiente para que quisessem renovar meu contrato.

— Scotty tinha tanto orgulho de você — diz ela.

Ela olha para o café e põe as mãos ao redor da caneca. Na primeira noite em que veio aqui, Kenna parecia bem fechada, mas sua personalidade está começando a aflorar. Ela come a cereja e toma um gole de café.

Quero lhe dizer que ela pode subir até o apartamento onde Roman mora, lá no segundo andar, para secar suas roupas, mas me parece errado ser gentil com ela. Nos últimos dias há uma batalha constante na minha cabeça — fico me perguntando como posso me sentir atraído por alguém que por tanto tempo odiei.

Talvez seja porque essa atração aconteceu na última sexta-feira, antes que eu soubesse quem ela era.

Ou talvez seja porque eu esteja começando a questionar os motivos pelos quais a odiei por tanto tempo.

— Não tem amigos aqui na cidade que possam te levar para casa? Ou parentes?

Ela põe o café no balcão.

— Conheço duas pessoas nesta cidade. Uma é minha filha, mas ela só tem quatro anos e ainda não pode dirigir. A outra é você.

Não gosto de ver que seu sarcasmo a deixa ainda mais atraente. Preciso parar de interagir com Kenna. Não é bom ela estar aqui no bar. Alguém pode ver nós dois conversando, e a informação pode acabar chegando a Patrick e Grace.

— Eu te dou uma carona quando você terminar o café.

Vou até a outra ponta do balcão só para me afastar dela.

Cerca de meia hora depois, Kenna e eu vamos até a minha picape. O bar fecha daqui a uma hora, mas Roman disse que cuidaria disso. Só preciso levar Kenna para longe do bar e para longe de mim, assim ninguém vai associar nós dois.

Ainda está chovendo, então pego o guarda-chuva e o abro sobre ela. Não que vá fazer muita diferença: ela ainda está encharcada por ter vindo a pé para cá.

Abro a porta do passageiro para ela, que entra na picape. É constrangedor quando nos entreolhamos. É óbvio que estamos pensando na última vez em que estivemos juntos deste lado do carro.

Fecho sua porta e tento não pensar naquela noite, nem no que pensei sobre Kenna, nem no seu gosto.

Seus pés estão apoiados no painel quando me sento no banco do motorista. Ela está mexendo no elástico de Diem quando conduzo a picape até a rua.

Não consigo parar de pensar no que ela disse — que Diem era a única pessoa daqui que ela conhecia além de mim. Se isso for verdade, Diem nem é alguém que ela realmente conhece. Ela apenas sabe que Diem está aqui e que ela existe, mas a única pessoa que ela realmente conhece nesta cidade sou eu.

Não gosto disso.

Pessoas precisam de pessoas.

Cadê a família dela? Cadê a mãe dela? Por que nenhum parente seu tentou entrar em contato para conhecer Diem? Sempre me perguntei por que ninguém, nem mesmo os outros avós ou algum tio, tentou falar com Grace ou Patrick para conhecer Diem.

E se ela não tem celular, com quem é que ela conversa?

— Você se arrepende de ter me beijado? — pergunta ela.

Assim que Kenna me faz essa pergunta, meu foco passa a ser ela, e não a rua. Ela está me encarando ansiosamente, então olho novamente para a pista, agarrando o volante.

Faço que sim, pois realmente me arrependo. Talvez não pelos motivos que ela imagina, mas ainda assim.

Depois disso, ficamos em silêncio até chegarmos ao seu prédio. Ponho o câmbio no ponto morto e olho para Kenna. Ela está encarando o elástico em sua mão. Desliza-o até o pulso e, sem fazer contato visual comigo, murmura:

— Obrigada pela carona.

Ela abre a porta e sai da picape antes que eu consiga encontrar minha voz para lhe dar boa-noite.

CAPÍTULO DEZENOVE

KENNA

Às vezes, penso em sequestrar Diem. Não sei por que não chego a fazer isso. Até parece que a vida que estou vivendo atualmente poderia ser pior. Pelo menos quando eu estava presa havia um motivo que me impedia de ver minha filha.

Mas agora o único motivo são as pessoas que a estão criando. E o ódio que eu sinto por elas machuca. Não quero odiá-las. Na prisão era mais difícil culpá-las, pois me sentia muito grata por saber que Diem tinha pessoas cuidando dela.

Aqui, no entanto, neste apartamento solitário, é difícil não pensar no quanto seria ótimo simplesmente pegar Diem e fugir. Mesmo que me capturassem alguns dias depois. Eu poderia lhe dar tudo enquanto estivesse com ela. Sorvete, presentes, talvez uma viagem para a Disney. Teríamos uma celebração extravagante de uma semana antes de eu me entregar, e ela se lembraria disso para sempre.

Ela se lembraria *de mim*.

E então, quando eu terminasse de cumprir a pena pelo sequestro, ela já seria adulta. E provavelmente me perdoaria, porque quem não valorizaria uma mãe que correu o risco de voltar para a prisão só para passar uma semana boa com a filha?

A única coisa que me impede de sequestrá-la é a possibilidade de que Patrick e Grace mudem de ideia um dia. E se eles

149

mudarem de opinião e eu puder conhecer Diem ser precisar infringir a lei?

E também tem o fato de que ela nem me conhece. Ela nem sequer me ama. Eu estaria tirando a menina dos únicos pais que ela conhece, e, embora isso me pareça tentador, é bem provável que fosse acabar sendo uma experiência apavorante para Diem.

Não quero tomar nenhuma decisão egoísta. Quero ser um bom exemplo para Diem, porque um dia ela vai descobrir quem sou. Vai descobrir que eu queria participar da vida dela. Talvez ela só possa decidir por conta própria se quer ter ou não uma relação comigo daqui a treze anos, e é só por isso que vou viver os próximos treze anos de uma maneira que espero que a deixe orgulhosa.

Me aconchego com Ivy e tento pegar no sono, mas não consigo. São tantos pensamentos rodopiando na minha cabeça, e nenhum deles jamais se aquieta. Sofro de insônia desde a noite em que Scotty morreu.

Passo as noites acordada, pensando em Diem e em Scotty.

E agora no meio disso tudo também penso em Ledger.

Uma parte de mim ainda está se mordendo de raiva por ele ter me impedido em frente à casa de Patrick e Grace no último fim de semana. Mas outra parte se sente esperançosa quando estou em sua presença. Ele não parece me odiar. Sim, ele se arrepende de ter me beijado, mas não ligo. Nem sei por que lhe fiz essa pergunta. Só queria saber se ele se arrepende porque era o melhor amigo de Scotty ou por conta do que fiz com Scotty. Provavelmente as duas coisas.

Quero que Ledger veja o lado de mim que Scotty via, pois assim talvez eu teria alguém do meu lado.

É solitário pra cacete quando suas únicas amigas são uma adolescente e uma gatinha.

Eu devia ter me esforçado mais para agradar à mãe de Scotty enquanto ele estava vivo. Fico me perguntando se isso não teria feito alguma diferença.

A noite em que conheci os pais dele deve ter sido a mais estranha da minha vida.

Eu já tinha visto famílias como a deles na televisão, mas nunca pessoalmente. Para ser bem honesta, eu não sabia nem que elas existiam: pais que se davam bem e que pareciam gostar um do outro.

Eles foram nos encontrar na frente da casa. Fazia três semanas que Scotty não os visitava, e parecia que eles não o viam há anos. Eles o abraçaram. Não um abraço de oi, mas um abraço de *que saudade*. Um abraço de *você é o melhor filho do mundo*.

Eles também me abraçaram, mas foi diferente. Foi um abraço rápido de *oi, é um prazer conhecê-la*.

Quando entramos na casa, Grace disse que precisava terminar de preparar o jantar, e eu sabia que devia ter me oferecido para ajudá-la, mas não entendia nada de cozinha e fiquei com medo de que ela percebesse minha falta de experiência. Então, fiquei grudada em Scotty como se estivesse colada a ele. Estava me sentindo nervosa e deslocada, e ele era o lar que eu tinha.

Eles até rezaram. Scotty foi quem conduziu a oração. Foi muito atordoante para mim: eu estava sentada à mesa para jantar, ouvindo um rapaz agradecer a Deus por sua refeição, por sua família e por mim. Foi surreal demais para que eu conseguisse manter os olhos fechados. Queria assimilar tudo aquilo, ver outras pessoas rezando. Queria encarar aquela família, porque era difícil aceitar a ideia de que, caso eu me casasse com Scotty, ela seria minha. Eu teria aqueles sogros, teria ajudado a preparar aquela refeição e teria aprendido a agradecer a Deus pela comida e por Scotty. Eu queria aquilo. Ansiava por aquilo.

Normalidade.

Algo que eu desconhecia totalmente.

Vi quando Grace abriu os olhos no fim da oração e percebeu que eu estava observando tudo. Fechei os olhos na mesma hora, mas Scotty já tinha dito "amém" e todos pegaram seus garfos. Naquele momento Grace já tinha formado uma opinião sobre mim, e eu era jovem demais e estava muito assustada para saber como mudá-la.

Parecia que eles estavam com dificuldade de me olhar durante o jantar. Eu não devia ter usado aquela camiseta. Era decotada, a preferida de Scotty. Passei a refeição inteira curvada sobre o prato, com vergonha de mim mesma e de todas as coisas que eu não era.

Depois do jantar, Scotty e eu fomos nos sentar na varanda dos fundos. Seus pais foram dormir, e assim que a luz do quarto se apagou, suspirei de alívio. Parecia que eu estava sendo avaliada.

— Segura aqui — disse Scotty, me entregando seu cigarro. — Preciso ir mijar.

Ele costumava fumar de vez em quando. Eu não me incomodava, mas não fumava. Estava escuro lá fora, e ele foi até a lateral da casa. Eu estava de pé na varanda, encostada no balaústre, quando a mãe dele apareceu na porta de trás.

Me empertiguei e tentei esconder o cigarro atrás de mim, mas ela já tinha visto. Ela foi embora e voltou um instante depois com um copo vermelho descartável.

— Use para as cinzas — disse ela, entregando-o para mim pela porta dos fundos. — Não temos cinzeiro aqui. Nenhum de nós fuma.

Fiquei morta de vergonha, mas tudo que consegui dizer foi "obrigada", e depois peguei o copo. Ela fechou a porta bem na hora em que Scotty voltou para pegar o cigarro.

— Sua mãe me odeia — falei, entregando-lhe o cigarro e o copo.

— Não odeia, não. — Ele me deu um beijo na testa. — Um dia, vocês duas vão ser melhores amigas.

Ele deu um último trago no cigarro e depois entrei na casa atrás dele.

Subimos a escada com ele me carregando nas costas, mas, ao ver todas as fotos na parede, obriguei-o a parar na frente de cada uma para que eu pudesse vê-las. Eles estavam tão felizes. A maneira como sua mãe o olhava nas fotos é a mesma maneira como o olhava naquele momento, com ele já sendo um adulto.

— Que criança é tão fofa assim, hein? — perguntei. — Eles deviam ter tido mais umas três cópias suas.

— Eles tentaram — respondeu ele. — Pelo jeito, fui um milagre. Senão eles provavelmente teriam tido sete ou oito filhos.

Fiquei triste por Grace ao ouvir isso.

Chegamos ao quarto dele, e Scotty me soltou sobre a cama. Ele disse:

— Você nunca fala sobre a sua família.

— Não tenho família.

— E seus pais?

— Meu pai está... em algum lugar. Ele cansou de pagar pensão e se mandou. Minha mãe e eu não nos damos bem. Faz uns anos que não nos falamos.

— Por quê?

— Não somos compatíveis, só isso.

— Como assim?

Scotty se esparramou ao meu lado na cama, parecia genuinamente curioso a respeito da minha vida, e eu queria lhe contar a verdade, mas ao mesmo tempo não queria assustá-lo. Ele tinha crescido em um lar tão normal que eu não sabia o que ele iria pensar de eu ter vivido uma experiência tão diferente.

— Eu ficava muito tempo sozinha — falei. — Ela sempre fazia questão de deixar comida, mas era negligente a ponto de eu ter sido mandada duas vezes para lares adotivos. Só que, nas duas vezes, acabaram me devolvendo para ela. Tipo, ela era uma mãe ruim, mas não ruim *o bastante*. Acho que, depois de crescer e ver outras famílias, comecei a perceber que ela não era uma boa mãe. Ou nem mesmo uma boa pessoa. Passou a ser muito difícil conviver com ela, era como se ela me considerasse uma concorrente, e não alguém que estivesse jogando no mesmo time. Era exaustivo. Depois que me mudei, a gente manteve contato por um tempo, mas depois ela simplesmente parou de ligar. E eu também. Agora, faz dois anos que não nos falamos. — Olhei para Scotty, que estava com a expressão mais triste que eu já havia visto. Ele não disse nada. Apenas afastou meu cabelo do rosto e ficou em silêncio. — Como foi ter uma família *boa*? — perguntei.

— Acho que só agora percebi o quanto foi bom — respondeu ele.

— Pois é. Você ama seus pais. E esta casa. Dá para perceber.

Ele sorriu de um jeito suave.

— Não sei se consigo explicar, mas é como se aqui... eu pudesse ser a versão mais autêntica e real de mim mesmo. Posso chorar. Posso ficar de mau humor, triste ou feliz. Qualquer um desses humores é aceito aqui. Não sinto isso em nenhum outro lugar.

A maneira como ele falou me deixou triste por eu nunca ter tido aquilo.

— Não sei como é essa sensação — respondi.

Scotty se inclinou e beijou a minha mão.

— Eu vou te dar isso — disse ele. — Um dia, vamos ter uma casa. E vou te deixar escolher tudo. Você pode pintar como quiser. Pode trancar a porta e só deixar entrar quem você bem entender. Vai ser o lugar mais confortável em que você morou na vida.

Dei um sorriso.

— Parece o paraíso.

Então ele me beijou. Fez amor comigo. E, por mais que eu tenha tentado não fazer barulho, a casa estava completamente silenciosa.

Na manhã seguinte, quando estávamos indo embora, a mãe de Scotty não conseguiu nem me olhar nos olhos. O constrangimento dela se infiltrou no meu corpo, e a partir daquele momento tive a certeza de que ela não gostava de mim.

Pressionei a testa no vidro da janela do passageiro quando estávamos no carro de Scotty, saindo da casa.

— Que vergonha. Acho que sua mãe ouviu a gente ontem à noite. Viu como ela estava tensa?

— É muito desagradável para ela — respondeu Scotty. — Ela é minha mãe, não consegue me imaginar transando com *nenhuma* menina; não tem nada a ver com você em particular.

Me encostei no banco e suspirei.

— Gostei do seu pai.

Scotty riu.

— Você também vai adorar minha mãe. Da próxima vez que a gente vier, faço questão de transar com você *antes* de chegarmos, assim ela pode fingir que eu não faço essas coisas.

— E talvez também devesse parar de fumar.

Scotty segurou minha mão.

— Posso parar. Da próxima vez, ela vai gostar tanto de você que vai ficar falando de casamento e netos.

— Tá — falei, melancolicamente. — Talvez.

Mas eu duvidava.

Parece mais que garotas como eu não se encaixavam em *nenhuma* família.

155

CAPÍTULO VINTE

LEDGER

Faz três dias que ela esteve no bar e três dias que estive no mercado pela última vez. Disse a mim mesmo que não voltaria mais aqui. Decidi que voltaria a fazer compras no Walmart, mas, depois de jantar com Diem ontem à noite, passei a noite inteira pensando em Kenna.

Percebi que, desde que ela voltou para a cidade, quanto mais tempo passo com Diem, mais curioso fico a respeito de Kenna.

Comparo os trejeitos de Diem com os dela agora que existe essa possibilidade. Até mesmo a personalidade de Diem parece fazer muito mais sentido agora. Scotty era direto. Racional. Não era muito imaginativo, mas eu via isso como uma qualidade. Ele queria saber como e por qual motivo as coisas funcionavam, não perdia tempo com nada que não fosse baseado em ciência.

Diem é o completo oposto, e até agora eu nunca tinha me perguntado se ela puxara isso da mãe. Será que Kenna é racional como Scotty, ou será que gosta de usar a imaginação? Ela é artística? Tem sonhos além de reencontrar a filha?

Mais importante ainda, *ela é uma boa pessoa?*

Scotty era. Sempre presumi que Kenna não fosse uma pessoa boa por causa daquela única noite. Daquela única causa e consequência. Daquela única decisão terrível que ela tomou.

Mas e se estivéssemos apenas procurando alguém para levar a culpa devido ao nosso imenso sofrimento?

Nunca me ocorreu que talvez Kenna estivesse sofrendo tanto quanto nós.

Tenho tantas perguntas a lhe fazer. Eu nem devia querer essas respostas, mas preciso saber mais sobre aquela noite e sobre as intenções dela. Tenho a sensação de que ela não vai deixar a cidade sem antes lutar, e por mais que Patrick e Grace queiram varrer isso para debaixo do tapete, esse não é o tipo de situação que vai simplesmente desaparecer.

Talvez seja por isso que eu esteja aqui, sentado na picape, observando-a guardar as compras nos carros. Não sei se ela percebeu que faz meia hora que estou aqui no estacionamento, à espreita. Deve ter percebido. Minha picape não se camufla muito bem nos ambientes.

Escuto uma batida no vidro que me deixa sobressaltado. Meus olhos encontram os de Grace. Ela está com Diem no quadril, então abro a porta.

— O que estão fazendo aqui?

Grace me olha com uma expressão confusa. Certamente estava esperando que eu reagisse com mais entusiasmo do que preocupação.

— Viemos fazer compras e vimos sua picape.

— Quero ir com você — fala Diem.

Ela tenta me alcançar, e deslizo o corpo para fora da picape enquanto a pego do colo de Grace. Na mesma hora dou uma olhada no estacionamento para ver se Kenna não está aqui fora.

— Vocês precisam ir embora — digo para Grace.

Ela estacionou na fileira em frente à minha, então vou até seu carro.

— O que houve? — pergunta Grace.

Me viro para ela e faço questão de escolher com cuidado minhas palavras.

— Ela trabalha aqui.

Vejo a confusão no rosto de Grace antes de a ficha cair. Assim que ela entende a que estou me referindo, suas bochechas começam a empalidecer.

— O quê?

— Ela está trabalhando agora. Precisa tirar Diem daqui.

— Mas eu quero ir com *você* — fala Diem.

— Mais tarde eu te busco — digo, segurando a maçaneta. O carro de Grace está trancado. Fico esperando ela destrancá-lo, mas ela congelou, como se estivesse em transe. — Grace!

Ela rapidamente volta a se concentrar e começa a vasculhar a bolsa atrás da chave.

É então que eu vejo Kenna.

É então que Kenna me vê.

— Depressa — digo com a voz baixa.

As mãos de Grace tremem enquanto ela começa a apertar o botão da chave.

Kenna parou de andar. Está imóvel no meio do estacionamento, nos encarando. Ao entender o que está vendo — e que sua filha está a apenas alguns metros de distância —, ela abandona o carrinho do cliente e começa a vir em nossa direção.

Grace consegue destravar as portas, então escancaro a porta de trás e ponho Diem no assento de elevação. Não sei por que tenho a sensação de que estou correndo contra o tempo. Não é como se Kenna fosse capaz de pegá-la com nós dois aqui. Só não quero que Grace precise lidar com ela. Não na frente de Diem.

E também esse não é o lugar nem o momento para Kenna conhecer a filha. Seria caótico demais. Diem ficaria assustada.

— Esperem! — grita Kenna.

Diem nem está com o cinto afivelado quando digo:

— Vá.

E então fecho a porta. Grace dá marcha a ré e sai da vaga assim que Kenna nos alcança. Ela passa por mim e se lança atrás do carro, e por mais que eu queira agarrá-la e puxá-la para trás, não ponho as mãos nela por ainda me arrepender de quando a tirei da porta da casa deles.

Kenna aproxima-se do carro o suficiente para encostar na traseira dele e implorar:

— Espere! Grace, espere! Por favor!

Grace não espera. Ela vai embora, e é doloroso ver Kenna considerando correr atrás do carro. Após finalmente perceber que não vai conseguir detê-las, ela se vira e me olha. Há lágrimas escorrendo pelo seu rosto.

Ela cobre a boca com as mãos e começa a soluçar.

Estou dividido; me sinto aliviado por Kenna não ter nos alcançado a tempo, mas também arrasado pelo mesmo motivo. Quero que Kenna conheça a filha, mas não quero que Diem conheça a mãe, embora elas sejam a mesma pessoa.

Parece que sou ao mesmo tempo o monstro de Kenna e o protetor de Diem.

Kenna me olha como se estivesse prestes a desmaiar de tanto sofrimento. Não tem condições de terminar o turno. Aponto para minha picape.

— Eu te levo para casa. Como sua chefe se chama? Vou lá avisar que você não está se sentindo bem.

Ela enxuga os olhos com as mãos.

— Amy — ela diz, andando frustrada na direção da minha picape.

Acho que sei quem é essa Amy. Já a vi no mercado antes.

O carrinho que Kenna abandonou ainda está no mesmo lugar. A senhora cujas compras Kenna estava levando parou ao lado do carro dela e está observando Kenna entrar na minha picape. Deve estar se perguntando o que diabos foi todo esse tumulto.

Vou correndo até o carrinho e o empurro até a senhora.

— Desculpe pelo que aconteceu.

A mulher assente e destranca o porta-malas.

— Espero que ela esteja bem.

— Está, sim.

Guardo as compras em seu carro e levo o carrinho de volta ao mercado. Vou até o balcão de atendimento ao consumidor e encontro Amy.

Tento sorrir para ela, mas estou agitado demais para conseguir fazer isso.

— Kenna não está se sentindo muito bem — minto. — Vou levá-la para a casa dela. Só queria te avisar.

— Ah, puxa. Como ela está?

— Não tão bem, mas vai melhorar. Sabe se ela tem alguma coisa aqui que eu precise pegar? Uma bolsa, algo assim?

Amy assente.

— Tem, sim. Ela usa o compartimento número 12 do guarda-volumes na sala de descanso.

Ela aponta para uma porta atrás do balcão de atendimento ao consumidor.

Dou a volta no balcão e passo pela porta da sala de descanso. A garota do prédio de Kenna está sentada à mesa. Ela me olha, e tenho certeza de que a vejo fazendo uma cara feia.

— O que está fazendo na nossa sala de descanso, babaca?

Nem tento me defender. Ela já tem uma opinião formada sobre mim, e, a esta altura, concordo com ela. Abro o compartimento 12 e vou pegar a bolsa de Kenna. É mais uma ecobag, e a parte de cima está toda aberta, então vejo uma pilha grossa de papéis dentro.

Parece um manuscrito.

Digo a mim mesmo que não devo ver o que é, mas meus olhos param involuntariamente na primeira frase da primeira página.

Querido Scotty

Quero ler mais, mas fecho a ecobag e respeito sua privacidade. Antes de sair da sala de descanso, digo para a garota:

— Kenna está se sentindo mal. Vou levá-la para casa, mas acha que pode dar uma conferida nela à noite?

Os olhos dela estão bem concentrados em mim. Ela finalmente concorda com a cabeça.

— Tá bom, babaca.

Fico com vontade de rir, mas neste momento tem muitas coisas suprimindo minha risada.

Quando passo de novo por Amy, ela diz:

— Avise a Kenna que bati ponto por ela e que é para ela me ligar se precisar de alguma coisa.

Ela não tem telefone, mas assinto.

— Pode deixar. Obrigado, Amy.

Quando chego à picape, Kenna está encolhida no banco de passageiro, voltada para a janela. Ela estremece quando abro a porta. Coloco a ecobag entre nós dois, e ela a puxa para o seu outro lado. Ainda está chorando, mas não me diz nada, então fico em silêncio. Eu nem saberia o que dizer. Desculpa? Você está bem? Sou um idiota?

Saímos do estacionamento e, depois de menos de um quilômetro, Kenna murmura algo como:

— Pare o carro.

Viro-me para ela, que está olhando pelo vidro. Como não ligo a seta, ela repete:

— Pare o carro — exige.

— Em dois minutos você vai estar em casa.

Ela chuta meu painel.

— Pare o carro!

Não digo mais nada. Obedeço. Dou a seta e paro na beira da pista.

Ela pega a ecobag, sai da picape e bate a porta. Começa a andar na direção do seu prédio. Quando já está a alguns metros de distância, na frente da picape, ponho o câmbio no ponto morto e a acompanho, abaixando o vidro.

— Kenna. Volte para o carro.

Ela continua andando.

— Você disse para ela ir embora! Viu que eu estava chegando e disse para ela ir embora! Por que continua fazendo *isso* comigo? — Continuo dirigindo no ritmo em que ela está andando, até ela finalmente se virar e me encarar pela janela. — *Por quê?* — pergunta ela.

Pressiono o freio até ficarmos próximos. Minhas mãos estão começando a tremer. Talvez pela adrenalina, talvez pela culpa.

Talvez pela raiva.

Coloco o câmbio no ponto morto novamente, pois me parece que ela está pronta para discutir a questão.

— Achou mesmo que ia confrontar Grace no estacionamento de um *mercado*?

— Bem, tentei fazer isso na casa deles, mas nós dois sabemos qual foi o resultado.

Balanço a cabeça. Não estou me referindo ao local.

Eu *nem sei* a que estou me referindo. Tento raciocinar. Estou confuso, porque acho que talvez ela tenha razão. Da primeira vez ela tentou abordá-los em paz, e também a detive.

— Eles não são fortes o bastante para lidar com sua presença aqui, mesmo que você não tenha vindo para tomá-la deles. Eles não são fortes o bastante para compartilhá-la com você. Os dois proporcionam uma vida boa para Diem, Kenna. Ela está feliz e em segurança. Será que isso não é o suficiente?

Kenna parece estar prendendo a respiração, mas está ofegante. Ela me encara por um instante e depois vai até a parte de trás da picape para que eu não veja seu rosto. Fica parada por um momento, mas depois vai até a grama no acostamento da pista e se senta. Ela aproxima os joelhos do peito, abraça-os e fica encarando um descampado.

Não sei o que ela está fazendo, nem se precisa de tempo para pensar. Deixo-a uns minutos sozinha, mas, como ela não se move nem se levanta, acabo saindo da picape.

Quando me aproximo dela, não digo nada. Sento-me em silêncio ao seu lado.

O trânsito e o mundo continuam se movendo atrás de nós, mas na nossa frente há um grande terreno baldio, então ficamos olhando para a frente, e não um para o outro.

Ela acaba descendo o olhar para o chão e arrancando uma florzinha amarela da grama. Mexe-a entre os dedos, e passo a observá-la. Ela inspira lentamente, mas não vira o olhar na minha direção quando expira e começa a falar.

— As outras mães me disseram como seria — diz ela. — Elas me contaram que eu seria levada até o hospital para o parto e que eu teria dois dias com ela. Dois dias inteiros, só eu e ela. — Uma lágrima escorre por sua bochecha. — Nem sei dizer o quanto ansiei por aqueles dois dias. Eu não conseguia pensar em mais nada. Mas ela nasceu prematura... Não sei se você sabe, mas ela nasceu seis semanas antes do previsto. Seus pulmões estavam... — Kenna expira pela boca. — Logo após o parto, ela foi transferida para a UTI Neonatal de outro hospital. Passei meus dois dias sozinha numa sala de recuperação com um guarda armado me vigiando. E quando meus dois dias acabaram, fui mandada de volta à prisão. Não pude segurá-la no colo. Não pude nem sequer olhar nos olhos da bebê que eu e Scotty concebemos.

— Kenna...

— Não. O que quer que você esteja prestes a dizer, nem come-ce. Acredite em mim, eu estaria mentindo se dissesse que cheguei aqui sem ter a esperança ridícula de que eu seria bem recebida na vida dela e de que até me dariam algum papel nesse contexto. Mas também sei qual é o lugar de Diem, então qualquer coisa me deixaria grata. Eu ficaria muito grata só de poder finalmente *olhar* para ela, mesmo que isso fosse tudo que me permitissem fazer. Quer você ou os pais de Scotty achem que eu mereça isso ou não.

Fecho os olhos, porque sua voz já está sofrida o bastante. Olhar para ela e ver a angústia no seu rosto enquanto ela fala só piora tudo.

— Sou muito grata a eles — diz ela. — Você não faz ideia. Durante toda a gravidez, não precisei me preocupar em nenhum momento com relação às pessoas que a criariam. Eram as mesmas pessoas que tinham criado Scotty, e ele era perfeito. — Ela fica em silêncio por alguns segundos, então abro os olhos. Ela está me encarando quando balança a cabeça. — Não sou uma pessoa ruim, Ledger. — Sua voz está consternada. — Não estou aqui por achar que a mereço. Tudo que eu quero é *vê-la*. É tudo que eu quero. *Só isso.* — Ela usa a camiseta para secar os olhos e depois continua. — Às vezes, fico me perguntando o que Scotty pensaria se pudesse nos ver. Fico torcendo para que não exista nenhuma vida após a morte, porque, se existir, provavelmente ele seria a única pessoa triste no céu.

Suas palavras me atingem como um soco no estômago, pois fico morrendo de medo de que ela tenha razão. Esse tem sido o meu maior receio desde que ela voltou e que comecei a enxergá-la como a mulher por quem Scotty estava apaixonado, e não como a mulher que o deixou sozinho até morrer.

Me levanto enquanto Kenna continua sentada na grama. Vou até a picape e abro o console. Pego meu celular e volto com ele para perto de Kenna.

Me sento novamente ao seu lado, abro o aplicativo de fotos e depois escolho a pasta onde salvo todos os vídeos que faço de Diem. Abro o mais recente, que filmei durante o jantar de ontem, aperto play e entrego o aparelho a Kenna.

Eu jamais teria imaginado como seria uma mãe ver a filha pela primeira vez. Ver Diem na tela deixa Kenna sem fôlego. Ela põe a mão na boca e começa a chorar, tanto que precisa apoiar o celular nas pernas para poder enxugar as lágrimas com a camiseta.

Kenna transforma-se numa pessoa diferente bem diante dos meus olhos. É como se eu estivesse testemunhando o momento em que ela se torna mãe, e talvez essa seja a coisa mais bonita que já tenha visto.

Estou me sentindo uma porra de um monstro por não tê-la ajudado a vivenciar este momento antes.

Me desculpe, Scotty.

Ela assistiu a quatro vídeos sentada na grama do acostamento da pista. Chorou o tempo inteiro, mas também sorriu bastante. E ela ria sempre que Diem falava.

Deixei-a segurar meu celular e continuar assistindo a mais vídeos enquanto eu a levava para casa na picape.

Subi até seu apartamento, porque teria me sentido péssimo se tivesse pedido meu celular de volta, então já faz quase uma hora que ela está assistindo aos vídeos. Suas emoções estão um caos. Ela gargalha, chora, se alegra, se entristece.

Não faço ideia de como vou pegar meu celular de volta. Nem sei se quero.

Faz tanto tempo que estou no apartamento dela que a gatinha de Kenna acabou adormecendo no meu colo. Kenna está em uma ponta do sofá e eu estou na outra, apenas observando-a assistir aos vídeos de Diem, orgulhoso como um pai, pois sei que Diem é saudável, eloquente, engraçada e feliz, e é gostoso ver Kenna perceber tudo isso sobre sua filha.

Mas, ao mesmo tempo, parece que estou traindo duas das pessoas mais importantes da minha vida. Se Patrick e Grace soubessem que neste momento estou aqui, mostrando a Kenna vídeos da menina que os dois criaram, provavelmente nunca mais falariam comigo. E eu os entenderia.

Não existe nenhuma maneira de enfrentar esta situação sem sentir que estou traindo *alguém*. Estou traindo Kenna por não deixá-la ver Diem. Estou traindo Patrick e Grace por deixar Kenna ver como Diem é. Estou traindo até mesmo Scotty, embora ainda não saiba exatamente de que maneira. Ainda estou tentando entender de onde estão vindo todos esses sentimentos de culpa.

— Ela é tão feliz — diz Kenna.

Faço que sim.

— É, sim. Ela é muito feliz.

Kenna me olha, enxugando os olhos com um lenço amassado que lhe entreguei na picape.

— Ela faz perguntas sobre mim?

— Não especificamente, mas está começando a se perguntar de onde ela veio. No último fim de semana, ela me perguntou se tinha crescido numa árvore ou num ovo.

Kenna sorri.

— Ela ainda é pequena demais para entender sobre dinâmicas familiares. Ela tem Patrick, Grace e eu, então no momento não sei se ela de fato sente que está faltando alguém. Não sei se era isso o que você queria escutar. É apenas a verdade.

Kenna balança a cabeça.

— Tudo bem. Na verdade, é bom saber que ela ainda não percebeu que eu devia estar na vida dela. — Ela assiste a mais um vídeo e depois me entrega o aparelho, relutante. Levanta-se do sofá e vai até o banheiro. — Por favor, não vá embora ainda.

Faço que sim, garantindo que não vou a lugar nenhum. Quando ela fecha a porta do banheiro, tiro a gatinha do colo e me levanto. Preciso tomar alguma coisa. As últimas duas horas me deram a sensação de que estou desidratado, apesar de ter sido Kenna que chorou.

Abro sua geladeira, mas está vazia. Completamente vazia. Abro o freezer e também está vazio.

Quando ela sai do banheiro, estou dando uma olhada nos seus armários sem nada dentro. Estão bem vazios, tanto quanto seu apartamento.

— Ainda não tenho nada. Desculpe. — Ela parece envergonhada ao dizer isso. — É que... gastei tudo o que tinha com a mudança para cá. Vou receber em breve, e depois quero me mudar para algum lugar melhor, vou comprar um celular e...

Ergo a mão quando percebo que ela acha que estou julgando sua capacidade de se sustentar. Ou talvez de sustentar Diem.

— Kenna, está tudo bem. Admiro a determinação que trouxe você até aqui, mas precisa comer. — Guardo o celular no bolso e vou até a porta. — Vamos. Eu pago seu jantar.

CAPÍTULO VINTE E UM

KENNA

Diem se parece comigo. Temos o mesmo cabelo, os mesmos olhos. Ela tem até os mesmos dedos finos que eu.

Foi tão bom ver que ela herdou a risada e o sorriso de Scotty. Ver os vídeos foi como revisitar a história dele. Já faz muito tempo, e eu não tinha nenhuma foto de Scotty na prisão, então estava começando a me esquecer de sua aparência. Mas o enxerguei nela e me sinto grata por isso.

Me sinto grata por saber que, quando Patrick e Grace olham para Diem, eles percebem alguma semelhança com o filho deles. Sempre me preocupei pensando que, se ela fosse parecida demais comigo, talvez eles não vissem nenhum vestígio de Scotty.

Achei que eu me sentiria diferente depois de finalmente vê-la. Estava esperando alguma sensação de desfecho dentro de mim, mas é quase como se alguém tivesse escancarado a ferida. Achei que vê-la feliz fosse me deixar feliz, mas, de certa maneira, fiquei até mais triste, de um jeito totalmente egoísta.

Não é difícil amar uma criança que nasceu de você, mesmo que você nunca a tenha visto. Mas é muito difícil finalmente ver a aparência dela e como ela fala e como ela *é*, sabendo que esperam que eu simplesmente me afaste dela.

No entanto, é exatamente isso que todos estão esperando. É o que eles *querem* que eu faça.

Só de pensar nessa hipótese sinto como se minha barriga estivesse cheia de cordas amarradas e apertadas, prestes a arrebentar.

Ledger tinha razão; eu estava precisando de comida. Mas agora que estou sentada aqui com a comida, tudo que consigo fazer é pensar nas últimas duas horas, e não sei se consigo realmente me alimentar. Estou nauseada, cheia de adrenalina, emotiva, exausta.

Ledger passou num drive-thru e pediu hambúrgueres para nós dois. Estamos sentados na picape dele, no estacionamento de um parque, comendo os sanduíches.

Sei por que ele não quis me levar para nenhum lugar público. Ser visto comigo não pegaria bem aos olhos dos avós de Diem. Não que eu conheça muita gente por aqui, mas naquela época eu conhecia, então é possível que alguém me reconheça.

Se é que isso já não aconteceu. Eu tinha alguns colegas de trabalho na época e, apesar de nunca ter conhecido Ledger, cheguei a conhecer alguns outros amigos de Scotty. E como a cidade é pequena, é possível que eu seja reconhecida por algum fofoqueiro que tenha passado minha foto policial de mão em mão.

As pessoas adoram uma fofoca, e uma coisa que faço bem é ser alvo delas.

Não culpo ninguém além de mim mesma. Tudo teria sido diferente se eu não tivesse entrado em pânico naquela noite. Mas entrei, e essas são as consequências, e já aceitei isso. Passei os dois primeiros anos da pena questionando todas as decisões que tomei, querendo poder voltar no tempo e ter uma segunda chance.

Uma vez, Ivy me disse: "*O remorso te deixa no pause. Assim como a prisão. Quando você sair daqui, aperte o play de novo para não se esquecer de seguir em frente.*"

Mas estou com medo de seguir em frente. E se a única forma de seguir em frente for sem Diem?

— Posso te fazer uma pergunta? — diz Ledger.

Olho para ele, que já acabou de comer. Não dei nem três mordidas no meu hambúrguer.

Ledger é bonito, mas não do mesmo jeito que Scotty. Scotty parecia um vizinho comum. Ledger parece mais o cara que daria uma surra no vizinho. Ele passa uma imagem mais bruta, e o fato de ele ser dono de um bar não colabora.

No entanto, quando ele abre a boca, ele passa outra impressão, e isso é o que mais importa.

— O que vai acontecer se eles não deixarem você conhecê--la? — pergunta ele.

Agora é que perdi mesmo a fome. Só de pensar nisso fico nauseada. Dou de ombros.

— Acho que eu me mudaria para outra cidade. Não quero que eles fiquem achando que sou uma ameaça.

Me obrigo a comer uma batata frita só porque não sei mais o que dizer.

Ledger toma um gole do seu chá gelado. A picape está em silêncio. Parece que há um pedido de desculpa pairando no ar entre nós, mas não sei a quem ele pertence.

Ledger toma o pedido para si; ele movimenta-se no banco e diz:

— Acho que estou te devendo um pedido de desculpas por não ter deixado você...

— Tudo bem — interrompo-o. — Você fez o que julgou necessário para proteger Diem. Por mais que eu tenha ficado com raiva... é bom ver que Diem tem pessoas na vida dela que a protegem desse jeito.

Ele está me encarando com a cabeça levemente inclinada. Ele assimila minha resposta, guardando-a em algum lugar sem me dar nenhum sinal do que está pensando. Depois gesticula em direção ao hambúrguer e às batatas quase intocados.

— Não está com fome?

— Acho que estou agitada demais para conseguir comer agora. Vou levar para casa. — Guardo o hambúrguer na sacola com o restante das batatas fritas. Dobro o saco e o ponho no banco entre nós dois.

— E eu, posso *te* fazer uma pergunta?

— Pode, sim.

Encosto a cabeça no banco e observo seu rosto.

— Você me odeia?

Fico surpresa quando a pergunta escapa da minha boca, mas preciso saber o que passa na cabeça dele. Às vezes — quando nós dois estávamos em sua casa, por exemplo — parece que ele me odeia tanto quanto os pais de Scotty.

Mas então outras vezes, como agora, ele me olha como se talvez se compadecesse da minha situação. Preciso saber quem são meus inimigos e preciso saber se tem alguém do meu lado. Caso eu só tenha inimigos, o que ainda estou fazendo aqui?

Ledger encosta-se na porta do motorista, apoiando o cotovelo no vidro da janela. Ele me encara e passa a mão no maxilar.

— Formei uma opinião a seu respeito depois da morte de Scotty. Durante todos esses anos, é como se você tivesse sido uma pessoa qualquer da internet — uma pessoa que eu podia julgar bastante e em quem eu podia jogar a culpa sem nem precisar conhecê-la. Mas agora que estamos frente a frente... não sei se quero te dizer todas as coisas que sempre quis dizer.

— Mas você ainda sente essas coisas?

Ele balança a cabeça.

— Sei lá, Kenna. — Ele se movimenta no banco para poder prestar mais atenção em mim. — Na noite em que você apareceu lá no bar pela primeira vez, achei que você era a garota mais intrigante que eu já tinha visto. Mas aí quando te vi no dia seguinte na frente da casa de Patrick e Grace, achei que você era a pessoa mais repugnante que eu já tinha visto.

Sua franqueza enche meu peito de vergonha.

— E hoje? — pergunto, baixinho.

Ele me olha nos olhos.

— Hoje... estou começando a me perguntar se você não é a garota mais triste que já vi.

Abro um sorriso que deve ser o mais sofrido de todos, só porque não quero chorar.

— Todas as alternativas anteriores — digo.

Seu sorriso é quase tão sofrido quanto o meu.

— Era o que eu temia.

Tem alguma pergunta em seu olhar. Muitas perguntas. Tantas perguntas. Preciso desviar a vista para evitá-las.

Ledger junta seu lixo, sai da picape e o leva até uma lixeira. Fica fora do veículo por um instante. Quando reaparece na porta do motorista, ele não entra. Apenas põe a mão em cima da picape e me encara.

— E se tiver que sair da cidade? Quais são seus planos? Qual é seu próximo passo?

— Não sei — respondo, suspirando. — Ainda não pensei em futuro tão distante. Tenho muito medo de abrir mão da esperança de que eles ainda mudem de ideia. — Mas esse é o rumo que as coisas parecem estar tomando. E Ledger, mais do que ninguém, sabe o que se passa na cabeça deles. — Acha que eles vão me dar uma chance em algum momento?

Ledger não responde. Ele não balança a cabeça nem faz que sim. Apenas ignora completamente a pergunta, entra na picape e dá marcha a ré para sair do estacionamento.

Não me responder não deixa de ser uma resposta.

Passo o caminho inteiro até minha casa pensando nisso. *Quando* é que devo desistir? Quando devo aceitar que talvez minha vida não vá cruzar com a de Diem?

Minha garganta está seca e meu coração está vazio quando chegamos ao estacionamento do meu prédio. Ledger sai da picape e dá a volta para abrir minha porta. Mas ele fica parado. Olha para mim e, pela maneira como está se mexendo, é como se quisesse me dizer alguma coisa. Ele cruza os braços na frente do peito e desce o olhar para o chão.

— Não pegou bem, sabe. Para os pais dele, para o juiz, para todos no tribunal... você parecia tão...

Ele não consegue concluir a frase.

— Eu parecia tão *o quê?*

Seus olhos se voltam para os meus.

— Você parecia não ter remorso nenhum.

Suas palavras me deixam sem ar. *Como alguém poderia pensar que eu não tinha remorso nenhum?* Eu estava arrasada.

Parece que estou prestes a chorar novamente, e já chorei demais por hoje. Só preciso sair da picape. Pego minha bolsa e minha comida, e Ledger se afasta para que eu possa sair. Assim que meus pés tocam o chão, começo a andar, porque estou tentando recobrar o fôlego e não consigo responder o que ele acabou de dizer.

Será que é por isso que eles não me deixam ver minha filha? Eles acham que não me *importei?*

Escuto seus passos atrás de mim, mas isso me faz andar ainda mais rápido, subir a escada e entrar no apartamento. Ponho minhas coisas no balcão, e Ledger para no batente da porta.

Seguro a borda do balcão ao lado da pia e fico assimilando o que ele acabou de dizer. Então me viro para ele, com a distância do cômodo entre nós.

— Scotty era a melhor coisa que tinha acontecido na minha vida. Não é que eu não estivesse arrependida; eu estava arrasada demais para conseguir falar. O defensor público disse que eu precisava escrever uma declaração, mas fazia semanas que eu não conseguia dormir. Não consegui escrever uma única palavra. Meu cérebro, ele estava... — Ponho a mão no peito. — Eu estava *destruída*, Ledger. Precisa acreditar nisso. Destruída demais até mesmo para me defender ou para me importar com a minha vida. Eu não estava indiferente; eu estava *inconsolável*.

E lá vêm elas de novo. As lágrimas. Cansei de lágrimas, porra. Dou as costas para Ledger, pois tenho certeza de que ele também se cansou.

Escuto minha porta fechar. *Ele foi embora?* Eu me viro, mas Ledger está dentro do apartamento. Está se aproximando devagar, e depois se encosta no balcão, perto de mim. Ele cruza os braços na frente do peito, cruza as pernas na altura dos tornozelos e fica apenas encarando o chão em silêncio por um instante. Pego no balcão o lenço que eu estava usando antes.

Ledger olha para mim.

— Isso seria bom para quem? — pergunta ele.

Espero uma explicação, pois não sei o que ele está me perguntando.

— Não seria bom para Patrick e Grace dividirem com você a guarda de Diem. Não sei se eles seriam capazes de lidar com o nível de estresse que isso causaria. E Diem... isso seria bom para ela? Porque, neste momento, ela não faz ideia de que tem alguém faltando em sua vida. Ela tem duas pessoas que já considera como pais, e todos os parentes *deles* que a amam. Ela também tem a mim. E se você tivesse permissão de visitá-la, sim, talvez ela desse valor a isso quando fosse mais velha. Mas agora... e não estou sendo uma pessoa detestável, Kenna... mas você transformaria a existência tranquila que eles trabalharam duro para construir desde a morte de Scotty. O estresse que sua presença causaria em Patrick e Grace seria sentido por Diem, por mais que eles tentassem esconder dela. Então... sua presença na vida de Diem seria boa para quem? Tirando você mesma?

Sinto meu peito apertar após ouvir suas palavras. Não por estar com raiva dele por tê-las dito, mas por temer que ele tenha razão.

E se for melhor para ela eu não fazer parte de sua vida? E se minha presença acabar sendo uma mera intrusão?

Ledger conhece Patrick e Grace melhor do que ninguém, e se ele diz que minha presença vai alterar a dinâmica boa que eles construíram, quem sou eu para argumentar?

Eu já temia tudo o que ele acabara de dizer, mas o fato de as palavras terem vindo de sua boca me causa dor e vergonha. Mas ele está certo. Minha presença aqui é um egoísmo. Ele sabe disso. *Eles* sabem disso.

Não estou aqui para preencher algum vazio na vida da minha filha. Estou aqui para preencher um vazio na *minha* vida.

Pisco os olhos para conter as lágrimas e expiro para me acalmar.

— Sei que não devia ter voltado pra cá. Você tem razão. Mas não posso simplesmente ir embora. Gastei tudo que eu tinha para chegar aqui e agora estou emperrada. Não tenho para onde ir nem dinheiro para chegar a lugar nenhum, pois o trabalho no mercado é só meio período.

A empatia reaparece em sua expressão, mas ele permanece em silêncio.

— Se eles não me querem aqui, eu vou embora. Só preciso de um tempo, porque não tenho dinheiro, e todas as empresas da cidade me rejeitaram por conta do meu passado.

Ledger se afasta do balcão. Entrelaça as mãos atrás da cabeça e dá alguns passos. Não quero que pense que estou pedindo dinheiro. Esse seria o resultado mais humilhante dessa conversa.

No entanto, se ele me oferecesse dinheiro, não tenho certeza se recusaria. Se eles querem tanto que eu vá embora a ponto de pagar por isso, eu desisto, porra. E vou embora.

— Posso te dar oito horas nas noites de sexta e de sábado. — Ele parece se arrepender da proposta assim que ela sai de sua boca. — É só trabalho na cozinha, basicamente lavar louça. Mas precisa ficar nos fundos. Ninguém pode saber que você trabalha no bar. Se os Landry descobrem que estou te ajudando...

Percebo que ele está me oferecendo essa oportunidade para que eu deixe a cidade mais rápido. Ele não está me fazendo nenhum favor; está fazendo um favor para Patrick e Grace. Mas tento não pensar nos *motivos*.

— Não vou contar pra ninguém — respondo rapidamente. — Eu prometo.

A expressão de hesitação estampada no rosto de Ledger demonstra arrependimento. Parece que ele está prestes a dizer *deixa pra lá*, então digo logo um *obrigada* antes que ele possa voltar atrás.

— Na sexta e no sábado, eu saio do trabalho às 16h. Posso chegar lá às 16h30.

Ele faz que sim e depois responde:

— Entre pela porta dos fundos. E se alguém perguntar, diga que seu nome é Nicole. É o que vou dizer aos outros funcionários.

— Tudo bem.

Ele balança a cabeça como se tivesse acabado de cometer o maior erro de sua vida, depois se dirige à porta do apartamento.

— Boa noite — diz ele, secamente.

Depois ele fecha a porta.

Ivy está se esfregando nos meus tornozelos, então me abaixo e a pego no colo. Aproximo-a do meu peito e faço carinho nela.

Pode ser que Ledger tenha me oferecido o trabalho só para que eu saia da cidade, mas me sento no sofá sorrindo, pois hoje pude ver o rosto da minha filha. Por mais que o resto do dia tenha sido deprimente, finalmente consegui um pedaço de algo que eu pedia há cinco anos.

Pego meu caderno e escrevo a carta mais importante que já escrevi para Scotty.

Querido Scotty,

Ela se parece conosco, mas ri como você.

Ela é perfeita de todas as maneiras.

Sinto demais por você não tê-la conhecido.

Com amor,

Kenna.

CAPÍTULO VINTE E DOIS

LEDGER

Kenna deve chegar a qualquer minuto. Roman está de folga desde a noite em que a convidei para trabalhar aqui, então não tive a oportunidade de avisá-lo. Porém, tenho pensado em desistir de contratá-la desde o segundo em que *decidi* contratá-la.

Roman acaba de chegar, e Kenna disse que chegaria umas 16h30, então agora deve ser um bom momento para preveni-lo a fim de que ele não seja pego de surpresa.

Estou fatiando limões e laranjas para que tenhamos o suficiente para a noite inteira. Antes mesmo de Roman chegar atrás do balcão, digo:

— Fiz merda.

Queria ter dito "contratei Kenna", mas me parece que as duas frases têm o mesmo significado.

Roman me olha com uma expressão desconfiada.

Não posso ter essa conversa enquanto fatio frutas, então solto a faca antes que eu corte um dedo fora.

— Contratei Kenna. Meio período, mas ninguém pode saber quem ela é. Chame-a de Nicole na frente dos outros funcionários.

Pego a faca novamente, pois é melhor encarar os limões do que a expressão no rosto de Roman.

— Hum. Caramba. *Por quê?*

— Longa história.

Escuto-o deixar suas chaves e seu celular no balcão e depois puxar um banco.

— Que bom que nós dois vamos trabalhar até meia-noite. Desembucha.

Vou até a ponta do balcão e dou uma olhada na cozinha para conferir que ainda estamos sozinhos. Nenhuma outra pessoa chegou ainda, então lhe explico rapidamente o que aconteceu no estacionamento do mercado e conto que mostrei a ela vídeos de Diem, depois a levei para comer hambúrguer e terminei ficando com pena dela e lhe oferecendo trabalho para ajudá-la a deixar a cidade.

Relato toda a história, e ele não diz nada em nenhum momento.

— Pedi que ela ficasse nos fundos, longe dos clientes — digo. — Não posso correr o risco de Patrick e Grace descobrirem que ela está trabalhando aqui. Não estou preocupado com a possibilidade de eles aparecerem aqui; eles nunca vêm. Mas, ainda assim, prefiro que ela fique nos fundos. Ela pode lavar louça e ajudar o Aaron.

Roman ri.

— Então basicamente você contratou uma ajudante de barman que não pode ser barman?

— Ela vai ter muito o que fazer aqui nos fundos.

Escuto Roman tirar o celular e as chaves do balcão. Logo antes de passar pelas portas duplas e entrar na cozinha, ele diz:

— Não quero ouvir mais nenhum pio sobre as porras dos cupcakes.

Ele desaparece antes que eu possa salientar que sua obsessão pela confeiteira casada que trabalha aqui na rua é um pouco diferente de eu oferecer um trabalho para Kenna a fim de que ela saia mais rápido da cidade.

179

As portas dos fundos se abrem alguns minutos depois, e Roman diz:

— Sua nova funcionária acaba de chegar.

Quando chego à cozinha, Kenna está parada na porta que dá para o beco, com uma das mãos na ecobag e a outra no pulso oposto. Ela parece nervosa, mas diferente. Está usando *gloss* ou algo assim. Sei lá, mas parece que só consigo encarar sua boca, então pigarreio, desvio o olhar e digo casualmente:

— Oi.

— Olá — responde ela.

Aponto para um armário onde os funcionários deixam os pertences durante o trabalho.

— Pode deixar sua bolsa ali. — Dou a ela um avental e a trato da maneira mais profissional possível. — Vou te mostrar o lugar rapidinho.

Ela me acompanha em silêncio enquanto lhe apresento a cozinha. Explico o processo de como empilhar a louça depois de lavá-la. Levo-a rapidamente até o depósito. Mostro onde fica meu escritório. Saio com ela até o beco para indicar qual caçamba é a nossa.

Estamos nos dirigindo à porta dos fundos quando Aaron chega. Ele para ao me ver no beco com Kenna.

— Aaron, esta é a Nicole. Ela vai ajudá-lo na cozinha.

Aaron semicerra os olhos, encarando Kenna dos pés à cabeça.

— Eu preciso de ajuda na cozinha? — pergunta ele, confuso.

Olho para Kenna.

— Oferecemos um cardápio de comida limitado no fim de semana, mas Aaron dá conta de tudo. É só estar disponível se ele precisar de ajuda.

Kenna faz que sim e estende a mão para Aaron.

— É um prazer conhecê-lo — diz ela.

Aaron aperta a mão dela, mas continua me encarando com uma expressão desconfiada.

Olho para ela e aponto para a porta, indicando que quero falar a sós com Aaron por um instante. Kenna assente e volta para dentro. Me concentro em Aaron.

— Ela só vai ficar umas semanas aqui, no máximo. Ela estava precisando de uma ajuda.

Aaron ergue a mão.

— Não precisa dizer mais nada, chefe.

Ele aperta meu ombro ao passar por mim e entra no bar.

Já mostrei a Kenna o suficiente para que ela se ocupe por uma noite. E agora ela tem Aaron, que vai cuidar dela.

Não quero passar pelos fundos e ter que vê-la outra vez, então vou até a porta da frente. Razi e Roman vão fazer boa parte do trabalho hoje, pois preciso ir embora. Quando contratei Kenna e lhe disse para aparecer esta noite, não me lembrei que eu já tinha compromisso e que nem estaria aqui durante boa parte do seu turno.

— Volto umas 21h — digo a Roman. — Vou jantar com eles depois da apresentação.

Roman faz que sim.

— Mary Anne vai acabar perguntando — diz ele. — Ela está querendo que a gente contrate o sobrinho dela como auxiliar de cozinha e não vai aceitar isso muito bem.

— É só dizer para Mary Anne que Kenna... que *Nicole* é temporária. É só isso que ela precisa saber.

Roman balança a cabeça.

— Você não pensou nisso direito, Ledger.

— Pensei muito nisso.

— Talvez, mas pensou com a cabeça errada, porra.

Ignoro seu comentário e vou embora.

* * *

Diem decidiu que queria fazer aulas de dança alguns meses atrás. Grace diz que é porque a melhor amiga dela faz, e não porque Diem realmente *gosta* de dançar.

Após ver sua apresentação hoje, está na cara que dança não é uma paixão sua. Ela estava toda desconcentrada. Acho que ela não prestou atenção nas aulas nem por um segundo, pois enquanto as outras crianças pelo menos tentavam seguir a coreografia, Diem corria pelo palco repetindo os movimentos do seu filme favorito, *O Rei do Show*.

A plateia inteira gargalhou. Grace e Patrick morreram de vergonha, mas se seguraram para não rir. Num dado momento, Grace se inclinou e sussurrou:

— Não deixe que ela veja esse filme de novo.

Eu estava filmando, obviamente.

Enquanto filmava Diem, senti certa expectativa ao pensar em mostrar o vídeo a Kenna. Mas não tenho o direito de compartilhar os momentos de Diem. Preciso me lembrar disso, por mais que tenha sido bom finalmente mostrar a Kenna como Diem é alguns dias atrás, no acostamento.

Juridicamente falando, Patrick e Grace tomam todas as decisões por Diem, e com razão. Se eu descobrisse que alguma pessoa próxima a mim está compartilhando informações sobre Diem depois que pedi veementemente que não o fizesse, eu ficaria mais do que puto. E cortaria todo o contato com ela na mesma hora.

Não posso correr esse risco com Patrick e Grace. Só de oferecer trabalho para Kenna já estou contrariando a vontade deles.

— Acho que não quero mais dançar — fala Diem.

Ela ainda está com o *collant* roxo, mas agora tem queijo derretido escorrendo na parte da frente. Eu limpo, pois ela está do mesmo lado da mesa que eu.

— Você ainda não pode desistir das aulas — diz Grace. — Nós já pagamos por mais três meses.

Diem gosta de experimentar coisas novas. Não considero sua vontade de desistir de todas as coisas como uma característica negativa da sua personalidade. Na verdade, acho o fato de ela querer testar todos os esportes um ponto forte.

— Quero fazer aquela coisa com as espadas — afirma Diem, balançando o garfo de um lado para o outro.

— Esgrima? — pergunta Patrick. — Não tem aulas de esgrima aqui na cidade.

— Ledger pode me ensinar — responde ela.

— Não tenho espadas nem tempo. Já treino o seu time de beisebol.

— Beisebol é um inferno — diz Diem.

Eu me engasgo com a minha gargalhada.

— Não diga isso — sussurra Grace.

— É isso o que o Roman diz — replica Diem. — Preciso ir ao banheiro.

Dá para ver os banheiros da nossa mesa, então Diem sai por debaixo dela para ir até lá. Grace fica de olho enquanto a menina caminha até a porta do banheiro. É uma cabine única que Diem pode trancar após entrar, e é só por isso que Grace não foi atrás dela.

Grace costuma acompanhar Diem ao banheiro, mas ultimamente ela tem exigido mais independência. Agora ela faz a avó esperar do lado de fora e, quando a gente vem para este restaurante, sempre pedimos um assento próximo ao banheiro, pois assim Grace pode deixar Diem fazer as coisas por conta própria sem precisar tirar o olho dela.

Quando Patrick começa a falar, percebo que metade da atenção de Grace ainda está voltada para a porta do banheiro.

— Nós solicitamos uma medida protetiva contra a mãe de Diem.

Contenho minha reação, mas é difícil. Engulo essas palavras com um pouco de comida e depois tomo um gole de água.

— Por quê?

— Queremos estar preparados para qualquer coisa que ela decida fazer — diz Patrick.

— Mas o que ela poderia tentar fazer?

Pela maneira como Grace inclina a cabeça, percebo que talvez fosse melhor não ter dito isso, mas será que um juiz concederia a medida simplesmente porque foi solicitada? Imagino que, para algo assim ser concretizado, seria necessário mais do que apenas a presença de Kenna.

Grace diz:

— Ela nos perseguiu no estacionamento do mercado. Não me sinto segura, Ledger.

Ah. Eu tinha me esquecido disso, mas, por algum motivo, ainda acho necessário defendê-la, como se todos estivéssemos neste dilema por culpa minha.

— Nós conversamos com Grady — diz Patrick. — Ele disse que pode pedir para o juiz conceder a medida e que ela deve recebê-la ainda nesta semana.

Queria dizer tantas coisas, mas não é o momento. Não faço ideia de quando será o momento *certo*. E nem sei se realmente preciso dizer alguma coisa.

Tomo outro gole e não reajo à notícia. Fico apenas sentado em silêncio, tentando não demonstrar que sou um traidor. Porque é exatamente isso que sou neste momento. Não tenho como negar.

— Vamos mudar de assunto — diz Grace, observando Diem voltar à mesa. — Como está sua mãe, Ledger? Nem consegui encontrá-la enquanto ela estava aqui.

— Ela está bem. Eles vão para Yellowstone, então devem passar aqui na volta.

Diem está subindo no colo da avó quando Grace diz:

184

— Eu adoraria encontrá-la. Vamos marcar um jantar quando eles estiverem aqui.

— Eu aviso a ela.

Grace entrega uma batata frita para Diem e diz:

— A data está chegando. Como está se sentindo?

Pisco os olhos duas vezes. Sei que não está se referindo a nada relacionado a Scotty, mas não faço ideia do que ela está falando.

— Leah... — diz Grace. — O casamento cancelado?

— Ah. Isso. — Dou de ombros. — Eu estou bem. Ela está bem. Foi melhor assim.

Grace franze um pouco a testa. Ela sempre gostou de Leah, mas não acho que ela conhecia tão a fundo a verdadeira Leah. Não que ela seja uma má pessoa; eu não a teria pedido em casamento se achasse isso.

É só que ela não era boa o bastante para Diem, e, se Grace soubesse disso, ela me agradeceria por ter acabado o noivado em vez de continuar trazendo o assunto à tona, na esperança de que eu mude de ideia.

— E a casa, como está? — pergunta Patrick.

— Está andando bem. Acho que daqui a uns meses já dá para fazer a mudança.

— Quando vai pôr sua casa atual à venda?

Pensar nisso faz com que eu me abaixe um pouco na cadeira. Colocá-la à venda vai ser como vender uma parte minha, por muitos motivos.

— Ainda não sei.

— Não quero que você se mude — diz Diem.

Essas seis palavras me atingem bem no coração.

— Mas você vai poder ficar com ele na casa *nova* — diz Grace, tentando consolá-la. — Ele não vai morar longe.

— Eu gosto da casa que ele tem agora — responde Diem, fazendo bico. — Consigo ir a pé sozinha até lá.

Diem encara suas mãos. Quero estender o braço, tirá-la do colo de Grace, abraçá-la e lhe dizer que nunca vou deixá-la, mas isso seria uma mentira.

Eu devia ter esperado mais seis meses antes de decidir comprar a casa, quando Diem era mais nova. Seis meses teriam sido mais do que o suficiente para eu perceber que a menininha que Patrick e Grace estavam criando se infiltraria na minha vida e no meu coração como se eu mesmo a houvesse concebido.

— Diem vai ficar bem — Grace me tranquiliza. Ela deve estar decifrando a expressão no meu rosto. — Fica a vinte minutos daqui. Quase nada vai mudar.

Fico encarando Diem, e ela me encara de volta, e juro que vejo lágrimas em seus olhos. Mas ela os fecha e se aconchega em Grace antes que eu consiga ter certeza.

CAPÍTULO VINTE E TRÊS

KENNA

Pela papelada que ele deixou para eu assinar, descobri que Ledger está me pagando muito mais do que o mercado.

Por causa disso, e porque é algo da minha personalidade, trabalhei duro a noite inteira. Reorganizei tudo. Ninguém disse que eu precisava fazer isso, mas lavo a louça rápido, antes que chegue mais, então entre as levas de louça suja andei reorganizando as prateleiras, o depósito e toda a louça dos armários.

Tenho cinco anos de prática. Não contei a Ledger da minha experiência com cozinha, porque é sempre constrangedor falar sobre isso, mas trabalhei na cozinha da prisão. Depois daquelas centenas de mulheres, vinte clientes em um bar é moleza.

No início, eu não sabia o que acharia de ficar aqui nos fundos com Aaron: ele parece intimidante com seus ombros fortes e sobrancelhas escuras e expressivas. Mas é um querido.

Ele disse que trabalha aqui desde que Ledger inaugurou o bar, muitos anos atrás.

Aaron é casado, tem quatro filhos e dois empregos. Faz manutenção em um colégio durante a semana e trabalha aqui na cozinha às sextas e aos sábados. Todos os seus filhos são adultos e já saíram de casa, mas ele diz que continua trabalhando aqui para poupar o salário, pois ele e a esposa gostam de tirar férias anuais para visitar a família dela no Equador.

Ele gosta de dançar enquanto trabalha, então deixa os alto-falantes ligados e grita quando fala. É divertido, porque ele costuma falar dos outros funcionários. Ele me contou que Mary Anne tem um namorado há sete anos e que os dois estão prestes a ter o segundo filho, mas ela se recusa a casar com ele por odiar seu sobrenome. Ele disse que Roman está obcecado por uma mulher casada que tem uma padaria aqui na rua, então ele vive trazendo cupcakes para o trabalho.

Ele está prestes a me contar tudo sobre o outro barman, Razi, quando alguém entra na cozinha e diz:

— Puta merda. — Eu me viro e vejo a garçonete, Mary Anne, dando uma olhada na cozinha. — Você fez isso tudo?

Faço que sim.

— Só agora percebi a bagunça que estava antes. Uau. Quando Ledger voltar, vai ficar impressionado com a decisão precipitada que tomou.

Eu nem sabia que ele não estava aqui. Não consigo ver a frente do bar, e nenhum barman entrou aqui na cozinha.

Mary Anne põe a mão na barriga e caminha até uma geladeira. Ela deve estar com uns cinco meses de gravidez. Abre um pote e pega um punhado de tomates cereja. Põe um na boca e diz:

— Meu único desejo de grávida é tomate. Molho marinara. Pizza. Ketchup. — Ela me oferece um, mas balanço a cabeça. — Me dá azia, mas não consigo parar de comê-los.

— É seu primeiro filho? — pergunto.

— Não, tenho um menino de dois anos. Este aqui é menino também. Você tem filhos?

Nunca sei como responder a isso. Não escutei muito essa pergunta desde que fui solta, mas, quando acontece, costumo dizer que sim e mudo imediatamente de assunto. No entanto, não quero que ninguém aqui comece a fazer perguntas, então apenas balanço a cabeça e mantenho o foco nela.

— Que nome você vai dar?

— Ainda não sei. — Ela come mais um tomate e devolve o pote à geladeira. — Qual é sua história? — pergunta ela. — Você é nova por aqui? É casada? Tem namorado? Qual a sua idade?

Tenho diferentes respostas para cada questionamento, então assinto e balanço a cabeça, e quando ela termina de disparar perguntas na minha direção, estou parecendo mais um boneco *bobblehead*.

— Acabei de me mudar pra cá. Tenho 26 anos. Sou solteira.

Ela arqueia a sobrancelha.

— Ledger sabe que é solteira?

— Imagino que sim.

— Hum — diz ela. — Talvez seja por isso.

— Por isso o quê?

Mary Anne e Aaron se entreolham.

— Que Ledger te contratou. A gente estava curioso.

— E por que ele me contratou?

Quero saber qual a razão que ela acha que existe por trás disso.

— Não estou falando de uma maneira negativa — diz ela —, mas temos o mesmo quadro de funcionários há mais de dois anos. Ele nunca mencionou que estava precisando contratar alguém, então *minha* teoria é que ele te contratou para deixar Leah com ciúmes.

— Mary Anne — diz Aaron, a voz soando como um alerta.

Ela faz um gesto com as mãos, ignorando o que ele disse.

— Ledger ia se casar este mês. Ele age como se não ligasse para o casamento cancelado, mas tem alguma coisa o incomodando ultimamente. Ele está agindo de um jeito esquisito. E aí você se candidata a um emprego e ele te contrata na hora, quando nem precisávamos de um funcionário novo? — Ela dá de ombros. — Faz sentido. Você é linda e ele está de coração partido. Acho que ele está preenchendo um vazio.

Na verdade, não faz sentido nenhum, mas tenho a sensação de que Mary Anne é curiosa, e não quero dizer nada que aguce mais ainda a curiosidade dela a meu respeito.

— É só ignorá-la — diz Aaron. — Mary Anne tem desejo de tomate e de fofoca também.

Ela dá uma risada.

— É verdade. Adoro fofocar. Não é nada de mais, só estou entediada.

— Por que eles cancelaram o casamento? — pergunto.

Pelo jeito, ela não é a única curiosa aqui na cozinha. Ela dá de ombros.

— Sei lá. Leah, a ex dele, disse para todo mundo que eles não eram compatíveis. Ledger não toca no assunto. Ele é bem fechado.

Roman dá uma olhada pelas portas duplas, e sua presença rouba a atenção de Mary Anne.

— Os universitários estão te chamando, Mary Anne.

Ela revira os olhos e diz:

— Argh. Odeio universitários. Eles dão umas gorjetas horríveis.

Depois de umas três horas de trabalho, Aaron sugere que eu faça um intervalo, então decido ficar sentada nos degraus do beco. Não sabia se eu ia ter intervalo nem por quantas horas ia trabalhar, então peguei uma garrafa de água e um pacote de salgadinho antes de sair do mercado mais cedo.

O beco está mais silencioso, mas ainda dá para ouvir o baixo da música que toca no bar. Mary Anne reapareceu para conversar de novo mais cedo, e ela viu os pedaços de papel-toalha nos meus ouvidos para abafar o som. Menti, dizendo que ficava com enxaqueca muito fácil, mas a verdade é que odeio a maioria das músicas.

Toda música é um lembrete de uma experiência negativa que já vivi, então prefiro não ouvir nenhuma. Ela disse que tem um fone de ouvido e que amanhã o traria para mim. Até agora, a música é a única parte de que não gosto neste emprego. A única coisa boa na prisão era a seguinte: eu raramente ouvia música.

Roman abre a porta dos fundos e parece momentaneamente surpreso ao me ver nos degraus, mas vai até o outro lado do beco e vira um balde de cabeça para baixo. Senta-se nele e estende a perna, pressionando os joelhos.

— Como está sendo sua primeira noite? — pergunta ele.

— Boa. — Percebi que Roman manca ao andar, e agora está alongando a perna como se estivesse com dor. Não sei se é um problema recente, mas, caso seja, talvez seja melhor ele pegar mais leve hoje. Ele é barman; eles nunca se sentam. — Machucou a perna?

— É uma lesão antiga. Piora dependendo do clima.

Ele ergue a perna da calça, deixando à mostra uma longa cicatriz no joelho.

— Ai. Como isso aconteceu?

Roman encosta-se nos tijolos da parede lateral do bar.

— É uma lesão de quando eu era jogador profissional de futebol americano.

— Também era jogador profissional?

— Eu era de um time diferente do de Ledger. Prefiro morrer a jogar pelos Broncos. — Ele gesticula na direção do joelho. — Aconteceu após um ano e meio no time. Foi o fim da minha carreira no futebol.

— Puxa. Sinto muito.

— Ossos do ofício.

— Como foi que começou a trabalhar aqui com o Ledger?

Ele lança um olhar cauteloso na minha direção.

— Eu poderia te perguntar a mesma coisa.

É justo. Não sei o quanto Roman conhece da minha história, mas Ledger mencionou que ele é o único aqui que sabe sobre mim. Tenho certeza de que, na verdade, isso significa que ele sabe de tudo.

Não quero conversar sobre a minha história.

Felizmente, não preciso fazer isso, porque o beco é preenchido pela luz da picape de Ledger quando ele estaciona em sua vaga de sempre. Por algum motivo, Roman aproveita o momento para escapar até o bar, me deixando sozinha.

Fico tensa com a saída de Roman e o retorno de Ledger. Me sinto envergonhada por estar aqui fora, sentada nos degraus. Assim que Ledger abre a porta do carro, me defendo:

— Eu estava trabalhando. Juro. Só coincidiu de você chegar bem na hora do meu intervalo.

Ledger sorri enquanto sai da picape, como se eu não precisasse me explicar. Não sei por que seu sorriso causa em mim uma espécie de reação, mas sinto um frio rodopiando na minha barriga. Sua presença sempre cria certo zumbido bem abaixo da minha pele, como se eu estivesse vibrando com uma energia agitada. Talvez porque ele seja o único vínculo que tenho com minha filha. Talvez porque, toda vez que fecho os olhos à noite, penso no que aconteceu entre nós aqui neste beco.

Talvez porque agora ele é meu chefe, e não quero perder este emprego de jeito nenhum, e aqui estou eu sem fazer nada, e de repente me sinto patética.

Era muito melhor quando ele não estava aqui; eu estava mais relaxada.

— Como está sendo a noite?

Ele se encosta na picape como se não estivesse com pressa para entrar no bar.

— Boa. Todos têm sido legais.

Ele arqueia a sobrancelha como se não acreditasse.

— Até mesmo Mary Anne?

— Bem... ela foi legal *comigo*. Mas falou um pouco mal de você. — Sorrio para que ele saiba que estou brincando. Mas ela realmente insinuou que ele só me contratou por me achar bonita e para tentar fazer ciúmes na ex. — Quem é Leah?

Ledger encosta a cabeça na picape e dá um gemido.

— Quem foi que falou de Leah? Foi Mary Anne?

Assinto.

— Ela disse que vocês iam se casar este mês.

Ledger parece constrangido, mas não vou desistir da conversa por causa disso. Se ele não quer falar sobre isso, tudo bem. Mas eu quero saber, então aguardo, inquieta, alguma resposta.

— Sinceramente, quando paro pra pensar, foi tão ridículo — diz ele. — O término todo... Começamos a discutir sobre filhos que nem existem.

— E foi por isso que seu noivado acabou?

Ele faz que sim.

— É.

— Qual foi o ponto da discussão?

— Ela me perguntou se eu amaria mais os meus futuros filhos do que Diem. Respondi que não, que os amaria da mesma forma.

— E ela ficou irritada?

— Ela se incomodava por eu passar tanto tempo com Diem. Disse que, quando a gente fosse ter nossa própria família, eu teria que me dedicar menos a Diem e mais à *nossa* família. Naquele momento, caiu uma ficha. Percebi que ela não conseguia imaginar Diem fazendo parte da nossa futura família como eu. Depois disso, eu meio que... perdi o interesse, eu acho.

Não sei por que eu esperava que eles tivessem terminado por algo mais sério. Não é comum que as pessoas terminem relacionamentos por conta de situações hipotéticas, mas o fato de Ledger saber que sua própria felicidade está diretamente associada à

193

felicidade de Diem diz muito a seu respeito, e ele não aceitaria ficar com alguém que não respeitasse esse fato.

— Leah devia ser uma vaca — digo em tom de brincadeira, e Ledger dá uma risada. Só que, quanto mais penso no assunto, mais me irrito. — Mas, falando sério, ela que se dane por achar que Diem não merece o mesmo amor que filhos que ainda *nem existem*.

— Exatamente. Todos acharam que era loucura minha terminar com ela, mas, a meu ver, aquilo foi um sinal de todos os possíveis problemas que a gente poderia enfrentar no futuro. — Ele sorri para mim. — Olha só quem está sendo uma mãe superprotetora. Agora não estou mais me sentindo tão incoerente.

Assim que ele diz isso — que ele reconhece que sou a mãe de Diem —, fico imediatamente surpresa. Foi só uma frase, mas ouvi-la sair da sua boca foi muito importante para mim.

Mesmo que ela tenha escapado por acidente.

Ledger se empertiga e tranca a picape.

— Acho melhor eu entrar. O estacionamento parecia lotado.

Ele não chegou a mencionar onde esteve nas últimas horas, mas sinto que teve a ver com Diem. Porém, talvez ele estivesse com alguma garota, o que provoca em mim quase o mesmo nível de irritação.

Não posso participar da vida da minha própria filha, mas quem quer que Ledger namore vai fazer parte da vida de Diem, então imediatamente sinto ciúmes de quem quer que essa pessoa vá ser.

Pelo menos não vai ser Leah.

Ela que se dane.

Roman traz um engradado cheio de copos para os fundos e os põe na pia para mim.

— Vou embora — diz ele. — Ledger disse que poderia te dar uma carona se você não se incomodasse em esperar. Ele ainda tem que fazer umas besteiras lá; é coisa de meia hora.

— Obrigada — digo a Roman. Ele tira o avental e o joga num cesto onde estão todos os aventais dos outros funcionários. — Quem é que lava isso?

Não sei se isso faz parte do meu trabalho. Nem sei direito qual é o meu trabalho. Ledger não estava aqui para me treinar durante a noite, e todo mundo meio que ficou me mostrando uma ou outra coisa que eu poderia fazer, então simplesmente saí fazendo tudo o que podia.

— Lá em cima tem uma lava e seca — diz Roman.

— O bar tem um segundo andar?

Não vi nenhuma escada. Ele aponta para a porta que dá para o beco.

— A escada de acesso fica lá fora. Metade do espaço é usada como depósito, a outra parte é um apartamento studio com uma lava e seca.

— Eu preciso colocá-los para lavar lá em cima?

Ele balança a cabeça.

— Costumo fazer isso pela manhã. Eu moro lá.

Ele tira a camisa para jogá-la no cesto bem na hora em que Ledger entra na cozinha.

Agora Roman está sem camisa, vestindo uma camiseta para sair enquanto Ledger me encara. Sei que parece que eu estava de olho em Roman enquanto ele trocava de roupa, mas nós dois só estávamos conversando. Não o encarei porque ele estava momentaneamente sem camisa — não que isso importe, mas fico meio constrangida, então me viro e me concentro na louça.

Roman e Ledger conversam sem que eu consiga escutar, mas ouço Roman dar boa-noite a Ledger e ir embora. Ledger volta para a frente do bar.

Fico sozinha, mas prefiro assim. Com Ledger, me sinto menos à vontade e mais tensa.

Termino o trabalho e dou uma limpada em tudo pela última vez. Já é 00h30, e não sei por quanto tempo Ledger ainda vai trabalhar. Não quero incomodá-lo, mas estou cansada demais para voltar a pé até minha casa, então fico esperando a carona.

Pego minhas coisas e me sento no balcão. Pego meu caderno e minha caneta. Não sei se no futuro vou chegar a fazer alguma coisa com as cartas para Scotty, mas escrevê-las é meio que uma experiência catártica.

Querido Scotty,

Ledger é um babaca. Isso já ficou evidente. O cara transformou uma livraria em um bar. Que tipo de monstro faria isso?

Mas... estou começando a achar que ele também tem um lado mais doce. Talvez essa fosse o razão de vocês dois terem sido melhores amigos.

— O que está escrevendo?

Fecho o caderno bruscamente ao ouvir sua voz. Ledger está tirando o avental, olhando para mim. Enfio o caderno na bolsa e murmuro:

— Nada.

Ele inclina a cabeça, e seus olhos se enchem de curiosidade.

— Gosta de escrever?

Assinto.

— Você acha que está mais para artista ou mais para cientista?

Que pergunta esquisita. Dou de ombros.

— Sei lá. Artista, eu acho. Por quê?

Ledger pega um copo limpo e o leva à pia. Enche-o de água e dá um gole.

— Diem tem uma imaginação incrível. Sempre me pergunto se ela puxou isso de você.

Meu coração se enche de orgulho. Adoro quando ele revela pequenos detalhes sobre ela. Também adoro saber que tem alguém na vida dela que aprecia sua imaginação. Eu tinha uma imaginação vívida na infância, mas minha mãe a reprimiu. Foi só quando Ivy me incentivou a retomar esse meu lado que realmente senti que alguém o apoiava.

Scotty teria apoiado, mas acho que ele nem sabia desse meu lado artístico. Ele me conheceu quando essa parte de mim ainda estava profundamente adormecida.

Mas agora ela despertou. Graças a Ivy. Escrevo o tempo inteiro: poemas, cartas para Scotty, ideias para livros que talvez nunca saiam do papel. Acho que a escrita foi o que me salvou de mim mesma.

— Escrevo cartas na maioria das vezes.

Imediatamente me arrependo de dizer isso, mas Ledger não reage.

— Eu sei. Cartas para Scotty.

Ele põe o copo na mesa ao seu lado e cruza os braços por cima do peito.

— Como você sabe disso?

— Vi uma delas — diz ele. — Não se preocupe; não li. Só vi uma das páginas quando peguei sua bolsa no guarda-volumes do mercado.

Bem que me perguntei se ele não tinha visto a pilha de papéis. Fiquei preocupada achando que talvez ele tivesse dado uma espiada nas cartas, mas ele está dizendo que não leu nenhuma, e, por algum motivo, acredito.

— Quantas cartas escreveu para ele?

— Mais de trezentas.

Ele balança a cabeça, incrédulo, mas então algo o faz sorrir.

— Scotty odiava escrever. Ele costumava me pagar para eu escrever suas redações.

Dou uma risada, pois escrevi uma ou outra redação para ele quando estávamos juntos.

É estranho conversar com alguém que de alguma forma conhecia Scotty da mesma maneira que eu. Realmente nunca passei por isso antes. É bom pensar nele de um jeito que me faz rir em vez de chorar.

Queria saber mais sobre quem Scotty era quando não estava comigo.

— Talvez Diem seja escritora no futuro. Ela gosta de inventar palavras — diz Ledger. — Se ela não sabe como alguma coisa se chama, simplesmente inventa um nome.

— Tipo o quê?

— Luminária solar — diz ele. — Sabe aquelas que vemos nas calçadas? Não sabemos o porquê, mas ela as chama de *fatata*.

Isso me faz sorrir, mas também sinto uma pontada dolorida de inveja. Quero conhecê-la como ele a conhece.

— O que mais? — falo mais baixo, pois estou tentando disfarçar o tremor na minha voz.

— Outro dia, ela estava andando de bicicleta e seus pés não paravam de escorregar dos pedais. Ela disse: "Meus pés não param de *eschinelar*." Perguntei o que era *eschinelar*, e ela disse que, quando usa chinelos, seus pés escorregam para fora. E ela acha que *da borra* significa "muito". Ela diz: "estou com um cansaço *da borra*" ou "estou com uma fome *da borra*".

Dói tanto escutar isso que nem consigo rir. Dou um sorriso forçado, mas acho que Ledger consegue perceber que as histórias sobre a filha a quem sou impedida de encontrar estão me despedaçando. Ele para de sorrir, vai até a pia e lava o copo.

— Está pronta?

Faço que sim e desço do balcão.

No caminho para casa, ele diz:

— O que vai fazer com as cartas?

— Nada — respondo de imediato. — Gosto de escrevê-las, só isso.

— Elas são sobre o quê?

— Sobre tudo. E, às vezes, sobre nada. — Dou uma olhada pela janela para que ele não enxergue a verdade no meu rosto. Mas algo dentro de mim me faz querer ser sincera; quero que Ledger sinta que sou alguém confiável. Tenho muito o que provar. — Estou pensando em compilar todas e, no futuro, reuni-las em um livro.

Ele faz uma pausa.

— O final será feliz?

Ainda estou olhando pela janela quando respondo:

— Vai ser um livro sobre a minha vida, então não acho que isso seja possível.

Ledger mantém os olhos na pista enquanto pergunta:

— Alguma delas fala sobre o que aconteceu na noite em que Scotty morreu?

Deixo uma lacuna entre sua pergunta e minha resposta.

— Sim, uma delas.

— Posso ler?

— Não.

Ledger me lança um olhar rápido. Depois, olha para a frente e liga a seta para virar na minha rua. Ele para numa vaga do estacionamento e deixa a picape ligada. Não sei se devo sair imediatamente ou se ainda temos algo a dizer um para o outro. Coloco a mão na maçaneta.

— Obrigada pelo trabalho.

Ledger pressiona o polegar no volante e assente.

-— Eu diria que você fez por onde. A cozinha não ficava tão organizada desde que comprei o bar, e olha que você só trabalhou um turno.

É bom ouvir seu elogio. Assimilo-o e depois dou boa-noite a Ledger.

Por mais que eu queira me virar e olhar para ele depois que saio da picape, permaneço com o rosto virado para a frente. Espero ouvi-lo dando marcha a ré, mas ele não faz isso, então fico achando que ele está me observando enquanto subo até meu apartamento.

Assim que entro em casa, Ivy vem correndo até mim. Pego-a no colo e deixo as luzes desligadas enquanto vou até a janela para dar uma espiada.

Ledger está parado na picape, fitando meu apartamento. Na mesma hora, pressiono as costas na parede ao lado da janela. Finalmente escuto seu motor quando ele dá marcha a ré e sai da vaga.

— Ivy — sussurro, coçando sua cabeça. — O que é que a gente está fazendo, hein?

CAPÍTULO VINTE E QUATRO

LEDGER

— Ledger!

Ergo o olhar enquanto guardo o equipamento, e imediatamente começo a guardá-lo mais rápido. A brigada das mães está se aproximando. Nunca é bom quando elas me procuram assim, em grupo. São quatro, e elas têm cadeiras que combinam, com o nome de cada um de seus filhos no encosto. Ou elas vão dizer que os filhos delas não têm jogado o bastante, ou estão prestes a tentar me arranjar com uma de suas amigas solteiras.

Dou uma olhada no playground, e Diem ainda está lá brincando de pega-pega com dois coleguinhas. Grace está de olho nela, então guardo o último capacete na bolsa, mas é tarde demais para fingir que não percebi as mulheres tentando chamar minha atenção.

Whitney é a primeira a falar:

— Ouvimos dizer que a mãe de Diem voltou.

Olho-a rapidamente, mas tento não parecer surpreso com o fato de elas saberem que Kenna está na cidade. Nenhuma delas conhecia Kenna durante seu breve namoro com Scotty. Nenhuma delas sequer conhecia Scotty.

Mas elas conhecem Diem e me conhecem e conhecem a história, então acham que têm direito de saber a verdade.

— Onde foi que ouviram isso?

— A colega de trabalho de Grace contou para a minha tia — conta uma das mães.

— Não dá para acreditar que ela teve a cara de pau de voltar — diz Whitney. — Grady disse que Patrick e Grace solicitaram uma medida protetiva.

— É mesmo? — respondo.

Me faço de bobo, porque é melhor do que revelar o quanto sei. Elas só fariam mais perguntas.

— Você não sabia? — pergunta Whitney.

— Nós conversamos sobre isso, mas não sabia se eles tinham realmente solicitado.

— Dá para entender — diz ela. — E se ela tentar levar Diem embora?

— Ela não faria isso — respondo enquanto jogo a bolsa na caçamba e fecho a tampa traseira.

— Eu não ficaria surpresa... — diz Whitney. — Os viciados fazem cada loucura.

— Ela não é viciada — afirmo com certeza e rapidez demais.

Vejo suspeita nos olhos de Whitney.

Queria que Roman tivesse participado do jogo. Ele não pôde vir hoje, e costumo usá-lo como desculpa para escapar da brigada das mães. Algumas delas são amigas de Leah, então não dão em cima de mim diretamente por respeito a ela. Roman, no entanto, é uma opção, então costumo jogá-lo aos lobos quando a brigada aparece.

— Diga a Grady que mandei um abraço.

Me afasto delas e vou atrás de Grace e Diem.

Não sei como defender Kenna nessas situações. Não sei se *devo* defendê-la. Mas acho errado deixar que todos continuem pensando nela de uma forma tão negativa.

* * *

202

Não contei a Kenna que ia buscá-la hoje, mas só decidi isso a caminho do bar, e então percebi que estava quase na hora de ela ser liberada do trabalho no mercado.

Paro no estacionamento, e em menos de dois minutos ela sai. Ela não percebe minha picape e se dirige para a rua, então atravesso o estacionamento para impedi-la.

Ela vê meu carro, e juro que fecha a cara quando aponto para a porta do passageiro. Ao abrir a porta, ela murmura:

— Valeu... Não precisa ficar me dando carona. Posso ir a pé sem problema.

— Acabei de sair do campo de beisebol. Eu estava passando por aqui.

Ela põe a bolsa entre nós dois e afivela o cinto.

— Ela joga bem?

— Joga. Mas acho que gosta mais de ficar com os amigos do que do jogo em si. Mas, se ela continuar treinando, acho que vai se dar muito bem.

— O que mais ela faz além de jogar beisebol?

Entendo a curiosidade de Kenna. Fui eu que me coloquei nessa situação depois de compartilhar coisas demais com ela, mas agora as mães plantaram uma sementinha na minha cabeça.

E se ela só estiver perguntando para saber os horários de Diem? Quanto mais Kenna souber sobre as atividades de Diem, mais fácil seria para ela aparecer e levá-la embora. Me sinto culpado só de pensar nisso, mas Diem é minha maior prioridade na vida, então eu ficaria ainda pior se não me sentisse um pouco superprotetor.

— Desculpe — diz Kenna. — Não devia fazer perguntas que você não se sente à vontade para responder. Não tenho esse direito.

Ela olha pela janela enquanto dirijo até a rua, depois dobra os dedos e coloca as mãos nas coxas. Diem faz a mesma coisa com os dedos. É incrível como duas pessoas que nunca se conheceram podem ter tantos trejeitos idênticos.

Está bem barulhento dentro da picape, mas sinto que preciso avisá-la, então abaixo o vidro enquanto acelero.

— Eles solicitaram uma medida protetiva contra você.

Pelo canto do olho, vejo que ela está me encarando.

— Está falando sério?

— Estou. Queria te avisar antes que você recebesse a notificação.

— Por que eles fariam isso?

— Acho que Grace se assustou com o que aconteceu no mercado.

Ela balança a cabeça e volta a olhar pelo vidro da janela. Não diz nada até chegarmos ao beco atrás do bar.

Parece que fadei sua noite ao fracasso após deixá-la de mau humor assim que ela entrou na minha picape. Eu não devia ter contado sobre a medida logo antes do seu turno, mas acho que ela tem o direito de saber. Ela realmente não fez nada para merecê-la, mas o simples fato de ela existir na mesma cidade que Diem já é o suficiente para os Landrys terem solicitado a medida contra ela.

— Ela está fazendo aulas de dança — digo, respondendo à sua pergunta de antes sobre Diem. Ponho a picape no ponto morto e abro o vídeo da apresentação. — Foi o meu compromisso de ontem à noite. Ela tinha uma apresentação.

Entrego o celular a Kenna.

Ela vê os primeiros segundos com a expressão séria, depois cai na gargalhada.

Odeio o fato de que adoro observar Kenna enquanto ela assiste a vídeos de Diem. É algo que mexe comigo. Faz com que eu sinta algo que provavelmente não deveria estar sentindo. Mas gosto do que estou sentindo, e fico me perguntando como seria testemunhar Kenna e Diem interagindo na vida real.

Kenna assiste ao vídeo três vezes com um sorriso enorme no rosto.

— Ela é péssima!

Isso me faz rir. Tem uma alegria em sua voz que não costumo escutar, e me pergunto se essa alegria não estaria sempre ali se Diem fizesse parte da vida de Kenna.

— Ela gosta de dançar? — pergunta Kenna.

Balanço a cabeça.

— Não. Quando a apresentação acabou, disse que queria parar e fazer "aquela coisa com as espadas".

— Esgrima?

— Ela quer experimentar tudo. O tempo inteiro. Mas nunca escolhe uma coisa só, porque fica entediada e acha que a próxima coisa vai ser mais interessante.

— Dizem que tédio é um sinal de inteligência — afirma Kenna.

— Ela é muito inteligente, então faz sentido.

Kenna sorri, mas, ao me devolver o celular, seu sorriso perde a intensidade. Ela abre a porta do carro e se dirige aos fundos do bar, então faço o mesmo.

Abro a porta do bar para ela, e Aaron nos cumprimenta.

— Oi, chefe — diz ele. — Oi, Nic.

Kenna se aproxima de Aaron, que ergue a mão. Eles fazem um toca aqui como se conhecessem um ao outro há muito mais tempo do que apenas uma noite.

Roman entra nos fundos do bar segurando uma bandeja com garrafas vazias e me cumprimenta com a cabeça.

— Como foi lá?

— Ninguém chorou e ninguém vomitou — digo.

É o que consideramos um dia de sucesso na escolinha de beisebol.

Roman chama a atenção de Kenna.

— Tinha sem glúten. Coloquei três na geladeira pra você.

— *Muito* obrigada — diz Kenna.

É o primeiro sinal de entusiasmo que vejo nela que não tem nada a ver com Diem. Não faço ideia do que eles estão falando. Passei algumas horas fora ontem à noite, e é como se ela tivesse feito amizade com todo mundo aqui.

E por que é que Roman comprou para ela três do que quer que seja?

Por que é que estou tendo uma reação levemente visceral à ideia de Kenna e Roman se tornando mais próximos? Será que ele daria em cima dela? E eu teria o direito de sentir ciúme? Quando voltei para o bar ontem à noite, eles estavam fazendo o intervalo na mesma hora. Será que Roman fez isso de propósito?

Assim que penso nisso, Mary Anne chega para trabalhar. Ela entrega a Kenna o que parece ser um fone de ouvido antirruído.

— Você me salvou — diz Kenna.

— Eu sabia que tinha um fone sobrando em casa — responde Mary Anne. Ela passa por mim. — Oi, chefe — diz ela antes de se encaminhar para a frente do bar.

Kenna pendura o fone ao redor do pescoço e amarra seu avental. O fone nem está plugado a nada, e ela não tem um celular. Fico confuso, sem saber como ela vai ouvir música com ele.

— Para que é isso? — pergunto.

— Para abafar a música.

— Não quer ouvir música?

Ela se vira para a pia, mas não antes de eu vê-la desanimar.

— Odeio música.

Ela odeia *música*? E isso é possível?

— Por quê?

Ela me olha por cima do ombro.

— Porque é triste.

Ela tapa os ouvidos com o fone e começa a encher a pia de água.

Música é a única coisa que me sustenta. Não consigo me imaginar incapaz de me conectar com ela, mas Kenna tem razão. A

206

maioria das músicas fala de amor ou de perda, dois temas com os quais ela deve achar incrivelmente difícil interagir, mesmo que por outros meios.

Deixo-a fazer seu trabalho e vou para a frente do bar fazer o meu. Ainda não abrimos, então está tudo vazio. Mary Anne está destrancando a porta da frente, então paro ao lado de Roman.

— Três o quê?

Ele me olha.

— Hã?

— Você disse que colocou três de alguma coisa na geladeira para Kenna.

— Para *Nicole* — corrige ele, olhando para Mary Anne. — E eu estava falando de cupcakes. A proprietária do apartamento dela é intolerante a glúten, e Kenna está tentando cair nas graças dela.

— Por quê?

— Sei lá, tem algo a ver com a conta de luz.

Roman me olha de esguelha e se afasta.

Acho bom o fato de ela estar se dando bem com todos, mas uma pequena parte de mim lamenta ter passado boa parte do meu turno de ontem longe daqui. Parece que todos eles tiveram a oportunidade de conhecer Kenna de uma maneira que eu não conheço. Não sei por que isso me incomoda.

Vou até a jukebox para pôr algumas músicas antes que a multidão chegue, e analiso cada faixa que escolho. É uma jukebox digital com acesso a milhares de músicas, mas percebo que eu demoraria a noite inteira para selecionar só as que não fizessem Kenna se lembrar de alguma maneira de Scotty ou de Diem.

Ela está certa. No fim das contas, se não tem nada de bom acontecendo na vida de alguém, quase todas as músicas se tornam deprimentes, independentemente do assunto que aborde.

Ponho o aparelho no modo aleatório para combinar com meu humor.

CAPÍTULO VINTE E CINCO

KENNA

Recebi meu salário. Foi pouco, e, segundo o combinado, foi o proporcional a apenas uma semana de meio período, mas já deu para finalmente comprar um celular novo.

Estou sentada à mesa de piquenique na parte externa do apartamento, olhando os aplicativos. Peguei o primeiro turno no mercado hoje, então tive várias horas antes do trabalho no bar à noite e estou passando um tempinho aqui fora. Tento pegar o máximo de vitamina D possível, considerando que durante cinco anos meu tempo ao ar livre foi programado e limitado. Talvez fosse bom comprar um suplemento de vitamina D para meu organismo compensar esse período.

Um carro estaciona numa vaga, e ergo o olhar a tempo de ver Lady Diana acenando entusiasmadamente para mim do banco da frente. Nós trabalhamos em turnos diferentes na maioria dos dias, o que é uma pena. Seria bom poder pedir carona de ida e de volta à mãe dela, mas meu expediente é maior do que o de Lady Diana. Ledger me deu caronas várias vezes, mas não o vejo desde que ele me deixou aqui no prédio depois do meu segundo turno no último sábado.

Não conheço a mãe de Lady Diana. Ela parece ser um pouco mais velha do que eu, talvez tenha uns trinta e poucos anos. Ela sorri e segue a filha pelo gramado até as duas me alcançarem. Lady Diana aponta para o celular na minha mão.

— Ela tem um celular. Por que eu não posso ter um celular também?

A mãe dela senta-se ao meu lado.

— Ela é adulta — responde sua mãe, olhando para mim. — Oi. Meu nome é Adeline.

Nunca sei como me apresentar. Sou Nicole nos meus dois empregos, mas me apresentei como Kenna para Lady Diana da primeira vez e também sou Kenna para Ruth, a proprietária do apartamento. Isso vai acabando dando alguma confusão, então preciso dar um jeito de transformar a mentira em verdade.

— O meu é Kenna — respondo. — Mas as pessoas me chamam de Nicole.

Ótimo. Uma meia-verdade.

— Arranjei um namorado novo no trabalho hoje — diz Lady Diana para mim.

Ela está saltando nas pontas dos pés, cheia de energia. Sua mãe solta um grunhido.

— Ah, é?

Lady Diana assente.

— O nome dele é Gil, ele trabalha com a gente, é o cara de cabelo ruivo, ele me pediu em namoro. Ele tem síndrome de Down como eu e gosta de videogame e acho que vou me casar com ele.

— Calma aí — diz sua mãe.

Lady Diana falou tudo numa frase só, então não sei se sua mãe está pedindo que ela tenha calma na hora de falar ou se está se referindo à ideia do casamento.

— Ele é legal? — pergunto a ela.

— Ele tem um PlayStation.

— Mas ele é legal?

— Ele tem muitas cartas de Pokémon.

— Tá, mas ele é legal? — repito.

Ela dá de ombros.

— Não sei. Vou ter que perguntar a ele.

Sorrio.

— Isso, pergunte. Você só deve se casar com alguém que seja legal com você.

Adeline me olha.

— Você conhece esse rapaz? *Gil?*

Ela diz o nome com desprezo, o que me faz rir.

Balanço a cabeça.

— Não, mas vou ficar de olho. — Eu me viro para Lady Diana. — E vou ver se ele é legal.

Adeline parece aliviada.

— Obrigada. — Ela se levanta. — Você vem para o almoço no domingo?

— Que almoço?

— Vamos fazer um almocinho aqui para comemorar o Dia das Mães. Eu tinha pedido para Lady Diana te convidar.

Sinto uma fisgada ao ouvir a menção da data. Tentei não pensar sobre isso. É a primeira vez que vou passá-la fora da prisão e na mesma cidade que Diem.

Lady Diana diz:

— A filha da Kenna foi sequestrada, foi por isso que não a convidei.

Balanço a cabeça na mesma hora.

— Ela não foi sequestrada. Eu só... é uma longa história. Não tenho a guarda dela no momento.

Estou morta de vergonha, e vejo que Adeline percebe.

— Não se preocupe. O almoço vai ser para todos os moradores do prédio — diz Adeline. — Nós fazemos mais por causa de Ruth, pois todos os filhos dela moram bem longe.

210

Assinto, pois, se eu topar ir, ela não vai me pressionar e talvez eu não precise explicar por que Lady Diana disse que minha filha tinha sido sequestrada.

— O que devo levar?

— Já temos tudo — diz ela. — Foi um prazer conhecê-la. — Ela começa a se afastar, mas se vira. — Na verdade, conhece alguém que tenha uma mesa e algumas cadeiras sobrando? Acho que vamos precisar de mais lugares para sentar.

Quero dizer que não, pois não conheço ninguém além de Ledger. Mas não quero que ela ache que sou uma pessoa tão sozinha assim, então assinto e digo:

— Vou perguntar para algumas pessoas.

Adeline diz que foi um prazer finalmente me conhecer e se dirige ao apartamento delas, mas Lady Diana continua comigo. Depois que sua mãe vai embora, ela estende o braço para pegar meu telefone.

— Posso jogar um jogo?

Entrego-lhe o celular e ela se senta no gramado, ao lado da mesa de piquenique. Preciso me arrumar para o meu turno no Ward's.

— Vou trocar de roupa. Pode ficar brincando com meu celular até eu descer.

Lady Diana faz que sim, mas não me olha.

Eu adoraria economizar para conseguir comprar um carro, assim não precisaria ir trabalhar a pé. Mas a obrigação de juntar dinheiro só para poder mudar de cidade e deixar os Landry mais confortáveis está realmente prejudicando meu planejamento financeiro.

Chego cedo ao bar, mas a porta dos fundos está destrancada.

Depois de ter trabalhado aqui no último fim de semana, me sinto confiante em relação ao que preciso fazer. Coloco o avental

211

e começo a encher a pia de água quando Roman aparece nos fundos do bar.

— Você chegou cedo — diz ele.

— Pois é. Eu não sabia se ia pegar muito trânsito.

Roman dá uma risada. Ele sabe que não tenho carro.

— Quem lavava a louça antes de Ledger me contratar? — pergunto.

— Todo mundo. Todo mundo ajudava quando tinha um segundinho livre, ou então a gente esperava o fim da noite e revezava quem ia ficar até tarde para lavá-la. — Ele pega seu avental. — Duvido que a gente queira voltar a ter um funcionário a menos depois disso. É legal poder ir para casa assim que o bar fecha.

Será que Roman sabe que meu trabalho é apenas temporário? Ele deve saber.

— Hoje vai ser agitado — avisa ele. — Foi o último dia de provas. Tenho a sensação de que vai ter uma enxurrada de universitários por aqui.

— Mary Anne vai adorar. — Despejo sabonete líquido na lixeira. — Ei. Uma perguntinha. — Eu me viro para ele. — Vai ter um almoço no meu prédio no domingo. Eles estão precisando de uma mesa a mais. Vocês por acaso têm alguma sobrando aqui?

Roman ergue a cabeça em direção ao teto.

— Acho que tem lá em cima, no depósito. — Ele olha a tela do seu celular. — Ainda temos um tempinho antes de abrir. Vamos lá ver.

Fecho a torneira e vou atrás dele até o beco. Ele tira um molho de chaves do bolso e procura entre elas.

— Desculpe a bagunça — diz ele, colocando a chave na fechadura. — Costumo deixar tudo um pouco mais arrumado caso apareça algum pinguço, mas faz tempo que isso não acontece.

Ele abre a porta, deixando à mostra uma escada bem iluminada.

— Um pinguço? — pergunto enquanto subo atrás dele.

A escada faz uma curva após o último degrau, e a porta dá para um espaço mais ou menos do tamanho da cozinha dos fundos do bar. É a mesma planta baixa, mas aqui os acabamentos foram feitos para ser uma moradia.

— Chamamos de pinguços os bêbados que sobram no fim da noite. Às vezes, a gente põe a pessoa aqui no sofá até ela ficar mais sóbria e lembrar para onde deve ir.

Ele acende a luz, e o sofá é a primeira coisa que vejo. É velho e puído, e só de olhar dá para perceber que é confortável. Tem um rack com uma TV tela plana a alguns metros de uma cama *king size*.

É uma quitinete, com uma cozinha e uma pequena sala de jantar, além de uma janela que dá para a rua em frente ao bar. É o dobro do tamanho da minha, e ela tem até um certo charme.

— É bacana aqui. — Aponto para o balcão na cozinha quando vejo ao menos trinta canecas de café encostadas na parede. — Você é viciado em café ou apenas em canecas de café?

— Longa história. — Roman mexe nas chaves outra vez. — Tem um depósito atrás desta porta. Tinha uma mesa da última vez que cheguei, mas não posso prometer nada. — Ele destranca a porta e, quando a abre, vejo duas mesas de 1,80m empilhadas verticalmente contra a parede. Ajudo-o a pegar uma. — Precisa das duas?

— Uma já é o suficiente.

Encostamos a mesa no sofá, depois ele fecha e tranca a porta. Cada um de nós carrega uma ponta ao descermos com a mesa.

— Podemos deixá-la na base da escada por enquanto, depois a colocamos na caçamba da picape de Ledger à noite — diz ele.

— Ótimo. Obrigada.

— Que tipo de almoço vai ser?

— Cada um vai levar um prato, só isso.

213

Não quero admitir que é um almoço de Dia das Mães. Assim ia ficar parecendo que vou comemorar a data, e não quero ser julgada.

Não que Roman pareça julgar os outros. Ele parece ser uma pessoa decente e é bonito, então eu provavelmente o olharia com outros olhos se já não soubesse como é beijar Ledger.

Não consigo olhar a boca de nenhum homem sem pensar que queria estar olhando a boca de Ledger. Odeio o fato de que ainda o acho tão atraente quanto na primeira noite em que estive no bar. Seria tão mais fácil sentir atração por outra pessoa... por *qualquer* outra pessoa.

Roman apoia a mesa na base da escada.

— Precisa de cadeiras?

— Cadeiras. Merda. Preciso, sim. — Nem pensei nisso. Ele sobe de novo, e o acompanho. — De onde você e Ledger se conhecem?

— Foi ele que causou minha lesão no futebol.

Paro no topo da escada.

— Ele acabou com sua carreira no futebol e agora vocês são... *amigos*?

Não sei se entendo como essa trajetória é possível.

Roman me observa cautelosamente enquanto destranca novamente a porta do depósito.

— Não sabe mesmo a história dele?

Balanço a cabeça.

— Passei alguns anos meio que ocupada com outras coisas.

Ele ri baixinho.

— Sim, imagino. Vou te contar a versão resumida. — Ele abre a porta e começa a pegar cadeiras. — Precisei fazer uma cirurgia no joelho depois da lesão — diz Roman. — Eu sentia muita dor; fiquei viciado em analgésicos e gastei todo centavo que ganhei na NFL para sustentar meu vício. — Ele põe duas cadeiras para fora e então pega mais duas. — Digamos apenas que esculhambei pra cacete a minha vida. Ledger ficou sabendo disso e me procurou. Acho que ele estava se sentindo meio que responsável, apesar de o lance com meu joelho ter sido um acidente. Mas ele apareceu quando todo mundo tinha ido embora. Ele garantiu que eu ia receber a ajuda de que precisava.

Não sei o que fazer com todas as informações que ele acaba de me dar.

— Ah. Caramba.

Roman empilha as seis cadeiras contra a parede antes de fechar a porta. Ele pega quatro, eu pego duas, e descemos as escadas.

— Ledger me deu um emprego e alugou este apartamento para mim quando saí da reabilitação dois anos atrás. — Encostamos as cadeiras na parede antes de sairmos. — Para ser sincero, nem lembro como isso começou, mas toda semana ele me dá uma caneca de café no dia que marca minha sobriedade. Ele continua me dando uma caneca toda sexta, mas agora é por pura babaquice mesmo, pois ele sabe que estou ficando sem espaço.

Para ser sincera, isso é meio que encantador.

— Tomara que você goste de café.

— Eu sobrevivo à base de café. Você não ia gostar de ficar perto de mim se eu não tivesse tomado.

Os olhos de Roman se fixam em alguma coisa atrás de mim. Eu me viro e vejo Ledger parado entre sua picape e a porta dos fundos do bar. Ele está encarando a gente.

Roman não para como eu. Ele continua andando em direção à porta do bar.

— Kenna veio pegar uma mesa e algumas cadeiras para um compromisso que ela tem no domingo. Deixamos tudo na base da escada. Pegue antes de ir embora.

— *Nicole* — diz Ledger, corrigindo Roman.

— Nicole. Que seja — diz Roman. — Não esqueça. Mesa. Cadeiras. Carona.

Ele entra no bar.

Ledger desce o olhar para o chão por um momento antes de me encarar.

— Que compromisso é esse que precisa de mesa?

Coloco as mãos nos bolsos de trás da calça.

— É só um almoço que fui convidada para ir no domingo. No meu prédio.

Ele continua me encarando como se quisesse que eu me explicasse melhor.

— Domingo é Dia das Mães.

Faço que sim e começo a me dirigir à porta dos fundos.

— Pois é. Então posso muito bem comemorar com as mães do meu prédio, já que não posso comemorar com minha própria filha — digo secamente enquanto entro no bar, talvez com um tom ligeiramente acusatório.

A porta fecha, ruidosa, atrás de mim, então vou direto para a pia e abro a torneira. Pego o fone que Mary Anne me emprestou na semana passada, mas desta vez o conecto no celular agora que finalmente tenho um. Baixei um *audiobook* para enfrentar o turno.

Sinto uma leve brisa no pescoço quando Ledger entra no bar. Espero alguns segundos e olho por cima do ombro para ver onde ele está e o que está fazendo.

Ele está caminhando para a frente do bar, o tempo todo com o olhar fixo naquela direção. Quando vejo essa sua expressão de indiferença, não consigo decifrar no que ele está pensando. Mas, ao mesmo tempo, não vejo muitas expressões suas desde a primeira noite em que o vi trabalhando. Naquela noite, ele parecia relaxado e tranquilo atrás do balcão, mas desde o momento em que descobriu quem sou, parece inflexível na minha presença. É quase como se estivesse fazendo o possível para me impedir de descobrir quais são os seus pensamentos.

CAPÍTULO VINTE E SEIS

LEDGER

Ao longo da noite, enquanto tento me movimentar, sinto as articulações do meu corpo enrijecidas, como se eu estivesse de ressaca. Mas não estou de ressaca. Estou só... irritado? É isso?

Estou agindo igual a um babaca. Eu sei disso e Roman também, mas parece que minha maturidade não está conseguindo falar mais alto e assumir o controle.

Há quanto tempo Kenna está aqui? Por quanto tempo os dois ficaram no apartamento de Roman? Por que ele pareceu ter sido ríspido comigo? Por que me importo com isso, porra?

Não sei como lidar com esses sentimentos, então os amasso e tento deixá-los presos na garganta, no estômago ou onde quer que as pessoas costumam esconder essas merdas. Não preciso começar o turno de trabalho mal-humorado. É o fim da semana de provas. A noite já vai ser agitada o suficiente.

Ligo a jukebox, e a primeira música que toca é a que sobrou da fila de ontem, "If We Were Vampires", de Jason Isbell.

Maravilha. Uma música sobre uma história de amor épica. É exatamente disso que Kenna precisa.

Vou para os fundos e percebo que ela está de fone. Pego todas as frutas que costumo fatiar no começo do turno e as levo lá para a frente.

Estou fatiando um limão, provavelmente com um pouco de raiva demais, quando Roman diz:

— Você está bem?

— Estou.

Tento pronunciar a palavra como eu a falaria normalmente, mas não sei de que jeito eu a falo normalmente, pois Roman nunca pergunta se estou bem. Eu costumo sempre estar bem.

— Dia difícil? — pergunta ele.

— Dia ótimo.

Ele suspira e estende o braço, tirando a faca da minha mão. Pressiono as palmas no balcão e me viro para olhá-lo. Ele está apoiando-se casualmente no cotovelo, girando a faca com o dedo enquanto me encara.

— Não foi nada — diz ele. — Ela pegou uma mesa e algumas cadeiras. A gente passou três minutos lá em cima.

— Eu não disse nada.

— Nem precisava. — Ele dá uma risada exasperada. — Que merda, cara. Não imaginei que você fosse ciumento.

Pego minha faca e volto a fatiar os limões.

— Não tem nada a ver com ciúme.

— O que foi então? — pergunta ele.

Estou prestes a responder, provavelmente com alguma mentira, mas a porta se escancara e quatro caras entram no bar. Barulhentos, prontos para comemorar, possivelmente já bêbados. Interrompo nossa conversa e me preparo para um turno que não estou nada a fim de enfrentar.

Depois de oito longas horas, Roman e eu estamos no beco guardando a mesa e as cadeiras na caçamba da picape. Mal tivemos tempo de pensar esta noite, muito menos de terminar a conversa que começamos mais cedo.

Consigo imaginar Roman se sentindo atraído por ela. E não conheço Kenna muito bem, mas provavelmente estaria desesperada o bastante para grudar em qualquer pessoa que lhe desse uma desculpa para ela continuar na cidade.

Me sinto culpado só de pensar nisso.

— A gente vai conversar sobre essa situação?

Fecho a tampa da traseira, coloco uma mão na picape enquanto com a outra pressiono o maxilar. Escolho as palavras com cuidado:

— Se você começar a se envolver com ela, ela vai ter uma desculpa para não sair da cidade. E ela só está trabalhando aqui para poder juntar dinheiro e ir embora.

Roman joga a cabeça para trás, como se revirar os olhos não fosse expressar suficientemente a sua irritação.

— Acha que estou tentando ficar com ela? Acha que eu faria isso depois de tudo que você fez por mim?

— Não estou dizendo que você não pode ficar com ela porque estou com ciúme. Preciso que ela saia da cidade para que a vida de Patrick e Grace possa voltar ao normal.

Roman ri.

— Que mentira de merda. Você jogou na NFL. Tem um negócio bem-sucedido. Está construindo uma casa absurda, porra. Você não está falido, Ledger. Se quisesse que ela fosse embora, teria feito um cheque para se livrar dela de uma vez.

Estou tenso pra caralho, então inclino a cabeça para estalar o pescoço.

— Ela não teria aceitado o dinheiro assim.

— E você sequer tentou?

Não precisei. Conheço Kenna, e ela não teria aceitado se eu lhe desse o dinheiro.

— Só tome cuidado com ela, Roman. Ela faria qualquer coisa para poder participar da vida de Diem.

— Bem, pelo menos quanto a *isso* a gente concorda — diz ele, antes de se dirigir à escada do seu apartamento.

Que ele se foda.

Que ele se foda, pois ele tem razão.

Por mais que eu tente negar, não estou agindo assim por temer que Kenna passe mais tempo na cidade. Estou chateado porque a ideia de ela ir embora me deixa mais apreensivo do que a ideia de ela continuar aqui.

Como foi que isso aconteceu? Como foi que meu ódio absoluto por essa mulher se transformou em algo totalmente diferente? Sou um amigo tão péssimo assim para Scotty? Sou tão desleal assim a Patrick e Grace?

Não contratei Kenna por querer que ela fosse embora. Contratei-a porque gosto de estar na sua presença. Contratei-a porque penso em beijá-la de novo toda vez que minha cabeça encosta no travesseiro à noite. Contratei-a porque espero que Patrick e Grace mudem de ideia, e quero estar por perto se isso acontecer.

CAPÍTULO VINTE E SETE

KENNA

Meu rosto está pegando fogo quando me afasto da porta.

Escutei todas as palavras que Ledger disse para Roman. Escutei até algumas que ele não disse.

Vou até o armário e pego minha bolsa assim que o escuto subir os degraus dos fundos. Quando Ledger abre a porta, não posso deixar de me perguntar o que passa na cabeça dele quando seus olhos se fixam em mim.

Desde o momento em que ele me ofereceu este emprego, me convenci de que ele me odeia e quer que eu deixe a cidade, mas Roman tem razão. Ele poderia ter me dado dinheiro e me mandado ir embora se realmente quisesse isso.

Por que ainda estou aqui?

E por que ele está alertando Roman sobre mim, como se minhas intenções não fossem boas? Eu não pedi este emprego. Ele o *ofereceu* para mim. O fato de ele achar que eu usaria Roman para chegar até minha filha é como se fosse um tapa no rosto, se é que era isso que ele estava insinuando. Mas não sei o que ele realmente estava insinuando; talvez estivesse apenas sendo estranhamente territorialista em relação a mim.

— Está pronta? — pergunta Ledger.

Ele desliga as luzes e segura a porta dos fundos para mim. Quando passo por ele, há um tipo diferente de tensão entre nós dois; uma tensão que talvez não tenha mais a ver com Diem. É uma inquietação que parece surgir só porque estamos na presença um do outro.

No caminho até meu prédio, me sinto sem ar. Quero abaixar o vidro, mas, se eu fizer isso, temo que ele vá perceber que é porque não consigo respirar direito na sua presença.

Olho algumas vezes para ele, tentando ser discreta, mas há uma rigidez diferente no seu maxilar, que não costumo ver. Será que ele está pensando em tudo que Roman lhe disse? Está chateado por concordar ou porque Roman estava completamente errado?

— Recebeu a medida durante a semana? — pergunta ele.

Pigarreio, abrindo espaço para o breve *não* que digo em alto e bom som.

— Pesquisei no meu celular e li que a solicitação de uma medida protetiva pode demorar entre uma e duas semanas.

Estou olhando pela janela quando Ledger pergunta:

— Comprou um celular?

— Comprei. Alguns dias atrás.

Ele pega o próprio telefone e o entrega a mim.

— Coloca seu número aqui.

Não gosto do seu tom mandão. Não pego seu aparelho. Em vez disso, olho para o celular e ergo a vista para ele.

— E se eu não quiser te dar meu número?

Ele me imobiliza com o olhar.

— Sou seu chefe. Preciso ter uma maneira de falar com meus funcionários.

Bufo porque odeio o fato de ele ter razão. Pego seu celular e mando uma mensagem para mim mesma para que eu também possa salvar seu número, mas, quando digito as informações, salvo meu nome como Nicole, e não como Kenna. Não sei quem tem acesso ao celular dele. É melhor prevenir do que remediar.

Coloco seu celular de volta no suporte enquanto ele entra no estacionamento do meu prédio.

Ele escancara a porta do carro assim que desliga a picape. Pega a mesa, e eu tento ajudá-lo, mas ele diz:

— Deixa comigo. Onde quer que eu coloque?

— Você se incomoda em levar lá para cima?

Ele se dirige à escada, e pego duas cadeiras. Quando chego lá, ele já está descendo para pegar o restante. Ele dá um passo para o lado, encostando-se no corrimão para me dar espaço, mas ao passar por ele consigo sentir seu perfume. Ele tem cheiro de limão e de más decisões.

A mesa está encostada na parede ao lado da minha porta. Destranco e coloco as cadeiras perto da parede. Olho pela janela, e Ledger está pegando o resto das cadeiras na picape, então dou uma conferida ao meu redor para ver se não tem alguma coisa que deva ser organizada antes de ele voltar. Tem um sutiã jogado no sofá, então o cubro com uma almofada.

Ivy está miando aos meus pés, e percebo que suas tigelas de comida e de água estão vazias. Enquanto as encho, Ledger bate à porta e depois a abre. Ele traz as cadeiras e então a mesa para dentro.

— Mais alguma coisa? — pergunta ele.

Deixo no banheiro a tigela de água de Ivy, que vai beber na mesma hora. Fecho a porta do banheiro com ela dentro do cômodo, para que ela não tente escapar pela porta aberta do apartamento.

— Não. Obrigada pela ajuda.

Vou até a porta para poder trancá-la depois que Ledger sair, mas ele fica ali, segurando a maçaneta.

— Que horas você sai do trabalho no mercado amanhã?

— Às 16h.

— A partida de beisebol deve acabar mais ou menos essa hora. Posso te dar uma carona, mas talvez eu me atrase um pouco.

— Não precisa. Posso ir a pé. O tempo vai estar tranquilo.

— Certo — diz ele, mas se demora na porta por um instante constrangedor.

Será que devo dizer que escutei sua conversa?

Acho que sim. Se tem uma coisa que aprendi depois de cinco anos sem poder viver é que não quero desperdiçar um segundo sequer da vida que me resta temendo um confronto. Minha vida é do jeito que é hoje em boa parte devido à minha covardia.

— Eu não estava tentando ouvir escondida — digo, passando os braços ao redor de mim mesma —, mas escutei sua conversa com Roman.

Ledger desvia o olhar, como se tivesse ficado constrangido.

— Por que disse para ele tomar cuidado comigo?

Ledger pressiona os lábios, refletindo. Ele engole a seco lentamente, mas continua em silêncio. Parece dividido, e em seu rosto surge o que parece ser uma dor imensa. Ele encosta a cabeça no batente na porta e abaixa o olhar para os próprios pés.

— Eu estava errado? — Sua pergunta é quase um sussurro, mas parece um grito que ecoa dentro de mim. — Você não faria qualquer coisa por Diem?

Expiro pela boca, frustrada. É uma pergunta capciosa. É óbvio que eu faria qualquer coisa por ela, mas não à custa dos outros. *Acho que não.*

— Essa pergunta não é justa.

Ele olha nos meus olhos novamente, e sinto meus batimentos acelerarem.

— Roman é meu melhor amigo — diz ele. — Não quero ofender, mas eu mal te conheço, Kenna.

Talvez seja verdade, mas sinto como se ele fosse a *única* pessoa que *eu* conheço.

— Até hoje não sei se o que aconteceu entre a gente naquela primeira noite lá no bar foi genuíno ou se foi só uma encenação para se aproximar de Diem.

Encosto a cabeça na parede e observo a expressão de Ledger. Ele está me olhando com paciência, sem me julgar nem um pouco. É como se ele realmente quisesse saber se nosso beijo foi genuíno. É quase como se o beijo tivesse tido algum *significado* para ele.

Foi genuíno, mas ao mesmo tempo não foi.

— Eu não sabia quem você era até você dizer seu nome — admito. — Eu estava literalmente sentada no seu colo quando percebi que você conhecia Scotty. Seduzi-lo não fazia parte de nenhum plano mirabolante meu.

Ele assimila minha resposta por um tempo e depois assente sutilmente.

— Bom saber.

— É mesmo? — Eu me encosto na parede. — Porque parece que isso nem importa. Você continua sem querer que eu conheça minha filha. Continua torcendo para que eu saia da cidade.

Nada disso importa.

Ledger abaixa a cabeça até nossos olhos se encontrarem outra vez. Ele está me encarando atentamente quando diz:

— Nada neste mundo me deixaria mais feliz do que você conhecer Diem. Se eu soubesse como fazê-los mudarem de ideia, eu faria isso num piscar de olhos, Kenna.

Quando solto a respiração, expiro tremulamente. Sua confissão é tudo o que eu desejava ouvir. Fecho os olhos, porque não quero chorar nem quero vê-lo ir embora, mas, até este momento, eu não sabia muito bem se ele me queria na vida de Diem.

Sinto o calor do seu braço ao lado da minha cabeça, e permaneço de olhos fechados, mas inspirando ligeiramente pela boca. Consigo ouvir sua respiração, depois consigo senti-la na minha bochecha e então no meu pescoço, como se ele estivesse se aproximando de mim.

Neste momento, me sinto cercada por ele, e tenho medo de abrir os olhos e perceber que foi tudo fruto da minha imaginação e que, na verdade, ele já saiu do meu apartamento. Mas então ele exala e o ar morno desce pelo meu pescoço e pelo meu ombro. Abro os olhos só um pouquinho e vejo que ele está parado diante de mim, com as mãos apoiadas na parede, uma em cada lado da minha cabeça.

Ele está relutante, como se não conseguisse se decidir entre ir embora ou repetir o beijo da noite em que nos conhecemos. Ou talvez ele esteja só esperando algum movimento, decisão ou erro da minha parte.

Não sei o que me faz erguer a mão e encostá-la no seu peito, mas, quando faço isso, ele suspira como se fosse exatamente o que desejava que eu fizesse. Mas não tenho certeza se estou tocando seu peito por querer afastá-lo ou por querer aproximá-lo de mim.

Seja como for, há um calor entre nós dois que se intensifica com seu suspiro, e ele encosta delicadamente a testa na minha.

Houve tantas escolhas e consequências e decisões entre o espaço que mantivemos entre nós dois desde que nos conhecemos, mas Ledger afasta todas elas e pressiona seus lábios nos meus.

Sinto uma onda de calor percorrer meu corpo como um batimento cardíaco, e suspiro dentro da sua boca. Sua língua roça meu lábio superior, enevoando meus pensamentos. Ele segura minha cabeça e aprofunda nosso beijo, e a sensação é inebriante. Sua boca está mais morna do que da primeira vez que nos beijamos. Suas mãos parecem mais delicadas; sua língua, menos ousada.

Há cautela no seu beijo – uma cautela que temo analisar melhor, pois o tanto de coisas que já estou sentindo está me deixando zonza. Seu calor me envolve, e, bem no instante em que começo a me apoiar em Ledger, ele se afasta.

Inspiro pela boca enquanto ele observa meu rosto. É como se ele estivesse tentando interpretar minha expressão, à procura de sinais de arrependimento ou desejo.

Certamente ele está vendo as duas coisas. Quero o seu beijo, mas pensar que eu teria que me despedir não somente da ideia de Diem já basta para que eu o evite. Porque, quanto mais me aproximasse de Ledger, tanto emocional quanto fisicamente, mais eu colocaria em risco sua relação com Diem.

Apesar de tudo que seu beijo me faz sentir, isso não é nada em comparação ao sofrimento que seria causado se os Landry descobrissem que ele está ficando comigo sem o conhecimento deles. Não posso ter essa preocupação na cabeça.

Ele começa a se aproximar de novo, me deixando completamente desestabilizada, mas, de alguma maneira, encontro força o bastante para balançar a cabeça.

— Por favor, não — sussurro. — Isso já dói demais.

Quando ele está prestes a encostar a boca na minha, Ledger se interrompe. Ele se afasta e ergue a mão, deslizando delicadamente a ponta dos dedos no meu maxilar.

— Eu sei. Desculpe.

Nós dois ficamos em silêncio. Imóveis. Queria estar pensando em uma maneira de fazer isso entre a gente dar certo, mas estou pensando em uma maneira de não sofrer, pois *não tem* como isso dar certo.

Ele acaba se afastando da parede e de mim.

— Porra, estou me sentindo tão... — Ele passa a mão no cabelo enquanto procura a palavra certa. — De mãos atadas. *Inútil.* — Ele sai do apartamento depois de dizer isso. — Desculpe — murmura ele enquanto se afasta.

Fecho a porta, tranco-a e depois exalo todo o ar que prendi ao longo da noite. Meu coração está em disparada. Agora o apartamento parece bem quente.

Diminuo a temperatura no termostato e deixo Ivy sair do banheiro. Nós duas nos aconchegamos no sofá, e eu pego meu caderno.

Querido Scotty,

Será que devo me desculpar pelo que acabou de acontecer?

Não sei o que foi isso. Definitivamente rolou um clima entre Ledger e eu, mas foi bom? Foi ruim? Mais do que qualquer outra coisa, me pareceu triste.

E se acontecer de novo? Não sei se terei força o suficiente para pedir que ele não me toque de todas as maneiras como provavelmente estaríamos nos tocando agora se eu não tivesse dito "por favor, não".

No entanto, se agirmos com base nos nossos sentimentos, vai chegar um momento em que ele vai precisar fazer uma escolha. E ele não vai me escolher. Eu não permitiria que ele me escolhesse, e o respeitaria bem menos se ele não escolhesse Diem.

E se isso acontecer, e eu? Não apenas perderia minha chance com Diem, mas também perderia Ledger.

Eu já te perdi para todo o sempre. Isso já é difícil o suficiente.

Quantas perdas somos capazes de aguentar antes de jogar a porra da toalha, Scotty? Porque certamente está começando a parecer que não me resta mais nenhuma vitória.

Com amor,
Kenna.

CAPÍTULO VINTE E OITO

LEDGER

Os braços de Diem estão ao redor do meu pescoço enquanto a carrego nas costas pelo estacionamento, indo na direção do carro de Grace. A partida de beisebol acabou agora, e Diem me obrigou a carregá-la porque disse que estava sentindo um *cansaço da borra* nas pernas.

— Quero ir para o trabalho com você — diz ela.

— Você não pode. Crianças não podem entrar em bares.

— Eu entro no seu bar com você de vez em quando.

— Sim, quando está fechado — explico. — Isso não conta. Vamos abrir hoje à noite, o bar vai estar movimentado e não vou poder ficar de olho em você. — Sem falar que a mãe dela, que Diem nem sabe que existe, vai estar lá. — Pode trabalhar comigo quando completar 18 anos.

— Mas isso é daqui a muito, muito, muito tempo. Você vai estar morto.

— Ei — diz Grace, na defensiva. — Sou bem mais velha do que Ledger e não planejo estar morta quando você completar 18 anos.

Coloco Diem no assento de elevação.

— Que idade vou ter quando todo mundo morrer?

— Ninguém sabe quando alguém vai morrer — digo para ela. — Mas se todos nós vivermos muito, passaremos a velhice juntos.

— Qual vai ser a minha idade quando você tiver 200 anos?

— Você vai ter *morrido* — digo.

Seus olhos se arregalam, e balanço a cabeça na mesma hora.

— *Todos nós* vamos ter morrido. Ninguém chega aos 200 anos.

— Minha professora tem 200 anos.

— A Sra. Bradshaw é mais nova do que *eu* — diz Grace do banco da frente. — Pare de mentir.

Diem inclina-se para a frente e sussurra:

— A Sra. Bradshaw tem mesmo 200 anos.

— Eu acredito em você. — Beijo-lhe o topo da cabeça. — Jogou muito bem hoje. Amo você.

— Também amo você. Quero ir trabalhar com...

Fecho a porta de Diem antes que ela complete a frase. Não costumo apressá-las assim, mas, enquanto andávamos pelo estacionamento, recebi uma mensagem de Kenna.

Tudo que dizia era: "Por favor, venha me buscar."

Ainda não são 16h. Ontem, quando perguntei, ela disse que não precisaria de carona, então me preocupei assim que vi a mensagem.

Chego à minha picape enquanto Grace e Diem estão indo embora. Patrick não pôde vir ao jogo hoje porque está montando o playground. Eu estava planejando passar algumas horas em casa para conferir o progresso da tarefa e ajudá-lo antes de ir para o bar, mas agora estou a caminho do mercado para ver como Kenna está.

Quando chegar lá, mando uma mensagem para Patrick avisando que não vou conseguir passar em casa. Estamos quase terminando o playground. O aniversário de Diem está chegando, o que significa que hoje seria o grande dia: o meu casamento com Leah. Estávamos planejando ir para o Havaí uma semana depois, e lembro que me estressei porque perderíamos a festa de aniversário de Diem.

Isso foi mais um ponto de atrito entre Leah e mim. Ela não gostou de ver que eu considerava o quinto aniversário de Diem quase tão importante quanto a nossa lua-de-mel.

Com certeza Patrick e Grace teriam aceitado alterar a data da festa, mas Leah agiu como se o quinto aniversário de Diem fosse totalmente incompatível com a nossa lua-de-mel antes mesmo de pedir para eles mudarem a data da festa, e isso acabou se tornando o primeiro de muitos alertas.

Depois que terminamos, dei a viagem para o Havaí de presente para Leah. Já estava paga, mas não sei se ela ainda vai. Espero que sim, mas faz três meses que nem nos falamos. Não faço a mínima ideia do que está acontecendo em sua vida agora. Não que eu *queira* saber; mas é estranho estar envolvido com todas as facetas de outro ser humano e de repente não saber de mais nada.

Também é estranho achar que você conhece uma pessoa e depois perceber que talvez você não a conheça de verdade. Foi o que senti com Leah, e é o que estou começando a sentir com Kenna, mas de um jeito diferente. Com Kenna, acho que eu tinha uma opinião negativa demais a seu respeito no início. Com Leah, acho que eu tinha uma opinião positiva demais.

Eu provavelmente devia ter mandado uma mensagem para Kenna avisando que estou a caminho, pois a avisto caminhando sozinha no acostamento a cerca de meio quilômetro do mercado. Ela está cabisbaixa, com as duas mãos segurando a alça da ecobag que pende do ombro. Paro do lado oposto da pista, mas ela nem percebe minha picape, então aperto a buzina e isso chama sua atenção. Ela olha para os dois lados, atravessa e entra na picape.

Ela solta um forte suspiro após fechar a porta. Está com cheiro de maçã, o mesmo que senti ontem à noite na porta do seu apartamento.

Eu devia é me dar um soco por ontem, porra.

Ela solta a bolsa entre nós dois e tira de dentro um envelope. Empurra-o na minha direção.

— Eu recebi. A medida protetiva. Uma pessoa me entregou enquanto eu estava saindo do mercado para guardar as compras no carro de um cliente. Foi humilhante, Ledger.

Leio os formulários e fico confuso sem saber como é que um juiz concedeu a medida, mas então vejo o nome de Grady e tudo faz sentido. Ele deve ter defendido Patrick e Grace e talvez tenha até embelezado um pouco a verdade. Ele é assim. Aposto que sua esposa está adorando; fico até surpreso por ela não ter mencionado o assunto hoje, no campo.

Dobro o envelope e o guardo na bolsa dela.

— Isso não significa nada — digo, tentando consolá-la com a minha mentira.

— Isso significa tudo. É uma mensagem. Eles querem me avisar que não vão mudar de ideia.

Ela afivela o cinto. Suas bochechas e seus olhos estão vermelhos, mas ela não está chorando. Parece que já chorou e eu só cheguei depois.

Retorno à pista me sentindo pesado. O que eu disse ontem à noite sobre me achar inútil... essa é a palavra mais precisa para o que estou sentindo agora. Não posso ajudar Kenna mais do que já estou ajudando.

Patrick e Grace não vão mudar de ideia, e, sempre que tento abordar o assunto, eles ficam imediatamente na defensiva. É difícil, pois concordo com o motivo pelo qual eles não querem Kenna por perto, mas também discordo veementemente.

Eles prefeririam me tirar da vida de Diem a aceitar incluir Kenna nela. É isso que mais me amedronta. Se eu insistir demais no assunto, ou se eles descobrirem que estou do lado de Kenna, mesmo que vagamente, temo que eles comecem a me ver como uma ameaça, assim como eles veem a ela.

A pior parte é que eu consigo entender o que eles sentem em relação a ela. O impacto das escolhas dela prejudicou a vida deles; no entanto, o impacto das escolhas *deles* está começando a prejudicar a vida *dela*.

Porra. Não existe uma resposta boa. De alguma maneira, submergi nas profundezas de uma situação impossível. Uma que não tem uma única solução que não faça ninguém sofrer.

— Quer tirar folga do trabalho hoje?

Entendo totalmente se ela não estiver no clima para trabalhar, mas ela balança a cabeça.

— Preciso do dinheiro. Vou ficar bem. Foi só vergonhoso, mesmo sabendo que isso iria acontecer.

— Pois é, mas imaginei que Grady fosse fazer a gentileza de te entregar a medida na sua casa. Não é como se seu endereço não estivesse no cabeçalho da solicitação. — Viro à direita no próximo semáforo para ir até o bar, mas algo me diz que Kenna está precisando de uma horinha antes de trocar de um trabalho para o outro. — Quer tomar uma raspadinha?

Não sei se isso é uma solução idiota para um problema tão sério, mas raspadinhas são sempre a resposta para mim e para Diem.

Kenna faz que sim, e acho que vejo até um sorriso se insinuando.

— Quero. Eu ia adorar uma raspadinha.

CAPÍTULO VINTE E NOVE

KENNA

Estou com a cabeça encostada no vidro do passageiro da picape, observando-o ir até a barraquinha e pedir duas raspadinhas arco-íris, com suas tatuagens e todo seu sex appeal. Por que ele tem que fazer essas gentilezas que o tornam tão atraente?

Estive aqui uma vez com Scotty, mas ele não parecia deslocado ao pedir raspadinhas. Nós nos sentamos a uma mesa de piquenique que ficava à esquerda da barraca, mas agora é um estacionamento e a mesa não existe mais. Todas as áreas para sentar foram substituídas por mesas de plástico com guarda-sóis cor-de-rosa.

Mandei mensagem para Ledger pedindo carona só por causa de Amy.

Ela me encontrou no banheiro prestes a ter um ataque de pânico e perguntou o que acontecera. Não consegui lhe contar que alguém tinha solicitado uma medida protetiva contra mim. Em vez disso, falei a verdade: que às vezes tenho ataques de pânico, mas que passariam. Pedi desculpa e depois pateticamente implorei para que ela não me demitisse.

Ela pareceu ficar muito triste por mim, mas também riu. "Por que é que eu te demitiria? Você é a única funcionária que tenho que realmente *quer* trabalhar dois turnos seguidos. E daí que você teve um ataque de pânico? Não foi nada de mais." Ela me convenceu a arranjar uma carona para casa, pois não queria que eu andasse tanto naquele estado. Eu não quis lhe contar que Ledger era a única pessoa que eu conhecia na cidade, então mandei uma mensagem para ele mais para tranquilizá-la, mostrando que eu não ficaria só. Foi uma sensação boa ver que alguém se preocupava comigo.

Sei que deveria me sentir grata por muitas coisas, e Amy é uma delas. É que é dificílimo me sentir grata quando eu só quero uma coisa na vida e parece que estou cada vez mais me distanciando dela.

Ledger volta para a picape com nossas raspadinhas. Tem granulado na minha, e sei que é só um detalhe, mas eu reparo. Se eu reconhecer todas as coisas boas, por menores que sejam, quem sabe elas não terminem se juntando e tornando o lado ruim da minha vida menos doloroso?

— Você traz Diem aqui? — pergunto.

Com a colher, ele aponta para a rua.

— O estúdio de dança fica a uma quadra naquela direção — diz ele. — Eu deixo Diem, e Grace vem buscá-la. É difícil dizer não para ela, então já virei freguês daqui. — Ele põe a colher na boca, abre a carteira e tira um cartão de fidelidade, onde vejo os desenhos de pequenas raspadinhas carimbadas. — Estou quase ganhando uma de brinde — diz ele, guardando-o de volta na carteira.

Dou uma risada.

— Que impressionante.

Queria ter ido fazer o pedido com ele só para poder vê-lo entregar o cartão de fidelidade das raspadinhas.

— Banana e limonada. — Ele me olha depois de tomar um pouco. — É a combinação preferida dela.

Sorrio.

— Amarelo é a cor preferida dela?

Ele faz que sim.

Lambo a parte amarela da minha raspadinha e dou uma mordida. Esses detalhes que ele me conta são mais um motivo para sentir gratidão. São partes minúsculas de um todo, e, talvez, se ele me der uma boa quantidade delas, eu não sofra tanto quando tiver de ir embora.

Tento pensar em outro assunto para conversarmos que não envolva Diem.

— Como é a casa que você está construindo?

Ledger pega o telefone, confere a hora e dá marcha a ré.

— Vou te levar lá para ver. Razi e Roman podem fazer o nosso trabalho por um tempinho.

Levo outra colher à boca e não digo nada, mas acho que ele não sabe o quanto a sua disposição de me mostrar sua casa significa para mim.

Talvez os Landry tenham solicitado uma medida protetiva contra a minha pessoa, mas pelo menos Ledger confia em mim.

Posso me ater a isso, e é o que faço resolutamente.

Quando estamos a pelo menos uns 25 quilômetros afastados da cidade, viramos numa área com uma grande entrada de madeira anunciando *Cheshire Ridge*, e começamos a subir por uma estrada sinuosa. As árvores cobrem a estrada como se a abraçassem. Nas laterais do caminho, vejo uma caixa de correio a cada meio quilômetro ou quilômetro inteiro.

Da estrada não se vê nenhuma casa. As caixas de correio são as únicas pistas de que pessoas moram aqui, pois a mata é muito densa. É um lugar tranquilo e isolado. Consigo entender por que ele escolheu esta área.

Chegamos a uma propriedade com tantas árvores que, da estrada, mal dá para ver a casa. Tem uma estaca no chão onde imagino que vá ser instalada a caixa de correio. Há colunas que parecem que depois vão ser transformadas em um portão.

— Tem vizinhos aqui perto?

Ele balança a cabeça.

— Só a uma distância de uns 800m, no mínimo. A propriedade tem uma área de dez acres.

Entramos na propriedade, e, após um tempo, a construção começa a revelar sua forma entre as árvores. Não era o que eu esperava. Não é uma casa de campo comum, de telhado inclinado. É um lar mais espalhado, reto e único, construído com algum tipo de material que não conheço.

Eu não imaginava que Ledger fosse querer algo tão moderno e incomum. Não sei por que imaginei uma casa de campo de madeira ou algo mais tradicional. Talvez tenha sido porque ele mencionou que estava construindo a casa com Roman, então fiquei esperando algo menos... complicado.

Saímos da picape, e tento imaginar Diem aqui fora, correndo pelo quintal, brincando no terraço, assando marshmallows na lareira externa do deque de trás.

Ledger me mostra a casa, mas não consigo imaginar esse estilo de vida nem mesmo para a minha filha. Os balcões da cozinha externa com vista para o quintal devem custar mais do que tudo que já tive na vida inteira.

Tem três banheiros, mas, para mim, a grande atração é a suíte master, com um closet absurdo, com quase o mesmo tamanho que o próprio quarto.

Admiro a casa e o escuto falar animadamente sobre tudo que ele e Roman fizeram à mão, e, embora seja impressionante, é ao mesmo tempo deprimente.

Minha filha vai vir para esta casa, então provavelmente nunca voltarei aqui. Por mais que eu curta observar Ledger ostentando seu espaço, não quero vê-lo agora.

E, para ser sincera, eu meio que fico triste quando penso que ele não vai morar na frente de Diem. Estou começando a gostar mesmo dele, e saber que Ledger é uma constante na vida dela é um consolo. Mas, quando se mudar para cá, não vai mais ser vizinho dela, e fico me perguntando se isso não a entristecerá.

A porta dos fundos, que dá para um imenso terraço com vista para uma imensidão de morros, abre-se como uma sanfona. Ele a empurra para o lado e eu vou para o deque dos fundos. Está quase anoitecendo, e aqui deve ter uma das melhores vistas do pôr do sol de toda a cidade. As copas das árvores parecem acesas abaixo de nós, como se estivessem pegando fogo.

Ainda não tem nenhum móvel aqui no deque, então me sento nos degraus e Ledger, ao meu lado. Não falei muita coisa, mas ele não precisa de elogios: ele sabe o quanto este lugar é bonito. Não consigo nem imaginar o quanto está sendo gasto na construção.

— Você é rico? — falo sem nem pensar. Esfrego o rosto depois da pergunta. — Desculpe. Fui meio indelicada.

Ele ri e apoia os cotovelos nos joelhos.

— Tudo bem. A casa está custando menos do que parece. Roman e eu fizemos a maior parte do trabalho à mão nos últimos dois anos, mas fiz bons investimentos com o dinheiro que ganhei com o meu contrato jogando futebol. Já gastei quase tudo, mas montei um negócio e agora construí uma casa. Não posso reclamar.

Fico feliz por ele. Pelo menos a vida dá certo para algumas pessoas.

Mas imagino que todos nós tenhamos nossos fracassos. Fico curiosa para saber quais são os dele.

— Pera aí — digo, lembrando de algo que não deu muito certo para ele. — Você não ia se casar neste fim de semana?

Ledger assente.

— Duas horas atrás, na verdade.

— Está triste com isso?

— Sem dúvida — diz ele. — Não me arrependo da decisão, mas fico triste por não ter dado certo. Eu a amo.

Ele disse *amo*, no presente do indicativo. Fico esperando que Ledger se corrija, mas ele não o faz e percebo que não foi um deslize. Ele ainda a ama. Acho que perceber que sua vida não é compatível com a de outra pessoa não faz os sentimentos simplesmente desaparecerem.

De repente, sinto uma pequenina chama de ciúme vibrar no meu peito.

— Como foi que a pediu em casamento?

— A gente precisa mesmo falar disso?

Ele está rindo, como se o assunto fosse mais constrangedor do que triste.

— Sim. Sou enxerida.

Ele expira e diz:

— Antes eu pedi permissão ao pai dela. Depois, comprei o anel que ela tinha demonstrado não muito sutilmente que queria. Convidei-a para jantar no nosso aniversário de dois anos de namoro e planejei um grande pedido no parque que ficava na rua do restaurante. Os amigos e os parentes dela estavam lá esperando, então me ajoelhei e a pedi em casamento. Foi um daqueles pedidos bem instagramáveis.

— Você chorou?

— Não. Fiquei nervoso demais.

— Ela chorou?

Ele inclina a cabeça como se estivesse tentando lembrar.

— Acho que não. Só uma ou duas lágrimas, talvez... Estava escuro, e eu não tinha pensado nisso, então a filmagem do pedido ficou meio ruim. Ela reclamou no dia seguinte que não teria um vídeo bom e que eu devia ter feito o pedido *antes* do anoitecer.

— Ela parece ser gente boa.

Ledger sorri.

— Sinceramente, acho que você gostaria dela. Fico dizendo essas coisas que passam uma impressão negativa dela, mas a gente se divertiu muito. Quando estávamos juntos, eu não pensava tanto em Scotty. As coisas pareciam mais leves com ela por causa disso.

Desvio o olhar quando ele menciona isso.

— E comigo, você se lembra dele o tempo inteiro?

Ledger não responde. Não quer me magoar, então prefere ficar em silêncio, o que me dá vontade de fugir. Começo a me levantar porque estou pronta para ir embora, mas, assim que o faço, ele segura meu pulso e o puxa delicadamente para baixo.

— Sente-se. Vamos ficar até o pôr do sol.

Me sento outra vez e, cerca de dez minutos depois, o sol mergulha nas árvores. Nenhum de nós diz nada. Ficamos apenas observando os raios desaparecerem e as copas das árvores voltarem às suas cores naturais, sem o brilho do fogo. Agora a noite está caindo, e, sem eletricidade, a casa atrás de nós está escurecendo rapidamente.

Ledger está com uma expressão contemplativa quando diz:

— Estou me sentindo culpado.

Bem-vindo ao meu estado constante.

— Por quê?

— Por ter construído esta casa. Sinto que Scotty teria se decepcionado... Diem fica tão triste sempre que falamos sobre colocar minha outra casa à venda.

— Então por que comprou esta aqui?

— Era o meu sonho há um bom tempo. Comprei o terreno e comecei a rascunhar o projeto quando Diem ainda era bebezinha. Antes de saber o quanto eu a amaria. — Ele olha nos meus olhos. — Não me leve a mal, eu já a amava, mas era diferente. Ela começou a andar, a falar, a desenvolver sua personalidade e nos tornamos inseparáveis. Com o passar do tempo, isto aqui foi deixando de parecer a casa do meu futuro e ficou parecendo mais...

Ele tenta pensar na palavra, mas não consegue.

— Uma prisão?

Ledger me olha como se eu fosse a primeira pessoa a compreendê-lo.

— Isso. Exatamente. Parece que agora estou preso a esta casa, mas a ideia de não ver Diem todos os dias está começando a pesar. Isso vai mudar nossa relação. Com meus horários, eu provavelmente a veria uma vez na semana, com sorte. Acho que é por isso que tenho demorado tanto na construção. Não sei se estou realmente ansiando pela minha mudança para cá.

— Então coloque à venda.

Ele ri como se fosse uma ideia absurda.

— É sério, e eu gostaria muito mais de você ser vizinho da minha filha do que de morar do outro lado da cidade. Sei que não posso participar da vida dela como eu gostaria, mas fico um pouco mais tranquila sabendo que você participa.

Ledger me encara por um longo instante depois que digo isso. Em seguida, levanta-se e estende o braço para pegar minha mão.

— É melhor a gente ir trabalhar.

— Pois é. Não é uma boa irritar o chefe.

Seguro sua mão e me levanto, e de repente estou perto demais dele. Ledger não se afasta nem solta minha mão, e agora está me encarando a apenas alguns centímetros de distância com uma intensidade que sinto descer pela minha coluna.

Ledger entrelaça os dedos nos meus, e, quando nossas palmas se encostam, a sensação que irrompe em mim me faz estremecer. Ledger também a sente; percebo pela maneira como seus olhos se enchem de aflição.

É curioso como algo que deveria ser tão bom é tão doloroso quando as circunstâncias não são corretas. E nossas circunstâncias estão longe de serem corretas. Mas mesmo assim aperto sua mão, indicando que estou sentindo exatamente o mesmo que ele e que estou tão dividida quanto.

Ledger encosta a testa na minha, e nós dois fechamos os olhos e ficamos apenas respirando em silêncio durante este momento, o que quer que ele signifique. Sinto tudo que ele não está dizendo. Consigo sentir até mesmo o beijo que ele não está me dando. Se voltássemos ao momento que compartilhamos ontem à noite, essa ferida se escancararia ainda mais, e eu não seria nada além dela.

Ele sabe tanto quanto eu que isto não é uma boa ideia.

— O que vai fazer, Ledger? Vai me esconder no seu closet até ela completar 18 anos?

Ele olha para as nossas mãos ainda entrelaçadas e dá de ombros.

— Bom, o closet é imenso.

Há apenas um segundo de silêncio, partido no meio pela minha gargalhada.

Ele sorri e indica o caminho enquanto atravessamos a casa escura e voltamos para a picape.

242

CAPÍTULO TRINTA

LEDGER

Estou no meu escritório fazendo a folha de pagamentos, processando meus pensamentos e todos os erros que cometi nas últimas semanas.

Roman tinha razão quando disse que eu poderia ter dado dinheiro a Kenna se realmente quisesse que ela fosse embora. Talvez eu realmente devesse ter feito isso, porque, quanto mais tempo passo com ela, mais lhe dou falsas esperanças.

Os Landry não vão mudar de ideia nem tão cedo a respeito de aceitá-la. E se ela permanecer aqui e continuar trabalhando, nós dois correremos o risco de sermos descobertos.

Não sei o que eu tinha na cabeça quando a contratei. Achei que ela poderia se esconder nos fundos, mas não dá para esconder uma garota como Kenna. Ela chama atenção. Alguém vai percebê-la. Alguém vai reconhecê-la.

E então nós dois enfrentaremos as consequências desta mentira.

Pego meu celular e lhe envio uma mensagem. *Passe no meu escritório quando tiver um segundinho.*

Me levanto e fico andando de um lado para o outro durante os trinta segundos que ela leva para chegar. Fecho a porta atrás dela, vou até minha escrivaninha e me sento na beirada.

Ela fica em pé perto da porta, de braços cruzados. Parece nervosa. Eu não queria deixá-la assim. Aponto para a cadeira na minha frente; Kenna se dirige hesitantemente até ela e se senta.

— Assim parece que estou encrencada — diz ela.

— Não, não. Eu só... estava pensando. No que você ouviu Roman dizer. E acho que eu devia informá-la de que não precisa mais vir trabalhar.

Ela parece surpresa.

— Estou sendo demitida?

— Não, é óbvio que não. — Inspiro, me preparando para a franqueza que estou prestes a expressar. — Nós dois sabemos que te contratei por motivos egoístas, Kenna. Se em algum momento você quiser sair da cidade e estiver precisando de dinheiro, é só me pedir. Não precisa trabalhar para isso.

Ela me olha como se eu tivesse acabado de lhe dar um soco no estômago. Levanta-se e começa a andar de um lado para o outro enquanto assimila esta conversa.

— Você *quer* que eu saia da cidade?

Porra. Chamei-a até aqui para tentar facilitar sua vida, mas estou dizendo tudo errado. Balanço a cabeça.

— Não.

Estendo o braço e ponho meus dedos ao redor do seu pulso a fim de que ela pare de andar.

— Então por que está me dizendo isso?

Eu poderia lhe dar várias razões. *Porque você precisa saber que existem outras opções. Porque, se ficar aqui, alguém vai acabar te reconhecendo. Porque, se continuarmos trabalhando juntos, vamos destruir o que restou do nosso frágil limite.*

No entanto, não digo nada disso. Apenas a encaro atentamente enquanto roço o polegar em seu pulso.

— Você sabe o porquê.

Seu peito sobe e desce enquanto ela dá um suspiro.

244

Mas depois ela afasta bruscamente a mão da minha ao ouvir uma batida repentina à porta do escritório. Me empertigo na mesma hora, e Kenna cruza os braços por cima do peito. Nossas reações nos fazem parecer realmente culpados neste momento.

Mary Anne está parada na porta, alternando o olhar entre nós dois. Ela sorri e diz:

— O que foi que acabei de interromper? Uma avaliação de funcionário?

Dou a volta na minha escrivaninha e finjo estar ocupado com a tela do computador.

— Do que está precisando, Mary Anne?

— Bem. Agora estou achando que é o momento errado para mencionar isso, mas Leah está aqui. A mulher com quem você se casaria hoje. Ela está lá na frente, perguntando por você.

Preciso de todas as minhas forças para não olhar Kenna e conferir sua reação. De alguma maneira, consigo manter o foco em Mary Anne.

— Diga a ela que já vou descer.

Mary Anne afasta-se da porta, mas a deixa aberta. Kenna vai imediatamente atrás dela, sem olhar para mim.

Estou confuso, pois por que Leah estaria aqui? O que ela poderia querer? Será que ela está sentindo mais a data de hoje do que eu?

Porque eu mal pensei no assunto. Acho que isso prova que foi a decisão certa; pelo menos para mim.

Saio do meu escritório, mas preciso passar por Kenna enquanto me dirijo à frente do bar. Nos entreolhamos por dois segundos antes de ela desviar a vista.

Saio da cozinha e passo os olhos pelo bar, mas não vejo Leah de imediato. Está bem mais lotado agora do que quando fui para o escritório cuidar da folha de pagamento, então dou uma olhada por um momento antes de ir para trás do balcão. Mary

Anne está do outro lado do bar, então não posso lhe perguntar para onde Leah foi.

Roman me vê e aponta para um grupo de rapazes.

— Ainda não anotei o pedido deles.

— Cadê Leah?

Roman parece confuso.

— Leah? O quê?

Mary Anne está se aproximando. Ela sorri e se inclina por cima do balcão ao chegar perto de mim.

— Roman estava ficando sobrecarregado e pediu que eu te chamasse. Era brincadeira a história da Leah. Estava só tentando criar um drama, pois garotas *adoram* isso. De nada.

Ela pega uma bandeja cheia de bebidas e se dirige a uma mesa para entregá-las.

Balanço a cabeça, confuso. Estou irritado com a mentira, pois agora Kenna deve estar pensando em mil coisas diferentes. Mas também estou aliviado por ela ter mentido. Eu não queria ver Leah.

Levanto, anoto alguns pedidos e fecho três contas, mas, assim que Roman consegue assumir tudo, volto para os fundos. Kenna não está na cozinha. Procuro-a, mas Aaron aponta para a porta, indicando que ela está no intervalo.

Quando abro a porta que dá para o beco, vejo Kenna recostada na parede, os braços cruzados na frente do peito. Ela me olha assim que saio, e vejo uma onda imediata de alívio tomar conta do seu rosto.

Ela estava com ciúme. Tenta disfarçar com um sorriso forçado, mas vi a expressão no seu rosto antes de ela conseguir escondê-la.

Eu me aproximo e me encosto na parede, assim como ela.

— Era mentira de Mary Anne. Leah não está aqui, ela inventou isso.

Ela semicerra os olhos, confusa.

— Por que ela...? — Kenna para de falar, e um sorrisinho se abre nos seus lábios. — Caramba. Mary Anne gosta de uma treta.

Ela não parece estar zangada por Mary Anne ter mentido. Parece impressionada.

Vê-la sorrindo me faz sorrir também, e depois digo:

— Você estava com ciúmes.

Kenna revira os olhos.

— Não estava.

— Estava, sim.

Ela se afasta da parede e se dirige à escada, mas para bem na minha frente. Ela vira o rosto para mim, e não sei o que sua expressão significa.

Não sei o que ela está prestes a fazer, mas se ela tentasse me beijar, eu ganharia a noite, porra. Cansei desse vaivém com ela. Cansei de escondê-la. Eu daria de tudo para poder conhecê-la melhor sem me preocupar com as consequências, para poder lhe fazer perguntas que não tivessem nada a ver com Scotty ou com os Landry. Quero beijá-la em público, quero levá-la para casa comigo, quero saber como é dormir e acordar ao seu lado.

Gosto dela pra caralho, e, quanto mais o tempo passa, mais eu não quero me separar dela.

— Queria dar meu aviso prévio de duas semanas — diz ela.

Merda. Mordo meu lábio até ter certeza de que não vou cair de joelhos e implorar para que ela fique.

— Por quê?

Ela hesita e depois diz:

— Você sabe o porquê.

Ela desaparece depois de entrar, e eu me sento com meus sentimentos de merda.

Fico encarando minha picape com uma vontade imensa de ir direto para a casa de Patrick e Grace e lhes contar tudo sobre Kenna. Quero contar o quanto ela é altruísta. Quero contar o quanto ela é trabalhadora. Quero contar o quanto ela é tolerante, pois todos nós temos infernizado sua vida, e mesmo assim ela não parece se ressentir de nenhum de nós.

Quero contar a Patrick e Grace tudo o que Kenna tem de maravilhoso, mas, acima de tudo, quero contar a Kenna o quanto errei quando lhe disse que não seria bom para Diem tê-la em sua vida.

Quem sou eu para dizer isso a uma mãe sobre sua própria filha?

Porra, quem sou eu para fazer esse tipo de julgamento?

248

CAPÍTULO TRINTA E UM

Kenna

Está chovendo na nossa volta para casa. A chuva que bate no para-brisa é o único som neste momento, pois nós dois estamos em silêncio. Não dissemos nada um ao outro desde que nos encontramos mais cedo, no beco.

Será que ele está com raiva por eu ter dado o meu aviso prévio? Não sei por que estaria; foi ele quem mencionou isso. Mas seu silêncio está tornando a situação constrangedora.

No entanto, não consigo continuar trabalhando para ele. Como posso planejar minha possível partida se estamos começando a ansiar pela presença um do outro? Sei que as coisas estavam confusas antes, mas elas vão acabar ficando ainda mais se eu deixar que isso continue.

Quando ele chega ao estacionamento, tem uma energia mal resolvida oscilando entre nós. Às vezes, ao me deixar em casa, ele nem desliga o motor da picape. Hoje, contudo, ele o desliga, tira a chave e o cinto, pega um guarda-chuva e *sai* do carro.

Ele demora apenas alguns segundos para chegar ao lado do passageiro, mas, nesse meio-tempo, decido que prefiro que ele não me acompanhe até lá em cima. Posso subir sozinha. É melhor assim. Não confio em mim mesma perto dele.

Ele abre minha porta, e eu estendo o braço para pegar o guarda-chuva, mas ele o afasta.

— O que está fazendo?

— Me dê o guarda-chuva. Posso subir sozinha.

Ele recua um passo para que eu possa sair da picape.

— Não. Vou subir também.

— Não sei se você deveria fazer isso.

— Eu não deveria fazer isso de jeito nenhum — diz ele.

Mas continua andando. Continua segurando o guarda-chuva sobre a minha cabeça.

Começo a ficar ofegante antes mesmo de chegarmos ao topo da escada. Tiro minhas chaves da bolsa, sem saber se ele está esperando entrar ou se vai apenas me dar boa-noite. As duas alternativas me deixam nervosa. Ambas são demais. Dá no mesmo.

Ele fecha o guarda-chuva quando chegamos à minha porta e fica esperando que eu a destranque. Antes de abri-la, eu me viro para ele como se ele fosse deixar que eu me despedisse sem convidá-lo para entrar.

Ele aponta para a porta, mas não diz nada.

Inspiro em silêncio e abro a porta do meu apartamento. Ele entra comigo e a fecha após entrar.

Ele está agindo com muita determinação. É o completo oposto do que estou sentindo. Pego Ivy no colo e a levo até o banheiro para que ela não possa sair caso Ledger abra a porta para ir embora.

Quando fecho a porta do banheiro e me viro, Ledger está parado perto do balcão, passando o dedo na pilha de cartas que imprimi.

Não quero que ele leia, então me aproximo, viro as cartas e as empurro para o lado.

— São essas as cartas? — pergunta ele.

— A maioria. Mas também tenho cópias digitais. Digitei todas alguns meses atrás e salvei no Google Drive. Estava com medo de perdê-las.

— Pode ler alguma para mim?

Balanço a cabeça. Para mim, elas são pessoais. É a segunda vez que ele me pede para ler uma das cartas, e a resposta continua sendo não.

— Você pedir para eu ler uma das cartas é como se eu te pedisse para ouvir a gravação de uma das suas sessões de terapia.

— Não faço terapia — diz Ledger.

— Talvez devesse fazer.

Ele morde o lábio e assente contemplativamente.

— Talvez eu faça mesmo.

Passo por ele e abro a geladeira. Venho enchendo-a aos poucos, então desta vez tenho mais bolachas Lunchables.

— Quer tomar alguma coisa? Tem água, chá, leite. — Pego uma caixa de suco quase vazia. — Um gole de suco de maçã.

— Não estou com sede.

Eu também não, mas tomo o resto do suco direto da caixa só para prevenir, pois parece que estou prestes a sentir uma sede enorme só de ver ele parado desse jeito no meu apartamento. Sua presença já é o suficiente para deixar minha garganta seca.

É diferente quando estamos trabalhando. Tem outras pessoas por perto que impedem minha mente de seguir o rumo que está seguindo agora.

Entretanto, quando somos apenas nós dois no meu apartamento, só consigo pensar no quanto estamos perto um do outro e em quantas vezes meu coração vai bater antes de ele se aproximar e me beijar.

Ponho a caixa vazia de suco no balcão e seco a boca.

— É por isso que você sempre tem gosto de maçã?

Olho bem para ele depois disso. É algo íntimo de se dizer – admitir em voz alta que você conhece o gosto de alguém. Me sinto como uma adolescente inexperiente e deslumbrada diante do seu olhar, então passo a encarar meus pés, pois não olhar para ele é menos fatigante.

— O que você quer, Ledger?

Ele se encosta calmamente no balcão. Estamos a apenas meio metro um do outro quando ele responde:

— Quero te conhecer melhor.

Eu não estava esperando que ele dissesse isso, então é óbvio que lanço um olhar em sua direção e logo me arrependo, pois ele está perto demais de mim.

— O que você quer saber?

— Mais sobre você. Do que você gosta, do que não gosta, seus objetivos. O que você quer fazer da vida?

Não consigo evitar uma risada. Eu estava esperando que ele fosse perguntar sobre Scotty ou sobre algo relacionado a Diem ou à minha situação atual. Mas ele está apenas puxando assunto, e não faço ideia de como devo reagir.

— Sempre quis ser chaveira.

Agora é Ledger quem está rindo.

— Chaveira?

Faço que sim.

— Por que chaveira?

— Porque ninguém se zanga com um chaveiro. Eles aparecem para ajudar as pessoas no meio de uma crise. Acho que seria recompensador ter um trabalho que melhora um pouco os dias ruins dos outros.

Ledger assente, parecendo satisfeito.

— Acho que nunca conheci ninguém que quisesse ser chaveiro.

— Bem, agora você conheceu. Próxima pergunta.

— Por que escolheu o nome Diem?

Reformulo a pergunta antes de responder.

— Por que os Landry não quiseram mudar o nome que escolhi?

Ele movimenta a mandíbula para a frente e para trás.

— Eles acharam que talvez você e Scotty tivessem conversado sobre o nome e que Diem tivesse sido uma escolha dele.

— Scotty nem chegou a saber que eu estava grávida.

— E *você*, sabia que estava grávida? — pergunta ele. — Antes de Scotty falecer?

Balanço a cabeça. Minha voz sai como um sussurro:

— Não. Eu nunca teria me declarado culpada se soubesse que estava grávida de Diem.

Ele se concentra nessa resposta.

— E *por que* se declarou culpada?

Abraço meu corpo. Meus olhos estão começando a arder, então paro um momento e inspiro durante a recordação antes de responder.

— Eu não estava com a cabeça muito boa — admito.

Mas não entro em detalhes. Não consigo.

Ledger não faz outra pergunta de imediato. Ele deixa o silêncio preencher o espaço e então o rompe, dizendo:

— Onde a gente estaria agora se eu não conhecesse Scotty?

— Como assim?

Seus olhos se voltam rapidamente para a minha boca. É só um relance, mas eu vejo. E sinto.

— Na noite em que nos conhecemos no bar... você disse que não sabia quem eu era. E se eu fosse apenas um cara qualquer que não conhecesse Diem, nem Scotty, nem você? O que acha que teria acontecido entre a gente naquela noite?

— Muito mais do que aconteceu — admito.

Ele engole a seco, como se tivesse engolido minha resposta. Ficamos encarando um ao outro enquanto espero ansiosamente sua próxima pergunta ou pensamento ou movimento.

— Às vezes me pergunto se a gente sequer estaria conversando agora se eu não conhecesse Diem.

— Por que isso importa? — pergunto.

— Porque seria a diferença entre você querer ficar comigo só por minha causa ou para me usar pelos meus contatos.

Tensiono a mandíbula. Preciso desviar a vista e olhar algo que não seja ele, porque seu comentário me irrita.

— Se eu quisesse usá-lo pelos seus contatos, eu já teria dado pra você a esta altura do campeonato. — Me afasto do balcão. — Acho melhor você ir embora.

Começo a me dirigir à porta, mas Ledger segura meu pulso e me puxa para trás.

Eu me viro, mas, antes que eu possa gritar com ele, vejo a expressão em seu olhar: remorso. Tristeza. Ele me puxa para o seu peito e põe os braços ao meu redor num abraço consolador. Fico rígida contra ele, sem saber o que fazer com a raiva que me resta. Ele desliza as mãos até meus braços e os ergue, enroscando-os em sua cintura.

— Não foi um insulto — diz ele, com a respiração roçando minha bochecha. — Eu só estava pensando algumas coisas em voz alta.

Ele pressiona a lateral da sua cabeça na minha, e fecho os olhos, porque é tão gostoso senti-lo. Esqueci como era sentir que alguém precisa de mim. Que alguém me deseja. Que alguém *gosta* de mim.

Ledger nos mantém bem abraçados enquanto diz:

— No período de algumas semanas, eu deixei de te odiar, passei a gostar de você e depois a desejar o mundo para você, então me desculpe se às vezes esses sentimentos se sobrepõem uns aos outros.

Entendo mais do que ele imagina. Às vezes quero gritar com ele por ter sido como que uma parede entre minha filha e mim, mas, ao mesmo tempo, quero beijá-lo por amá-la o bastante para *ser* uma parede que a protege.

Seus dedos tocam meu queixo, erguendo meu olhar até o seu.

— Eu queria poder retirar o que eu te disse quando falei que sua presença na vida de Diem não seria boa para a vida dela. —

Ele desliza as mãos pelo meu cabelo e me fita com sinceridade. — Sorte a dela se tivesse alguém como você por perto. Você é altruísta, bondosa e forte. Você é tudo o que eu quero que Diem seja no futuro. — Ele enxuga uma lágrima que escorre pela minha bochecha. — E não sei como posso fazê-los mudar de ideia, mas vou tentar. Quero lutar por você, pois sei que é o que Scotty gostaria que eu fizesse.

Não faço ideia do que fazer com todos os sentimentos que afloraram com suas palavras.

Ledger não me beija, mas só porque sou eu quem o beijo primeiro. Pressiono minha boca na sua, pois nada do que eu dissesse seria capaz de expressar o quanto valorizo a validação que ele acaba de me dar. Uma coisa é ele admitir que deseja que eu a conheça, mas, ao dizer que quer que ela seja como eu, ele deu um milhão de passos a mais.

É a coisa mais doce que já me disseram na vida.

Sua língua desliza na minha, e o calor de sua boca parece pulsar para dentro de mim. Puxo-o para mais perto até nossos peitos se encontrarem, mas ainda assim não estamos próximos o bastante. Eu não fazia ideia de que essa era a única coisa que me fazia hesitar em relação a Ledger. Só precisava saber que ele acreditava em mim. Agora que sei que ele acredita, não consigo encontrar nenhuma parte minha que não queira cada parte dele.

Ledger me ergue e me leva até o sofá sem interromper nosso beijo.

É tão bom sentir o peso do seu corpo contra o meu. Começo a tirar sua camisa, porque quero tocar sua pele, mas ele afasta minha mão.

— Pera aí — diz ele, se afastando. — Pera aí, pera aí, pera aí.

Encosto a cabeça no sofá e solto um grunhido. Não aguento mais esse vaivém. Estou finalmente no clima para deixá-lo fazer o que quiser comigo, e agora é *ele* que quer se afastar.

Ele beija meu queixo.

— Talvez eu esteja me adiantando, mas, se estamos prestes a transar, preciso pegar uma camisinha lá na picape antes que você tire minha roupa. A não ser que você tenha uma camisinha aqui.

Que alívio saber que foi por isso que ele parou. Afasto-o de mim.

— Vai logo. Vá pegar.

Ele sai do sofá e do apartamento em segundos. Uso o minuto livre para conferir meu reflexo no espelho do banheiro. Ivy está dormindo na caminha que coloquei ao lado da banheira.

Pego um pouco de pasta de dente e a espalho nos dentes e na língua.

Queria poder escrever uma cartinha curta para Scotty. Sinto que preciso avisá-lo sobre o que está prestes a acontecer, o que é ridículo, pois ele está morto e já se passaram cinco anos e posso transar com quem eu quiser, mas ele foi a última pessoa com quem transei, então agora parece um momento importante.

Sem contar que vai ser com o melhor amigo dele.

— Sinto muito por isso, Scotty — sussurro. — Mas não tanto a ponto de impedir o que vai acontecer.

Escuto a porta do apartamento abrir, então saio do banheiro e encontro Ledger trancando-a. Quando ele se vira para mim, dou uma risada, porque ele está encharcado de chuva. A água do seu cabelo está pingando nos seus olhos, então ele o afasta.

— Acho que eu devia ter ido de guarda-chuva, mas não quis perder tempo.

Vou até ele e o ajudo a tirar a camisa. Ele retribui o favor, me ajudando a tirar a minha. Estou usando meu sutiã bonito: visto-o sempre que trabalho no bar, pois queria estar preparada caso isso acontecesse.

Eu estava tentando me convencer de que não aconteceria, mas, no fundo, torcia para que estivesse errada.

256

Ledger se inclina para a frente e me beija na boca com seus lábios encharcados de chuva. Ele está frio por ter se molhado, mas sua língua é um contraste escaldante em relação aos seus lábios gélidos.

Sinto um calor rodopiar na minha barriga quando ele põe a outra mão no meu cabelo e inclina meu rosto para trás a fim de me beijar ainda mais intensamente. Levo minhas mãos até sua calça jeans e a desabotoo, ansiosa para tirá-la do seu corpo. Determinada a senti-lo contra mim. Temendo não lembrar como se faz isso.

Faz tanto tempo que não transo que sinto que devo alertá-lo. Ele começa a me levar até o colchão inflável. Deita meu corpo na superfície e começa a tirar o restante das minhas roupas. Enquanto ele puxa minha calça jeans pelas minhas pernas, digo:

— Eu não fico com ninguém desde Scotty.

Seus olhos encontram os meus depois que ele tira minha calça, e vejo sua expressão tranquilizadora. Ele se deita sobre mim e me dá um leve beijo na boca.

— Tudo bem se quiser mudar de ideia.

Balanço a cabeça.

— Não quero. Só queria que você soubesse que faz um tempo. Caso eu não seja muito...

Ele me interrompe com outro beijo e então diz:

— Você já superou minhas expectativas, Kenna.

Ele leva a boca até meu pescoço, e sinto sua língua subir pela minha garganta.

Fecho os olhos.

Ele tira minha calcinha, meu sutiã e sua calça enquanto sua língua explora todos os centímetros do meu pescoço à minha barriga. Quando ele sobe de volta para beijar minha boca, sinto-o rígido entre minhas pernas e me encho de expectativa. Dou-lhe um beijo longo, profundo e expressivo enquanto ele estende o braço e põe a camisinha.

Ele se posiciona contra mim, mas não me penetra. Em vez disso, desliza o dedo para dentro de mim, e é tão inesperado que arqueio as costas e solto um gemido.

Meu gemido é abafado pelo trovão lá fora. Agora está chovendo mais ainda, mas gosto de ter a tempestade como nosso ruído de fundo. De algum modo, ela deixa isso tudo ainda mais sensual.

Ledger continua movimentando o dedo por cima, depois dentro de mim, e a sensação é tão intensa que nem consigo retribuir ao beijo. Meus lábios estão abertos, e solto gemidos entre minhas arfadas. Ledger mantém os lábios encostados nos meus enquanto começa a me penetrar.

Ele não consegue me penetrar com facilidade. É uma experiência lenta, quase dolorosa, e levo minha boca até seu ombro enquanto ele avança delicadamente.

Quando ele está totalmente dentro de mim, encosto a cabeça no travesseiro porque a dor se transforma em prazer. Ele recua devagar e depois me penetra outra vez com um pouco mais de força. Expira subitamente, e sua respiração cobre meu ombro, fazendo cócegas na minha pele.

Ergo os quadris, me abrindo ainda mais para ele, e ele entra em mim de novo.

— Kenna. — Mal consigo abrir meus olhos para vê-lo. Seus lábios roçam os meus. — Isso é bom pra caralho. *Porra*. Porra, preciso parar — sussurra ele. Ele sai de dentro de mim, e, quando isso acontece, eu choramingo. É um vazio imediato para o qual eu não estava preparada. Ledger continua em cima do meu corpo e insere dois dedos em mim, então nem tenho tempo de reclamar antes de começar a gemer de novo. Ele beija o canto logo abaixo da minha orelha. — Desculpe, mas não vou aguentar muito tempo dentro de você.

Não me importo. Só quero que ele continue fazendo o que está fazendo com a mão. Enrosco o braço no seu pescoço e o puxo para baixo. Quero sentir todo o seu peso contra o meu corpo.

Ele desliza o dedo pelo meu clitóris, e uma energia tão intensa percorre meu corpo que acabo mordendo seu ombro. Ele geme quando meus dentes se prendem à sua pele, e seu gemido quase me faz perder a cabeça.

Nossas bocas se encontram num beijo frenético, e ele engole meus gemidos enquanto me faz gozar. Ainda estou tremendo sob seu toque quando ele entra em mim novamente. As ondas do meu orgasmo ainda estão se lançando pelo meu corpo quando ele fica de joelhos e agarra minha cintura, puxando-me a cada penetração.

Meu Deus, como ele é lindo. Os músculos dos seus braços se contraem a cada movimento de seu quadril. Ele puxa uma das minhas pernas para o seu ombro e nos entreolhamos por alguns segundos, então ele vira a cabeça, e sua língua sobe pela minha perna.

Eu não estava esperando isso. Queria que ele repetisse, mas ele afasta minha perna e se acomoda em cima do meu corpo outra vez.

Agora estamos em um ângulo diferente, e ele consegue me penetrar ainda mais fundo. Dentro de poucos segundos, começa a gozar. Contrai-se e solta o peso em cima de mim.

— Porra. — Ele geme. — *Porra* — diz ele pela segunda vez.

Em seguida, ele me beija. São beijos intensos a princípio, mas, depois de sair de mim, seus beijos tornam-se mais doces. Mais calmos. Mais lentos.

Já quero repetir, mas antes preciso recuperar o fôlego. Talvez me reidratar. Passamos alguns minutos nos beijando, e é bem difícil parar, porque é a primeira vez que podemos nos curtir sem que as coisas tenham um desfecho abrupto.

O pano de fundo perfeito criado pela chuva caindo na janela não ajuda. Não quero que acabe. Acho que Ledger também não quer, pois, toda vez que acho que ele está prestes a parar de me beijar, ele volta querendo mais.

Ele acaba parando, mas só por tempo o suficiente para ir ao banheiro e jogar fora a camisinha. Ao voltar para a cama, ele se ajusta até acomodar o corpo no meu e beija meu ombro.

Ele entrelaça os dedos nos meus e encosta nossas mãos na minha barriga.

— Eu não acharia ruim incluir um repeteco na programação da noite.

Rio da maneira como ele formulou a frase. Não sei por que achei engraçado.

— Pois é. Vamos pedir para a Siri incluir no calendário para daqui a uma hora — brinco.

— Ei, Siri! — grita ele. Nossos celulares apitam ao mesmo tempo. — Pode marcar sexo com a Kenna para daqui a uma hora! — Rio, dou uma cotovelada nele e depois me deito de costas. Ele se ergue e sorri para mim. — Vou demorar muito mais da segunda vez. Prometo.

— Eu provavelmente não vou, não — admito.

Ledger me beija e depois encosta a cabeça no meu cabelo, puxando-me para perto.

Fico encarando o teto por algum tempo.

Talvez por meia hora. Talvez ainda mais. A respiração de Ledger está regular, e tenho quase certeza de que ele adormeceu.

A chuva não diminuiu nem um pouco, mas minha mente está ativa demais para que eu sinta sono. Escuto Ivy miando no banheiro, então me levanto do colchão para deixá-la sair.

Ela salta no sofá e enrosca-se em si mesma.

Vou até o balcão e puxo meu caderno. Pego uma caneta e começo a escrever uma carta para Scotty. Não demoro muito. É uma carta pequena, mas, quando termino e fecho o caderno, vejo que Ledger está me encarando, deitado de bruços e apoiando o queixo nos braços.

— O que escreveu? — pergunta ele.

É a terceira vez que ele me pede para ler alguma coisa. É a primeira vez que sinto vontade de ceder.

Abro o caderno na carta que acabei de escrever. Passo o dedo no nome de Scotty.

— Talvez você não vá gostar.

— Ela diz a verdade?

Faço que sim.

Ledger aponta para o lugar vazio ao lado dele no colchão.

— Então quero ouvir. Venha pra cá.

Arqueio a sobrancelha para alertá-lo, pois não sei se todos conseguem lidar com a verdade tão bem quanto imaginam. Mas ele se mantém resoluto, então vou até o colchão. Ele se deita de costas, e estou sentada de pernas cruzadas ao seu lado quando começo a ler.

Querido Scotty,

Transei com seu melhor amigo hoje à noite. Não sei se você quer saber disso. Talvez queira. Tenho a sensação de que, se pudesse ouvir essas cartas de onde quer que esteja, você iria querer que eu fosse feliz. E, neste momento, Ledger é a única coisa na minha vida que me deixa feliz. Se serve de consolo, o sexo com ele foi ótimo, mas ninguém chega aos seus pés.

Com amor,
Kenna.

Fecho o caderno e o deixo no meu colo. Ledger fica em silêncio por um instante, encarando o teto calmamente.

— Só está dizendo isso para não magoá-lo, né?

Dou uma risada.

— Isso. Se é isso que você precisa ouvir...

Ele pega o caderno e o joga para o lado. Em seguida, põe o braço ao meu redor e me puxa para cima dele.

— Mas a transa foi boa, não foi?

Pressiono o dedo nos seus lábios e encosto a boca no seu ouvido.

— Foi *a melhor* — sussurro.

No exato instante em que digo isso, o estrondo ruidoso de um trovão se espalha pelo céu lá fora em perfeita sincronia. É tão alto que o sinto na minha barriga.

— Ih, que merda — diz Ledger, rindo. — Scotty não curtiu. É melhor você retirar o que disse. Fale para ele que eu sou péssimo.

Saio de cima de Ledger imediatamente e me deito de costas.

— Foi mal, Scotty! Você é melhor do que Ledger, prometo!

Nós dois rimos juntos, mas depois suspiramos e ficamos escutando a chuva. Após um tempo, Ledger põe a mão no meu quadril e me puxa para perto. Ele mordisca meu lábio inferior antes de beijar meu pescoço.

— Acho que preciso de outra oportunidade para mostrar do que sou capaz.

Seu beijo desce cada vez mais até ele pôr um dos meus mamilos na boca.

A segunda vez é bem mais demorada, e, de alguma forma, consegue ser ainda melhor.

CAPÍTULO TRINTA E DOIS

LEDGER

A gatinha dormiu nos braços de Kenna a noite inteira. Talvez seja esquisito, mas gosto de observá-la com Ivy. Kenna é carinhosa com ela e sempre confere se Ivy não tem como fugir quando ela não está olhando.

Isso me deixa curioso em relação a como ela vai ser com Diem, pois tenho certeza de que um dia vou poder testemunhar isso. Talvez a gente demore para chegar lá, mas vou dar um jeito. Ela merece e Diem também, e confio mais nos meus instintos do que nas minhas dúvidas.

Eu me mexo silenciosamente enquanto pego o celular para conferir a hora. São quase 7h, e daqui a pouco Diem vai acordar. Ela vai perceber que minha picape não está lá. Acho melhor tentar chegar em casa antes que eles saiam para a casa da mãe de Patrick. No entanto, não quero sair escondido enquanto Kenna está dormindo. Eu me sentiria um babaca se ela acordasse sozinha depois da noite de ontem.

Dou um beijo leve no canto da sua boca e depois afasto o cabelo do seu rosto. Ela começa a se mexer, e solto um gemido, e sei que ela está apenas acordando, mas os barulhos que ela faz ao acordar são muito parecidos com os que ela faz durante o sexo, e agora não quero ir embora. Nunca mais.

Ela finalmente abre os olhos e me encara.

— Preciso ir embora — digo baixinho. — Posso voltar mais tarde?

Ela assente.

— Vou estar aqui. Não trabalho hoje. — Ela me beija de boca fechada. — Mais tarde te dou um beijo melhor, mas quero escovar os dentes primeiro.

Dou uma risada e beijo sua bochecha. Antes de me levantar, nos entreolhamos por um instante, e ela parece estar pensando em algo que prefere não dizer em voz alta. Encaro-a por um momento, esperando-a falar, mas, como ela permanece em silêncio, beijo sua boca mais uma vez.

— De tarde eu volto.

Esperei tempo demais. Diem e Grace já estão acordadas e no jardim quando entro na rua. Diem me vê antes de Grace, então ela já está correndo pela rua quando paro na frente de casa e desligo a picape.

Escancaro a porta e imediatamente pego-a no colo. Beijo a lateral de sua cabeça bem na hora em que ela se enrosca em mim e aperta meu pescoço. Juro por Deus que nada chega aos pés do abraço desta menina.

No entanto, o abraço da mãe dela chega bem perto.

Alguns segundos depois, Grace chega ao meu jardim. Ela me lança um olhar brincalhão, como se soubesse por que passei a noite fora. Talvez ela pense que saiba, mas não estaria me olhando assim se soubesse com quem eu estava.

— Você está com cara de quem não dormiu muito — diz ela.

— Dormi até demais. Que mente suja é essa?

Grace ri e aperta o rabo de cavalo de Diem.

— Bem, você chegou na hora certa. Ela estava querendo se despedir antes de a gente ir embora.

264

Diem abraça meu pescoço de novo.

— Não se esqueça de mim — diz ela, relaxando a mão para eu poder colocá-la no chão.

— Você só vai passar uma noite fora, D. Como é que eu ia te esquecer?

Diem coça o rosto e diz:

— Você é velho, e gente velha esquece as coisas.

— Não sou velho — respondo. — Espere um minuto, Grace.

Destranco a porta de casa, vou até a cozinha e pego as flores que comprei para ela ontem pela manhã. Em todos os Dias das Mães e Dia dos Pais, compro alguma coisa para ela e para Patrick. Ela tem sido como uma mãe para mim durante toda a minha vida, então eu provavelmente lhe daria flores mesmo que Scotty estivesse aqui.

— Feliz Dia das Mães.

Entrego-as para ela, que parece ficar surpresa e contente. Ela me abraça, mas não escuto seu "obrigada" em meio à tristeza ruidosa que me percorre neste momento.

Esqueci que hoje era o Dia das Mães. Acordei ao lado de Kenna hoje e não lhe disse nada. Estou me sentindo um babaca.

— Preciso colocá-las na água antes de sair — diz Grace. — Quer ir colocando Diem no carro para mim?

Seguro a mão de Diem e atravessamos a rua. Patrick já está no carro, esperando. Grace leva as flores para dentro de casa, e eu abro a porta de trás para pôr Diem no seu assento.

— O que é Dia das Mães? — ela me pergunta.

— É uma data comemorativa — explico rapidamente, mas Patrick e eu nos entreolhamos.

— Eu sei. Mas por que você e o popô deram flores para a vovó de Dia das Mães? Você disse que sua mãe é a Robin.

— Robin *é* a minha mãe — respondo. — E sua vovó Landry é a mãe do popô. É por isso que vai vê-la hoje. Mas, no Dia das

Mães, se você ama uma mãe, você dá flores para ela mesmo que ela não seja a sua mãe.

Diem franze o nariz.

— Era para eu dar flores para a *minha* mãe?

Ela realmente tem analisado toda a sua árvore genealógica recentemente, o que é bonitinho, mas também preocupante. Ela vai acabar descobrindo que sua árvore genealógica já foi atingida por um raio.

Patrick finalmente se manifesta.

— Você deu flores para a sua vovó ontem à noite, lembra?

Diem balança a cabeça.

— Não. Estou falando da minha mãe que não está aqui. A que tem o carro pequenininho. Não era para a gente dar flores pra *ela*?

Patrick e eu nos entreolhamos de novo. Tenho certeza de que ele está achando que a aflição no meu rosto é resultado do constrangimento com a pergunta de Diem. Beijo a testa de Diem bem na hora em que Grace volta para o carro.

— Sua mãe vai receber flores — digo para ela. — Amo você. Diga à sua vovó Landry que mandei um abraço.

Diem sorri e encosta na minha bochecha com sua mãozinha.

— Feliz Dia das Mães, Ledger.

Eu me afasto do carro e lhes desejo uma boa viagem. Porém, enquanto eles vão embora, sinto meu coração ficar cada vez mais pesado à medida que assimilo as palavras de Diem.

Ela está começando a se perguntar a respeito da mãe. Está começando a se preocupar. E, embora Patrick tenha presumido que eu queria apenas tranquilizá-la quando disse que a mãe de Diem receberia flores, na verdade eu estava fazendo a ela uma promessa. Uma promessa que não vou descumprir.

A ideia de Kenna passar o dia inteiro de hoje sem que ninguém reconheça sua maternidade me dá raiva de toda esta situação.

Às vezes quero atribuir essa culpa diretamente a Patrick e a Grace, mas também não seria justo. Os dois estão fazendo apenas o que precisam fazer para sobreviver.

É o que é. Uma situação de merda, sem pessoas más para levarem a culpa. Somos apenas um monte de gente triste fazendo o que precisa ser feito para chegar ao dia seguinte. Alguns mais tristes do que outros. Alguns mais dispostos a perdoar do que outros.

Rancor é um sentimento pesado, mas, para as pessoas que mais estão sofrendo, imagino que o perdão seja ainda mais.

Chego ao apartamento de Kenna algumas horas depois, e estou no meio da escada quando a vejo lá fora. Ela está limpando a mesa que lhe emprestei quando me avista. Seus olhos se voltam para as flores na minha mão, e ela se enrijece. Eu me aproximo, mas ela continua fitando as flores. Entrego-as para ela.

— Feliz Dia das Mães.

Já coloquei as flores em um vaso, porque eu não sabia se ela tinha um.

Pela sua expressão, acho que talvez eu não devesse ter comprado as flores. Talvez ela ache constrangedor comemorar o Dia das Mães antes mesmo de conhecer a filha. Não sei, mas me parece que eu devia ter pensado mais sobre este momento.

Ela as pega sem hesitar, como se nunca houvesse ganhado um presente antes. Em seguida, me olha e diz bem baixinho:

— *Obrigada*.

Ela está sendo sincera. A maneira como seus olhos lacrimejam de imediato me convence de que trazer as flores foi a opção correta.

— Como foi o almoço?

Ela sorri.

— Foi divertido. A gente se divertiu. — Ela vira a cabeça na direção do seu apartamento. — Quer subir?

Acompanho-a na escada, e, após entrarmos na sua casa, ela põe um pouco mais de água no vaso e o deixa no balcão. Enquanto arruma as flores, ela diz:

— O que vai fazer hoje?

Quero responder, *"O que quer que você vá fazer"*, mas não sei o que ela está pensando depois da noite de ontem. Às vezes as coisas parecem boas e perfeitas no momento, mas, após horas de reflexão, a perfeição se transforma em outra coisa.

— Vou passar na casa nova para trabalhar um pouco nos pisos. Patrick e Grace levaram Diem para a casa da mãe dele, então só voltam amanhã.

Kenna está com uma camisa cor-de-rosa de botão que parece nova e uma saia longa branca e esvoaçante. Sempre a vi de calça jeans e camiseta, mas essa camisa tem um decote que deixa à mostra um pouquinho dos seus seios. Estou fazendo o maior esforço para não olhar, mas, porra, é difícil. Nós dois ficamos parados em silêncio por um instante. Em seguida, eu pergunto:

— Quer vir comigo?

Ela me encara cautelosamente.

— Quer que eu vá?

Percebo que sua relutância talvez não tenha origem no seu próprio arrependimento, mas no seu medo de que *eu* esteja arrependido.

— É óbvio que sim.

A convicção da minha resposta a faz sorrir, e seu sorriso destrói o que quer que estivesse nos mantendo separados. Puxo-a para perto e a beijo. Ela parece relaxar assim que minha boca toca a sua.

Odeio o fato de que a fiz duvidar de si mesma, mesmo que apenas por um segundo. Eu devia ter beijado Kenna assim que lhe entreguei as flores lá embaixo.

— Podemos tomar raspadinhas no caminho? — pergunta ela.

Faço que sim.

— Está com seu cartão de fidelidade? — provoca ela.

— Nunca saio de casa sem ele.

Ela ri, pega a bolsa e acaricia Ivy para se despedir.

Quando chegamos ao térreo, Kenna e eu dobramos a mesa e as cadeiras e começamos a guardá-las na picape. Acabou sendo bom eu ter vindo aqui hoje, pois estava querendo levar uma dessas mesas para a casa nova.

Estou carregando a última leva de cadeiras até a picape quando, do nada, Lady Diana aparece. Ela para entre Kenna e mim e a picape.

— Vai sair com o babaca? — pergunta ela a Kenna.

— Já pode parar de chamá-lo de babaca. O nome dele é Ledger.

Lady Diana me olha dos pés à cabeça e murmura:

— Babacledger.

Kenna ignora o insulto e diz:

— A gente se vê amanhã no trabalho.

Estou rindo quando entramos na picape.

— Babacledger. Foi bem esperto da parte dela.

Kenna afivela o cinto e diz:

— Ela é maldosa e sagaz. Uma combinação perigosa.

Dou marcha a ré e me pergunto se devo lhe dar o outro presente que trouxe. Agora que estamos juntos na picape, estou achando um pouco mais vergonhoso do que quando tive a ideia. E o fato de eu ter passado tanto tempo trabalhando nele durante a manhã deixa tudo bem mais constrangedor, então é só quando estamos a mais de um quilômetro do seu prédio que consigo criar coragem para dizer:

— Fiz uma coisa para você.

Espero até chegarmos a um semáforo e envio o link para ela por mensagem de texto. Seu celular faz barulho, então ela abre o link e encara a tela por alguns segundos.

— O que é isso? Uma playlist?

— Isso. Fiz hoje de manhã. São mais de vinte músicas sem nada que possa te lembrar de algo triste.

Ela rola a tela do celular, observando a lista de músicas. Estou esperando algum tipo de reação sua, mas seu rosto está inexpressivo. Ela olha pela janela e cobre a boca como se estivesse se segurando para não rir. Olho de soslaio para ela algumas vezes, mas depois de um tempo não aguento mais.

— Você está rindo? Achou ridículo?

Ao se virar para mim, ela está sorrindo, e talvez haja até lágrimas surgindo nos seus olhos.

— Não achei nada ridículo.

Ela estende a mão para pegar a minha e depois olha pela janela outra vez. Por pelo menos três quilômetros, eu me seguro para não sorrir.

Mas, lá pelo quinto quilômetro, estou me contendo para não franzir a testa, pois algo tão simples como uma playlist não devia fazê-la sentir vontade de chorar.

Sua solidão está começando a me magoar. Quero vê-la feliz. Quero conseguir dizer todas as coisas certas quando for explicar para Patrick e Grace por que eles devem dar a ela uma chance, mas o fato de que não conheço direito seu passado com Scotty é uma das muitas coisas que pode acabar impedindo o resultado que nós dois queremos.

Toda vez que estou com ela, tenho perguntas na ponta da língua. "*O que aconteceu? Por que o deixou lá?*" Mas ou nunca é o momento certo, ou o momento é certo, mas as emoções já estão pesadas demais. Queria lhe fazer essa pergunta ontem à noite, quando fiz todas as outras, mas simplesmente não consegui pronunciá-la. Às vezes Kenna já parece triste demais para eu querer que ela fale de coisas que a deixarão ainda pior.

Mas preciso saber. Sinto que não consigo defendê-la por completo nem torcer cegamente pela sua presença na vida de Diem antes de saber melhor o que aconteceu naquela noite e *por quê*.

— Kenna? — Nós nos encaramos na mesma hora. — Quero saber o que aconteceu naquela noite.

Surge um certo peso no ar e fica mais difícil respirar.

Acho que também acabei de dificultar a respiração dela. Ela inspira devagar e solta minha mão. Dobra os dedos e segura as próprias coxas.

— Você disse que escreveu sobre o que aconteceu. Pode ler para mim?

Agora sua expressão está cheia do que parece ser medo, como se ela tivesse medo demais de voltar para aquela noite. Ou medo demais de me levar até aquela noite com ela. Dá para entender, e me sinto mal por pedir isso, mas eu quero saber.

Preciso saber.

Se vou me ajoelhar diante de Patrick e Grace quando for implorar para que eles lhe deem uma chance, preciso conhecer totalmente a pessoa pela qual estou lutando. Mas, a esta altura, nada do que ela dissesse me faria mudar de ideia a seu respeito. Sei que ela é uma boa pessoa. Uma boa pessoa que teve uma noite ruim. Isso é algo que acontece com boas pessoas. Com más pessoas. Com *todos* nós. Alguns de nós apenas têm mais sorte do que outros, e nossos momentos ruins causam menos vítimas.

Mudo a forma como estou segurando o volante e digo:

— Por favor. Preciso saber, Kenna.

Mais um momento de silêncio se passa, então ela pega o celular e destrava a tela. Pigarreia. O vidro da minha janela está um pouco aberto, então o subo completamente para que fique mais silencioso dentro da cabine da picape.

Ela parece tão nervosa. Antes de começar a ler, estendo o braço e ponho uma mecha solta de seu cabelo atrás da sua orelha, para demonstrar solidariedade... ou alguma outra coisa, não sei. Quero apenas tocá-la e mostrar que não a estou julgando.

Só preciso saber o que aconteceu. Só isso.

CAPÍTULO TRINTA E TRÊS

KENNA

Querido Scotty,
Seu carro era o meu lugar preferido. Não sei se cheguei a
te dizer isso.

Era o único lugar onde a gente conseguia ficar realmente
a sós. Eu ansiava pelos dias em que nossos horários coin-
cidiam e você ia me buscar no trabalho. Eu entrava no seu
carro e era como se eu sentisse todo o conforto acolhedor de
um lar. Você sempre tinha um refrigerante para mim, e, nos
dias em que sabia que eu ainda não tinha jantado, deixava
uma porção pequena de batata frita do McDonald's no
porta-copos, porque sabia que eram as minhas preferidas.

Você era um doce. Sempre fazia gentilezas por mim.
Eram pequenos gestos aqui e ali, gestos em que a maioria
das pessoas não pensa. Você era mais do que eu merecia,
embora não concordasse com isso.

Já pensei tantas vezes sobre o dia em que você morreu
que, uma vez, anotei todos os segundos daquele dia. É óbvio
que, em boa parte, era uma estimativa. Não sei se realmente
passei um minuto e meio escovando os dentes naquela manhã.
Ou se o intervalo que fiz no trabalho realmente durou quin-
ze minutos e zero segundo. Ou se a gente realmente passou
cinquenta e sete minutos na festa a que fomos naquela noite.

Tenho certeza de que meus cálculos estão errados por alguns minutos aqui e ali, mas, na maior parte do tempo, consigo narrar tudo o que aconteceu naquele dia. Até mesmo as coisas que eu preferia esquecer.

Um colega seu da universidade ia dar uma festa, e você tinha dividido apartamento com ele no primeiro ano letivo e disse que devia dar uma passada lá por causa dele. Fiquei chateada por ter de ir à festa, mas, pensando bem, acho que foi uma boa ideia você ter visto a maioria dos seus amigos naquela noite. Sei que isso foi importante para eles depois da sua morte.

Apesar de ter ido, você não curtia mais aquilo e eu sabia que você não queria estar lá. Você tinha deixado as festas de lado e estava começando a se concentrar nos aspectos mais importantes da vida. Tinha acabado de se formar e passava seu tempo livre ou estudando ou comigo.

Eu sabia que a gente não ia demorar, então achei uma poltrona num canto da sala de estar e fiquei sentada enquanto você falava com o pessoal. Não sei se você percebeu, mas fiquei te observando durante todos os 57 minutos que passamos lá. Você era tão magnético. Os olhos das pessoas se alegravam ao te ver. Grupos se formavam ao seu redor, e, ao ver alguém que ainda não tinha cumprimentado, você tinha a maior reação e fazia a pessoa se sentir como o centro da festa.

Não sei se isso era algo que você praticava, mas tenho a sensação de que você nem sequer sabia que tinha esse tipo de poder: o poder de fazer os outros se sentirem valorizados e importantes.

Mais ou menos no minuto 56, você me viu sentada no canto sorrindo para você. Aproximou-se de mim, ignorando todos ao redor, e de repente eu era o foco de toda a sua atenção.

Você me fixou com seu olhar, e eu sabia que era valorizada. Que era importante. Você se sentou do meu lado na poltrona, beijou meu pescoço e sussurrou no meu ouvido:

— Me desculpe por ter te deixado só.

Você não tinha me deixado só. Eu passara todo aquele tempo com você.

— Quer ir agora? — você perguntou.

— Não se você estiver se divertindo.

— Você está se divertindo?

Dei de ombros. Consegui pensar em muitas outras coisas mais divertidas do que a festa. Pelo sorriso que se abriu no seu rosto, percebi que você achava o mesmo.

— Quer ir para o lago?

Fiz que sim, pois aquelas eram minhas três coisas preferidas: aquele lago. Seu carro. Você.

Você roubou uma caixa com doze cervejas, nós saímos de fininho e fomos de carro até o lago.

A gente tinha um lugar preferido para onde íamos em algumas noites. O caminho era por uma estrada secundária, de cascalho, e você disse que a conhecia porque acampava lá com seus amigos. Não era longe de onde eu dividia apartamento, então às vezes você chegava no meio da noite, a gente ia para lá e transava no cais, ou dentro da água, ou no seu carro. De vez em quando, a gente ficava para ver o sol nascer.

Naquela noite em específico, estávamos com a cerveja que você tinha pegado na festa e um resto de comestíveis de maconha que você comprara de um amigo na semana anterior. Deixamos a música alta e fomos nos agarrar dentro da água. Não transamos naquela noite. Às vezes a gente só se agarrava, e eu gostava muito dessa sua característica, pois sempre odiei o fato de que, nos namoros, o casal para de apenas se agarrar quando o sexo começa a fazer parte da rotina.

Mas, com você, a pegação sempre era tão especial quanto o sexo.

Você me beijou na água como se fosse a última vez que fosse me beijar na vida. Fico me perguntando se não sentiu alguma espécie de receio ou premonição e se não foi por isso que me beijou daquela maneira. Ou vai ver eu me lembro tão bem daquele beijo só porque foi o nosso último.

Saímos da água, e estávamos deitados nus no cais sob o luar, o mundo girando acima de nossas cabeças.

— Quero bolo de carne — você disse.

Dei uma risada, pois era algo tão aleatório de se dizer.

— Bolo de carne?

Você sorriu e respondeu:

— Isso. Não seria uma boa? Bolo de carne e purê de batata. — Você se sentou no cais e me entregou minha camiseta seca. — Vamos lá na lanchonete.

Você tinha bebido mais do que eu, então me pediu para dirigir. Não era nosso estilo beber e dirigir, mas acho que estávamos nos sentindo invencíveis sob aquele luar. Éramos jovens e estávamos apaixonados, e é óbvio que ninguém morre quando está no momento mais feliz da vida.

Também estávamos chapados, então nossas decisões estavam um pouco mais comprometidas naquela noite, mas, por algum motivo, você me pediu para dirigir. E, por algum motivo, eu não lhe disse que não deveria dirigir.

Entrei no carro sabendo que tinha tropeçado no cascalho ao estender o braço para a porta. Fui para trás do volante mesmo assim, apesar de ter precisado piscar bem forte para conferir que a marcha estava no ponto morto e não na ré. Mesmo assim, decidi ir embora do lago dirigindo, apesar de estar bêbada demais para lembrar como diminuir o volume. O rádio estava tocando Coldplay tão alto que meus ouvidos doíam.

Nem chegamos muito longe antes que acontecesse. Você conhecia as estradas mais do que eu. Eram de cascalho, e eu estava indo rápido demais e não sabia que a curva era tão acentuada.

Você disse, "Desacelere", mas disse meio que alto, e aquilo me assustou, então pisei forte no freio, mas agora sei que pisar forte no freio numa estrada de cascalho faz a pessoa perder totalmente o controle do veículo, especialmente quando está bêbada. Eu girava o volante para a direita, mas o carro continuava indo para a esquerda como se estivesse escorregando no gelo.

Muitas pessoas têm sorte após um acidente de carro, pois não se lembram dos detalhes. Elas têm recordações de coisas que aconteceram antes e depois do acidente, mas, com o passar do tempo, cada segundinho daquela noite acabou reaparecendo na minha memória, quer eu quisesse ou não.

Seu carro conversível estava com o teto abaixado, e quando ele atingiu a vala e começou a virar, só consegui pensar que precisávamos proteger nossos rostos, pois o vidro do para-brisa poderia nos cortar.

Aquele foi meu maior medo no momento. Um pouco de vidro. Não vi minha vida toda passar diante dos meus olhos. Só me preocupei com o que aconteceria com o para-brisa.

Porque é óbvio que ninguém morre quando está no momento mais feliz da vida.

Senti meu mundo inteiro se inclinar e depois senti o cascalho na minha bochecha.

O rádio ainda estava com Coldplay nas alturas.

O motor ainda estava ligado.

Senti um nó na garganta e não consegui nem mesmo gritar, mas não achei que precisasse. Eu não parava de pensar no seu carro nem no quanto você deveria estar puto comigo.

Me lembro de sussurrar, "Me desculpe mesmo", como se sua maior preocupação fosse ter de chamar o reboque.

Tudo aconteceu rápido demais, mas naquele momento eu estava calma. Achei que você também estivesse. Fiquei esperando você me perguntar se eu estava bem, mas a gente estava de cabeça para baixo num conversível, e tudo o que eu tinha bebido naquela noite estava se revirando no meu estômago, e senti o peso da gravidade como nunca. Achei que eu fosse vomitar e que precisava me virar, então achei meu cinto com dificuldade e, quando finalmente o apertei, lembro que caí. Foi apenas alguns centímetros, mas foi inesperado e dei um grito.

Ainda assim, você não me perguntou se eu estava bem.

Estava escuro, e percebi que talvez estivéssemos presos, então me estendi e toquei no seu braço para que você nos guiasse. Eu sabia que você acharia um jeito de sairmos dali. Eu contava com você para tudo, e sua presença era o único motivo pelo qual eu ainda estava calma. Eu nem estava mais preocupada com seu carro, pois sabia que você se preocuparia mais comigo do que com o carro.

E não é como se eu estivesse dirigindo rápido demais ou descuidadamente. Eu estava só um pouquinho bêbada e um pouquinho chapada, mas foi muita estupidez achar que um pouquinho não era demais.

Nós só capotamos porque batemos numa vala, e, como o teto estava abaixado, pensei que os danos seriam mínimos. Talvez uma ou duas semanas na oficina, e depois o carro que eu tanto amava, o carro que era como um lar para mim, ficaria bem. Assim como você. Assim como eu.

— Scotty.

Daquela vez, balancei seu braço ao dizer seu nome. Queria que você soubesse que eu estava bem. Pensei que você estivesse em estado de choque e que era por isso que estava tão quieto.

Depois que você não se moveu e que percebi que seu braço estava apenas pendurado, batendo na pista que de alguma maneira tinha se tornado nosso teto, a primeira coisa que pensei foi que você devia ter desmaiado. Mas quando afastei minha mão para conseguir me virar, ela estava coberta de sangue.

De sangue que deveria estar correndo pelas suas veias.

Não consegui compreender. Eu não conseguia imaginar como um acidente bobo numa estrada secundária que nos deixou numa vala poderia realmente nos machucar. Mas aquele era seu sangue.

Na mesma hora me aproximei de você, mas, como você estava de cabeça para baixo e ainda de cinto, não consegui puxá-lo para perto de mim. Tentei, mas você não se mexeu. Virei seu rosto na minha direção, mas você parecia estar dormindo. Seus lábios estavam um pouco abertos e seus olhos, fechados. Você estava igualzinho a todas as vezes que passamos a noite juntos e que acordei com você dormindo ao meu lado.

Tentei te puxar, mas você continuou sem se mexer, porque o carro estava em cima de parte do seu corpo. Seu ombro e seu braço estavam presos, e não consegui puxá-lo para fora do carro nem alcançar seu cinto de segurança. E, apesar de estar escuro, percebi que o luar reflete no sangue da mesma maneira como reflete no oceano.

Seu sangue estava por toda parte. O carro inteiro estava de cabeça para baixo, deixando tudo ainda mais confuso. Onde estavam seus bolsos? Onde estava seu celular? Eu precisava de um celular, então fiquei tateando à procura de um pelo que pareceu uma eternidade, mas não consegui encontrar nada além de pedras e vidro.

O tempo inteiro, fiquei murmurando seu nome, com os dentes rangendo.

— Scotty. Scotty, Scotty, Scotty.

Era uma oração, mas eu não sabia rezar. Ninguém jamais me ensinara. Me lembrava apenas da oração que você fez na casa dos seus pais, antes do jantar, e das orações que eu ouvia Mona, a senhora que cuidou de mim no programa de acolhimento, fazer. Mas eu só tinha ouvido orações para agradecer pelas refeições, e eu só queria que você acordasse, então repeti seu nome sem parar na esperança de que Deus conseguisse me ouvir, mesmo sem ter certeza de que ele estava me dando atenção.

Naquela noite, certamente parecia que não tinha ninguém nos dando atenção.

O que vivenciei naqueles momentos foi indescritível. A gente acha que sabe como vai reagir em uma situação apavorante, mas a questão é a seguinte: não se consegue pensar numa situação apavorante. Deve haver um motivo pelo qual nos desconectamos tanto dos nossos próprios pensamentos em momentos de puro terror. Mas era exatamente assim que eu estava me sentindo. Desconectada. Partes de mim se moviam sem que meu cérebro soubesse o que estava acontecendo. Minhas mãos buscavam coisas que eu nem sabia direito que estava procurando.

Fui ficando histérica, pois a cada segundo que se passava eu percebia melhor o quanto minha vida seria diferente a partir daquele momento. Percebia que aquele segundo alterara o caminho onde nós dois estávamos, qualquer que fosse ele, e que as coisas jamais seriam as mesmas, e que todas as partes de mim que tinham se desconectado naquele acidente jamais se reconectariam por completo outra vez.

Rastejei para fora do carro pelo espaço entre o chão e a minha porta e, quando fiquei de pé, vomitei.

Os faróis estavam iluminando uma fileira de árvores, mas aquela luz não nos ajudava em nada, então fui correndo para o lado do passageiro para te soltar, mas não consegui. Lá estava seu braço, saindo de debaixo do carro. O luar fazia brilhar seu sangue. Peguei sua mão e a apertei, mas estava fria. Eu ainda estava murmurando seu nome.

— Scotty, Scotty, Scotty, não, não, não.

Fui até o para-brisa e tentei quebrá-lo aos chutes, mas, apesar de ele já estar rachado, não consegui quebrá-lo o suficiente para passar por ele ou para te tirar lá de dentro.

Me ajoelhei e encostei o rosto no vidro, e foi então que vi o que tinha feito com você. Aquilo me fez perceber uma dura realidade: por mais que você ame alguém, ainda assim é capaz de lhe fazer coisas terríveis.

Foi como se uma onda da dor mais intensa possível tivesse passado por cima de mim. Meu corpo foi levado por ela. Ela começou pela minha cabeça e eu me curvei, chegando até meus dedos dos pés. Soltei um grunhido e solucei, e quando voltei para o carro a fim de tocar sua mão outra vez, não havia nada. Nenhuma pulsação no seu punho. Nenhum batimento cardíaco na sua palma. Nenhum calor na ponta dos seus dedos.

Gritei. Gritei tanto que, depois, não consegui fazer mais nenhum barulho.

E então entrei em pânico. É a única maneira de descrever o que me aconteceu.

Não consegui encontrar nossos celulares, então comecei a correr para a rodovia. Quanto mais longe eu chegava, mais confusa ficava. Eu não conseguia assimilar que o que tinha acontecido era real nem que o que estava acontecendo era *real. Eu estava correndo por uma rodovia com um sapato só. Eu conseguia me ver como se estivesse na frente de mim* mesma, correndo *na minha direção, como se fosse um pesadelo, sem fazer nenhum progresso.*

Não foram as lembranças do acidente que demoraram para reaparecer na minha cabeça. Foi aquele momento. A parte da noite que foi abafada pela descarga de adrenalina e pela histeria que me derrubaram. Comecei a fazer barulhos que não sabia que era capaz de fazer.

Não conseguia respirar, porque você estava morto, e como eu deveria respirar quando você nem tinha ar? Foi a pior coisa que percebi em toda a minha vida, e então caí de joelhos e gritei na escuridão.

Não sei quanto tempo passei na beira da estrada. Havia carros passando por mim, e eu ainda estava com seu sangue nas minhas mãos, e estava assustada e irritada e não conseguia tirar o rosto da sua mãe da minha cabeça. Eu tinha te matado e todos iam sentir sua falta, e você não estaria mais presente para fazer as pessoas se sentirem valorizadas ou importantes, e a culpa era minha, e eu só queria morrer.

Não me importava com mais nada.

Eu só queria morrer.

Fui para o meio da pista quando deveria ser mais ou menos umas 23h, e um carro precisou desviar para não me atropelar. Tentei três vezes, com três carros diferentes, mas nenhum deles bateu em mim, e todos os motoristas ficaram putos por eu estar no meio da rodovia no escuro. Buzinaram para mim e me xingaram, mas ninguém acabou com a minha vida nem me ajudou. Eu já tinha caminhado mais de 1,5km e não sabia a que distância do meu prédio eu estava, mas sabia que se eu conseguisse chegar lá poderia me jogar da varanda do meu apartamento no quarto andar, pois naquele momento eu não conseguia pensar em mais nada para fazer. Eu queria estar com você, mas na minha cabeça você não estava mais preso debaixo do carro após o acidente. Estava em outro lugar, flutuando na escuridão, e eu tinha decidido que me juntaria a você, pois onde estava o meu propósito de vida? Você era o meu único propósito.

Comecei a encolher a cada segundo que se passava, até me sentir invisível.

E essa é a última coisa de que me lembro. Houve um longo período de nada entre o momento em que te deixei e eu ter percebido que te deixei.

Horas.

Disseram à sua família que voltei a pé para casa e peguei no sono, mas não foi exatamente isso que aconteceu. Tenho quase certeza de que desmaiei de choque, pois quando os policiais bateram à porta do meu quarto na manhã seguinte e abri os olhos, eu estava no chão. Percebi uma pequena poça de sangue ao lado da minha cabeça. Devo ter batido a cabeça quando caí, mas não tive tempo de investigar porque havia policiais dentro do meu quarto e um deles estava com uma das mãos no meu braço, me levantando.

Foi a última vez que vi meu quarto.

Lembro que Clarissa, que dividia o apartamento comigo, pareceu ficar horrorizada — mas não por mim; estava horrorizada por si mesma, como se tivesse morado com uma assassina durante todo aquele tempo sem nem fazer ideia daquilo. Seu namorado, cujo nome a gente nunca conseguia lembrar — Jason ou Jackson ou Justin —, consolava-a como se eu houvesse arruinado o dia dela.

Quase pedi desculpas a ela, mas não consegui conectar meus pensamentos à minha voz. Eu tinha perguntas, estava confusa, estava fraca, estava sofrendo. No entanto, o senti-

mento mais forte de todos a me avassalar naquele momento foi minha solidão.

Mal sabia eu que aquele sentimento se tornaria perpétuo. Permanente. Quando me colocaram no banco de trás da viatura, eu soube que minha vida tinha chegado ao auge com você e que nada depois de você importaria mais.

Houve um antes *de você e um* durante *você. Por algum motivo, nunca imaginei que haveria um* depois *de você.*

Mas havia, e eu estava nele.

Estarei nele para sempre.

Ainda não terminei de ler, mas minha garganta está seca e estou emocionalmente exausta e com medo do que Ledger está pensando de mim no momento. Ele está segurando o volante com tanta força que as articulações de seus dedos ficaram pálidas.

Pego minha garrafa de água e dou um longo gole. Ledger dirige o percurso inteiro até sua casa e, ao chegarmos, ele põe o câmbio no ponto morto e apoia o cotovelo na porta. Ele não me olha.

— Continue lendo.

Agora minhas mãos estão tremendo. Não sei se consigo continuar sem chorar, mas acho que ele não se importaria se eu lesse chorando. Dou outro gole e começo a ler o próximo capítulo.

Querido Scotty,
O que aconteceu na sala de interrogatório foi exatamente assim:

Eles: Quanto você bebeu?
Eu: Silêncio
Eles: Quem a levou para casa depois do acidente?
Eu: Silêncio

Eles: Você está sob o efeito de alguma substância ilegal?

Eu: Silêncio

Eles: Você ligou para a emergência?

Eu: Silêncio

Eles: Sabia que ele ainda estava vivo quando você fugiu da cena?

Eu: Silêncio

Eles: Sabia que ele ainda estava vivo quando o encontramos uma hora e meia atrás?

Eu: Gritos

Muitos gritos.

Gritos até eles me colocarem de volta na cela e me dizerem que vêm me buscar quando eu me acalmar.

Quando eu me acalmar.

Eu não me acalmei, Scotty.

Acho

que

perdi

a

cabeça

um

pouquinho

naquele

dia.

Eles me levaram para a sala de interrogatório mais duas vezes nas 24 horas seguintes. Eu não tinha dormido, estava de coração partido, não conseguia comer nem beber nada.

Eu só. Queria. Morrer.

E então, quando eles me contaram que você ainda estaria vivo se eu simplesmente tivesse ligado para a emergência, eu realmente morri. Era uma segunda-feira, eu acho. Dois dias depois do nosso acidente. Às vezes tenho vontade de comprar uma lápide e mandar inscreverem essa data nela, apesar de eu continuar fingindo que não estou morta. Meu epitáfio diria: Kenna Nicole Rowan — faleceu dois dias após a morte do seu amado Scotty.

Não tentei ligar para a minha mãe no meio de tudo aquilo. Eu estava deprimida demais para ligar para qualquer pessoa. E como é que eu telefonaria para meus amigos da minha cidade e contaria o que eu tinha feito?

Eu estava envergonhada e triste, então ninguém da minha vida antes de eu te conhecer sabia o que eu havia feito. E como você tinha falecido e sua família inteira me odiava, ninguém foi me visitar.

Escolheram um defensor público para mim, mas não tinha ninguém para pagar minha fiança. Eu nem teria para onde ir se pudesse pagá-la. Me senti à vontade dentro da cela, então não me incomodei. Se eu não podia estar com você no seu carro, o único lugar onde eu queria estar era naquela cela, sozinha, onde poderia recusar a comida que me davam e torcer para que um dia meu coração parasse de bater como achei que o seu tinha parado naquela noite.

Acontece que seu coração ainda estava batendo. Tinha sido apenas seu braço que morrera. Eu poderia contar os detalhes horrendos de como seu braço foi tão terrivelmente esmagado e estraçalhado no acidente que o fluxo sanguíneo foi completamente interrompido e que foi por isso que toquei em você e achei que estivesse morto e que, apesar de tudo isso, você ainda recobrou a consciência e saiu do carro e tentou chamar o socorro que nunca levei para você.

Eu teria percebido isso se tivesse ficado mais tempo com você ou tentado mais. Se eu não tivesse entrado em pânico, nem saído correndo, nem deixado a adrenalina tomar meu corpo a ponto de me tirar dos limites da realidade.

Se eu tivesse conseguido ficar tão calma quanto você sempre era, você ainda estaria vivo. Provavelmente estaríamos criando juntos a filha que você nem chegou a saber que geramos. Provavelmente já teríamos dois filhos a esta altura, ou talvez três, e acho que eu estaria trabalhando como professora, ou enfermeira, ou escritora, ou alguma outra coisa que você certamente teria me dado forças para perceber que eu era capaz de fazer.

Meu Deus, eu sinto a sua falta.

Sinto tanto a sua falta, mesmo que meus olhos nunca tenham expressado isso de uma maneira que fosse satisfazer os outros. Às vezes me pergunto se meu estado mental não influenciou minha pena. Eu estava vazia por dentro, e tenho certeza de que esse vazio era perceptível nos meus olhos sempre que eu tinha de olhar para alguém.

Não me importei com a primeira audiência duas semanas após sua morte. O defensor público disse que iria me defender — que tudo que eu precisava fazer era me declarar inocente e que ele provaria que eu não estava em pleno gozo das minhas faculdades mentais naquela noite e que minhas ações não foram propositais e que eu estava muito, muito, muito, muito, muito arrependida.

Mas não me importei com as sugestões do defensor. Eu queria ser presa. Não queria voltar para um mundo onde eu precisaria me deparar com carros e com estradas de cascalho, ou escutar Coldplay no rádio, ou pensar em todas as coisas que eu teria que fazer sem você.

Quando paro para pensar agora, percebo que aquilo era um estado depressivo profundo e perigoso, mas acho que ninguém percebeu isso, ou talvez ninguém se importasse mesmo. Todos eram #TimeScotty, como se a gente nem fosse do mesmo time. Todos queriam justiça, e infelizmente

*justiça e empatia não cabiam naquele tribunal ao mesmo
tempo.*

Mas o que é curioso é que eu estava do lado deles. *Eu
queria justiça* por eles. *Eu me compadecia* deles. *Da sua
mãe, do seu pai, de todas as pessoas da sua vida que lotaram
aquele tribunal.*

*Eu me declarei culpada, para o desespero do meu de-
fensor. Era necessário. Quando eles começaram a contar as
coisas pelas quais você passou depois que te deixei naquela
noite, percebi que eu preferiria morrer a enfrentar um
julgamento e ouvir os detalhes. Era tudo horrível demais,
como se eu estivesse vivendo uma história de terror, e não
minha própria vida.*

Me desculpe, Scotty.

*Consegui dessintonizar tudo aquilo apenas repetindo
incessantemente essa frase na cabeça.* Me desculpe, Scotty.
Me desculpe, Scotty. Me desculpe, Scotty.

*Marcaram outra audiência para a fixação da pena, e foi
em algum momento entre essas duas audiências que percebi
que não menstruava há um tempo. Pensei que meu ciclo
tinha se bagunçado, então não contei para ninguém. Caso
eu tivesse descoberto antes que parte de você estava crescendo
dentro de mim, tenho certeza de que eu teria encontrado
disposição para ir a julgamento e para lutar por mim mesma.
Para lutar pela nossa filha.*

*Quando chegou a data da fixação da pena, tentei não
ouvir nada enquanto sua mãe lia sua declaração, mas cada
palavra que ela falou ainda está cravada nos meus ossos.*

*Fiquei pensando no que você me contou enquanto me
carregava nas costas naquela noite na sua casa — que os
dois queriam ter mais filhos, mas que você tinha sido o
milagre deles.*

Naquele momento, só consegui pensar nisso. Eu tinha matado o milagre deles, e agora eles não tinham nenhum filho, e era tudo minha culpa.

Eu tinha planejado fazer minha declaração, mas estava fraca e arrasada demais; então quando chegou a hora de me levantar e falar, não consegui. Fisicamente, emocionalmente, mentalmente. Eu estava grudada naquela cadeira, mas tentei me levantar. Meu defensor agarrou meu braço para que eu não caísse e depois acho que ele leu alguma coisa em voz alta por mim, não sei. Ainda não sei o que aconteceu no tribunal naquele dia, pois foi muito parecido com aquela noite. Era um pesadelo que eu estava vendo acontecer a distância.

Minha visão estava limitada. Eu sabia que havia pessoas ao meu redor e sabia que o juiz estava falando, mas meu cérebro estava tão exausto que eu não conseguia compreender o que ninguém dizia. Não reagi nem mesmo quando o juiz proferiu minha sentença, pois não consegui assimilá-la. Foi somente mais tarde, depois que me colocaram no soro por causa da desidratação, que descobri que eu tinha sido condenada a sete anos de prisão, com a possibilidade de liberdade condicional antes.

"Sete anos", lembro de ter pensado. "Que absurdo. Deveria ser bem mais."

Tento não pensar no que você deve ter vivenciado no carro depois que fui embora. O que será que você pensou de mim? Achou que eu tinha sido jogada para fora do carro? Você me procurou? Ou sabia que eu tinha te deixado sozinho?

É o tempo que você passou sozinho naquela noite que assombra todos nós, pois jamais vamos saber o que você viveu. O que você pensou. Quem você chamou. Como foram seus últimos minutos.

Não consigo imaginar uma maneira mais dolorosa de obrigar seus pais a viverem o resto da vida.

Às vezes me pergunto se não é por isso que Diem está aqui. Talvez Diem tenha sido sua maneira de garantir que seus pais ficariam bem.

Porém, ao mesmo tempo, não ter Diem na minha vida significaria que essa é sua maneira de me punir. Tudo bem. Eu mereço.

Planejo lutar por ela, mas sei que mereço isso.

Todas as manhãs, eu acordo e peço desculpas em silêncio. A você, a seus pais, a Diem. Ao longo do dia, silenciosamente agradeço aos seus pais por criarem nossa filha, já que nós dois não podemos fazer isso. E todas as noites peço desculpas outra vez antes de dormir.

Me desculpe. Obrigada. Me desculpe.

Esse é o meu dia que se repete todos os dias.

Me desculpe. Obrigada. Me desculpe.

Minha pena não foi justa, considerando a maneira como você morreu. A eternidade não seria uma pena justa. Mas espero que sua família saiba que minhas ações naquela noite não se basearam em egoísmo. Foram o horror e o choque e o sofrimento e a confusão e o terror que me afastaram de você naquela noite. Mas nunca egoísmo.

Não sou uma pessoa má, e sei que você sabe disso, onde quer que esteja. E sei que você me perdoa. É quem você é. Só espero que um dia nossa filha também me perdoe. E seus pais também.

Quem sabe assim, por algum milagre, eu não consiga começar a me perdoar.

Até então, amo você. Sinto sua falta.

Me desculpe.

Obrigada.
Me desculpe.
Obrigada.
Me desculpe.
E de novo...

CAPÍTULO TRINTA E QUATRO

KENNA

Fecho o arquivo. Não consigo ler mais. Meus olhos estão cheios de lágrimas. Fico surpresa por ter conseguido ler tanto sem chorar, mas tentei não assimilar as palavras enquanto as lia em voz alta.

Coloco o celular de lado e enxugo os olhos.

Ledger não se mexeu. Ele está na mesma posição, encostado na porta do motorista, olhando para a frente. Minha voz não está mais preenchendo sua picape. Agora há apenas um silêncio pesado e nada convidativo, tanto que chega um momento em que Ledger parece não aguentar mais. Ele escancara a porta e sai do carro. Vai até a traseira e começa a descarregar a mesa sem dizer nada.

Observo-o pelo espelho retrovisor. Depois que a mesa está no chão, ele pega uma das cadeiras. Há uma pausa antes de ele jogar uma cadeira em cima da mesa. Sinto o tinido alto no meu peito.

Então Ledger pega a segunda cadeira e a arremessa furiosamente no quintal. Ele está insano. Não consigo ficar olhando.

Me inclino para a frente e pressiono as mãos no rosto, me arrependendo de ter lido para ele uma palavra que fosse das cartas. Não faço ideia se ele está zangado com a situação, ou comigo, ou se jogar cadeiras é apenas seu jeito de processar cinco anos de emoções.

— Porra! — grita ele logo antes de eu escutar o estrondo da última cadeira.

Sua voz reverbera pela mata densa que cerca sua propriedade. A picape inteira balança quando ele bate a tampa traseira. E então há apenas silêncio. Quietude.

O único som que consigo escutar é minha respiração rápida e fraca. Tenho medo de sair da picape, pois não quero ficar cara a cara com Ledger caso ele esteja com alguma raiva de mim.

Queria saber se a raiva é de mim.

Engulo o nó que se forma na garganta quando escuto seus passos no cascalho. Ele para na minha porta e a abre. Ainda estou inclinada para a frente com o rosto enterrado nas mãos, mas acabo as afastando e olhando hesitantemente para Ledger.

Ele está com as mãos no teto da picape e se apoiando na minha porta. Sua cabeça está encostada no seu braço erguido. Seus olhos estão vermelhos, mas sua expressão não está cheia de ódio. Nem de raiva. Na verdade, ele parece arrependido, como se soubesse que seu acesso de raiva me assustou e agora estivesse se sentindo mal.

— Não estou com raiva de você. — Ele pressiona os lábios e olha para baixo. Balança lentamente a cabeça. — É muita coisa para assimilar, só isso.

Faço que sim, mas não consigo falar, porque meu coração está em disparada e minha garganta parece inchada, e não sei muito bem o que dizer.

Ledger ainda está me olhando quando tira as mãos do teto da picape. Seus olhos encontram os meus quando ele estende o braço para o interior do veículo e põe a mão direita na minha coxa esquerda e a esquerda debaixo do meu joelho direito. Ele me puxa para a beira do banco para que eu fique de frente para ele.

Em seguida, Ledger põe meu rosto entre as mãos e o inclina para que eu o olhe. Expira lentamente pela boca, como se fosse difícil dizer o que ele está prestes a dizer.

— Sinto muito por você ter perdido Scotty.

Depois disso, não consigo mais conter o choro. É a primeira vez que alguém reconhece que, naquela noite, eu também perdi Scotty. Acho que Ledger nem consegue entender o quanto suas palavras importam para mim.

A aflição se espalha pelo seu rosto enquanto ele continua.

— E se Scotty estiver vendo como estamos te tratando? — Uma lágrima se forma e escorre por sua bochecha. É só uma lágrima solitária, o que me deixa muito triste. — Eu faço parte de tudo isso que vem destruindo você ao longo de todos esses anos, Kenna. Me desculpe. Me desculpe mesmo.

Coloco a mão no seu peito, bem acima do seu coração.

— Tudo bem. O que eu escrevi não muda nada. Continua sendo minha culpa.

— Não está tudo bem. Está tudo errado.

Ele me balança nos seus braços com a bochecha pressionada no topo da minha cabeça. Faz círculos nas minhas costas com a mão direita para me tranquilizar.

Ledger me abraça assim por um bom tempo. Não quero que ele me solte.

Ele é a primeira pessoa com quem consegui compartilhar todos os detalhes daquela noite, e eu não sabia se isso iria melhorar ou piorar a situação. Mas estou me sentindo melhor, então talvez isso signifique alguma coisa.

Parece que um peso foi removido. Não o peso da âncora que me mantém presa debaixo da superfície — ela só vai ser erguida quando eu tiver minha filha nos braços. No entanto, uma pequena parte da minha dor se prendeu à compaixão dele, e parece que ele está me puxando fisicamente para cima, permitindo que eu respire por alguns minutos.

Ele acaba recuando um pouco para ver como estou. Deve ter visto algo no meu semblante que lhe deu vontade de me consolar, pois ele me beija a testa com delicadeza enquanto põe carinhosamente meu cabelo atrás da orelha. Beija a ponta do meu nariz e me dá um leve selinho.

Acho que ele não estava esperando que eu fosse retribuir seu beijo, mas o que sinto por ele nunca foi tão intenso. Agarro sua camisa com os punhos cerrados e imploro silenciosamente para que sua boca me dê um beijo bem mais completo, o que ele faz.

Seus beijos parecem ao mesmo tempo cheios de perdão e promessas. Imagino que os meus devam soar para ele como pedidos de desculpa, pois sempre que a gente se separa, ele volta querendo mais.

Acabo me deitando, e ele está com metade do corpo dentro da picape, em cima de mim, com nossas bocas coladas.

Quando estamos até embaçando todos os vidros, ele se afasta do meu pescoço e me olha por uma fração de segundo. É rápido; só uma centelha, um flash. Mas por esse gesto percebo que ele quer mais, e eu também quero, então assinto e então ele se afasta e abre o porta-luvas. Pega uma camisinha e começa a abrir a embalagem com os dentes, apoiando-se num braço. Aproveito a oportunidade para tirar a calcinha e subir minha saia longa até a cintura.

Ele abre a embalagem, mas depois para.

Os segundos começam a se prolongar enquanto ele me encara em silêncio, reflexivo.

Em seguida, ele joga a camisinha para o lado e inclina o corpo em cima do meu novamente. Dá um leve selinho nos meus lábios. Sinto seu hálito quente na minha bochecha quando ele diz:

— Você merece uma cama.

Passo a mão no seu cabelo.

— Não tem cama aqui?

Ele balança a cabeça.

— Negativo.

— Nem um colchão inflável?

— Nas duas primeiras vezes, a gente transou num colchão inflável. Você merece uma cama de verdade. E não, também não tem colchão inflável aqui.

— E uma rede, tem?

Ele sorri, mas balança a cabeça.

— Um tapete de yoga? Não sou exigente.

Ele dá uma risada e beija meu queixo.

— Pare com isso, senão a gente vai acabar transando aqui mesmo na picape.

Enrosco as pernas em sua cintura.

— E *por que* isso seria ruim?

Ele geme no meu pescoço, então ergo os quadris e ele desiste.

Ele pega a camisinha e termina de abri-la. Enquanto isso, abro o zíper de sua calça jeans.

Ele põe a camisinha e me puxa para a beira do banco. A picape tem a altura perfeita para isso. Nenhum de nós precisa se ajustar ou mudar de posição. Ele apenas agarra meus quadris e me penetra, e, apesar de não ser uma cama de verdade, é tão bom quanto foi ontem à noite.

CAPÍTULO TRINTA E CINCO

LEDGER

Não sei como encontrei forças para me afastar dela por tempo o suficiente para entrar na casa e começar a trabalhar no piso.

Imaginei que ela ficaria sentada me olhando ou que escreveria no seu caderno, mas assim que lhe falei que precisava trabalhar na obra, ela perguntou como poderia ajudar.

Já faz três horas. Passamos a maior parte do tempo trabalhando, fazendo breves intervalos ocasionais para tomar água e nos beijar mais um pouco, mas terminamos boa parte do que vai ser o piso da sala de estar.

Já teríamos terminado se ela não estivesse vestindo essa camisa com essa saia. Ela tem engatinhado pelo chão, me ajudando a instalar a madeira, e sempre que olho para ela consigo ver todo o seu decote. Estou tão distraído que nem sei como não acabei me machucando.

Não conversamos sobre nada de importante desde que saímos da picape. É como se tivéssemos deixado tudo de relevante dentro dela, decidindo não trazer nada pesado para dentro da casa.

O dia já foi tão pesado; estou fazendo tudo que posso para criar um clima leve. Nós dois estamos. Não mencionei a carta desde que entramos aqui. Ela não mencionou a medida protetiva; eu não mencionei o Dia das Mães sob este teto; não conversamos sobre o que nossa nova conexão física significa nem sobre como vamos lidar com isso. Acho que nós dois sabemos que vamos conversar sobre esses assuntos, mas agora parece que estamos em sintonia e que tudo que queremos hoje é ficar nos curtindo.

Acho que Kenna e eu estávamos precisando do dia de hoje. Especialmente Kenna. Ela sempre parece estar carregando o mundo inteiro nas costas, mas hoje parece estar flutuando. Parece que a gravidade não a afeta em nada.

Nas últimas horas, ela sorriu e riu mais do que desde o dia em que a conheci. Me pergunto se eu mesmo não era uma grande parte do peso que ela estava carregando.

Kenna encaixa a madeira do lado dela e pega uma garrafa de água. Percebe que estou encarando seu decote e ri.

— Parece que nem consegue mais me olhar nos olhos.

— Acho que estou obcecado pela sua camisa. — Ela costuma usar camisetas, mas esta camisa em particular tem um decote na frente e é feita de um tecido elegante, e, agora que ela passou três horas trabalhando, ele está começando a grudar em todas as partes do corpo onde está suada. — É uma camisa bonita pra caralho.

Ela ri, e quero beijá-la outra vez. Engatinho até ela e, quando me aproximo, pressiono minha boca na sua com tanta força que ela cai para trás no chão. Beijo-a enquanto ela ri e vou para cima dela.

Odeio não ter nenhum móvel. Acabamos nos deitando no piso de madeira que estamos instalando, e é uma sensação gostosa, mas faria de tudo para beijá-la sobre algo mais confortável. Algo tão macio quanto sua boca.

— Você nunca vai terminar este piso — sussurra ela.

— O piso que se dane.

Nós nos beijamos por alguns minutos e fica cada vez melhor. Nos puxamos e nos agarramos e nos provamos, e é um pouco caótico, e sua camisa que eu amo pra caralho acaba indo parar em algum lugar no chão perto da gente.

Estou admirando seu sutiã, beijando a pele logo acima dele, quando ela sussurra:

— Estou com medo. — Suas mãos estão no meu cabelo, e ela as deixa nele quando me ergo o suficiente para olhá-la. — E se eles descobrirem sobre a gente antes de você ter a oportunidade de contar? Estamos sendo descuidados.

Não quero que ela pense nisso hoje, porque o dia está sendo bom e eles estão viajando, então não adianta nos preocuparmos com isso antes de eles voltarem. Dou um beijo reconfortante em sua testa.

— Não adianta a gente se preocupar — digo. — Eles estão viajando. O que quer que aconteça vai acontecer, quer a gente se agarre agora ou não.

Ela sorri quando digo isso.

— Tem razão.

Ela põe a mão ao redor do meu pescoço e me puxa de volta para a sua boca.

Eu me abaixo em cima dela, mas depois sussurro:

— Qual é a pior coisa que pode acontecer se eu tiver que te esconder para sempre? Você viu o meu closet, Kenna. Ele é imenso. Você vai adorá-lo.

Ela ri na minha boca.

— Posso colocar um frigobar e uma televisão para você. Quando eles vierem visitar, você pode simplesmente entrar no seu closet e fingir que está de férias.

— Você é terrível, não devia brincar com isso — diz ela, mas rindo.

Beijo-a até pararmos de rir, então saio de cima dela e me deito do seu lado, olhando-a.

É a primeira vez que nos encaramos sem sentirmos que precisamos desviar o olhar. Ela é tão perfeita, cacete.

Mas não digo isso em voz alta porque não quero menosprezar nenhuma de suas outras características maravilhosas elogiando seu rosto de modo superficial. Assim eu estaria desvalorizando o quanto a acho inteligente, compassiva, determinada e vivaz.

Desvio a vista do seu rosto impecável e passo o dedo bem lentamente no centro do seu decote até sua pele se arrepiar.

— Preciso terminar o piso. — Ponho a mão no seu seio e o apalpo delicadamente. — Pare de me distrair com essas coisas aqui. Vista sua camisa.

Ela ri na mesma hora em que alguém pigarreia do outro lado da sala.

Sento-me depressa e me movo imediatamente para bloquear a vista de Kenna de quem quer que esteja na minha casa.

Ergo o olhar e vejo meus pais parados na soleira da porta, encarando o teto. Kenna se afasta rapidamente de mim e pega sua camisa.

— Meu Deus — sussurra ela. — Quem são eles?

— Meus pais — murmuro. Juro que me envergonhar é o hobby preferido deles. Aumento o tom de voz para que eles me escutem. — Que legal que vocês me avisaram que iam passar aqui hoje!

Ajudo Kenna a se levantar, e meus pais ainda estão olhando para tudo, menos para nós dois, enquanto eu a ajudo a vestir a camisa.

Meu pai diz:

— Eu pigarreei quando nós dois entramos. Precisa de um aviso melhor ainda, é?

Não estou tão morto de vergonha quanto deveria estar. Talvez eu esteja ficando imune às travessuras dos dois. Mas Kenna não é imune a elas.

Agora que ela está vestida e meio que atrás de mim, meu pai aponta para o trabalho que estávamos fazendo.

— Pelo jeito você progrediu bastante... no piso.

— De mais de uma maneira — diz minha mãe, divertindo-se. Kenna encosta o rosto no meu braço. — Quem é sua amiga, Ledger?

Minha mãe está sorrindo, mas ela tem muitos sorrisos diferentes e nem sempre eles significam algo meigo. Seu sorriso de agora é o que aparece quando ela está entretida. É seu sorriso de *estou-me-divertindo-demais*.

— É a... hum... — Não faço ideia de como apresentar Kenna a eles. Nem sei que nome devo dizer. Eles certamente reconheceriam o nome dela se eu dissesse Kenna, mas não tenho tanta certeza de que eles não vão reconhecer seu rosto, então nem adiantaria mentir. — É a... minha nova funcionária. — Preciso perguntar a Kenna como ela quer que eu lide com isso. Ponho o braço ao redor do seu ombro e a levo até o quarto. — Com licença, precisamos combinar nossas mentiras — digo por cima do ombro.

Kenna e eu chegamos ao quarto, onde eles não nos veem, e ela me encara de olhos arregalados.

— Você não pode dizer quem eu sou — sussurra.

— Não posso mentir para eles. Minha mãe provavelmente vai reconhecê-la depois que der uma olhada melhor em você. Ela estava no tribunal no dia em que proferiram a pena, e nunca se esquece de nenhum rosto. Ela também sabe que você está de volta à cidade.

Kenna parece prestes a se encolher. Começa a andar de um lado para o outro, e vejo o peso do mundo começar a reaparecer nos seus ombros.

— Eles me odeiam?

Sinto um aperto no coração ao ouvir a pergunta, principalmente porque ela está começando a lacrimejar. E é só neste momento que percebo que ela imagina que todos que conheciam Scotty devem odiá-la.

— Não. É óbvio que eles não te odeiam.

Enquanto digo essas palavras, percebo que não tenho certeza de que são verdadeiras. Meus pais ficaram arrasados quando Scotty faleceu. Ele era tão importante para os dois quanto eu sou para Patrick e Grace. Mas acho que nunca conversei com meus pais especificamente sobre a opinião deles a respeito de Kenna. Foi mais de cinco anos atrás. Não me lembro das conversas que tivemos nem do que eles pensavam sobre tudo que havia acontecido. E hoje em dia nós mal falamos do assunto.

Kenna percebe que estou refletindo e fica um pouco nervosa.

— Não pode apenas me levar para casa? Saio escondida pelos fundos e te encontro na picape.

Quer meus pais saibam ou não quem Kenna é, ela não sabe como meus pais são. Não sabe que não tem nada com o que se preocupar.

Coloco as mãos no seu rosto.

— Kenna. Eles são meus pais. Mesmo te reconhecendo, eles me apoiarão de qualquer jeito. — Minhas palavras a acalmam um pouco. — Vou te apresentar como Nicole, depois te levo para casa e mais tarde lido com eles e com a verdade. Tudo bem? Eles são boas pessoas. Você também.

Ela faz que sim, então lhe dou um beijo rápido, seguro sua mão e saio com ela do quarto. Agora eles estão na cozinha, inspecionando todas as coisas novas que Roman e eu fizemos desde que eles estiveram aqui pela última vez. Ao perceberem que voltamos, os dois se encostam casualmente no balcão, ansiando pela apresentação de Kenna.

Estendo a mão na direção dela.

— Esta é a Nicole. — Estendo a mão na direção dos meus pais. — Minha mãe, Robin. Meu pai, Benji.

Kenna sorri e aperta a mão dos dois, mas depois volta para o meu lado como se estivesse com medo de se afastar demais. Pego sua mão que está na lateral do seu corpo, coloco-a nas suas costas e a aperto para tranquilizá-la um pouco.

— Que surpresa boa ver que não está sozinho — diz minha mãe. — Achamos que ia passar o dia meio tristinho aqui, sem ninguém.

Tenho medo de perguntar.

— Por que eu estaria tristinho?

Minha mãe ri e se vira para o meu pai.

— Está me devendo dez paus, Benji. — Ela estende a mão, meu pai tira a carteira e bate na sua palma com a nota de dez dólares. Ela a guarda no bolso da calça jeans. — Fizemos uma aposta para ver se você ia lembrar que sua viagem de lua-de-mel seria hoje.

Por que não estou surpreso?

— Qual dos dois apostou que eu ia esquecer o Dia das Mães?

Minha mãe ergue a mão.

— Eu não esqueci. Vá ver seu e-mail. Mandei um vale presente porque não fazia ideia de para onde mandar flores esta semana.

Minha mãe tira a nota de dez dólares do bolso e a devolve para o meu pai. Ela vem até mim e finalmente me abraça.

— Obrigada. — Ela não olha para Kenna, porque a porta do terraço rouba sua atenção no meio do abraço. — Ah, nossa! Ficou ainda melhor do que imaginei!

Ela me solta e passa por nós para ir mexer na porta sanfonada.

Meu pai ainda está de olho em mim e em Kenna. Dá para perceber que ele vai tentar ser educado e incluí-la na conversa, mas sei o quanto ela deseja ser ignorada neste momento.

— Nicole precisa ir para o trabalho — digo bruscamente. — Vou dar uma carona a ela, e depois posso encontrar vocês em casa.

Minha mãe faz um *hum* atrás de mim.

— Acabamos de chegar aqui — diz ela. — Eu queria ver tudo o que você fez na casa.

Meu pai ainda está prestando atenção em Kenna.

— O que você faz, Nicole? Além de... — Ele gesticula na minha direção. — Além de dar uma mãozinha para o Ledger.

Kenna arqueja baixinho e responde:

— Nossa. Tá. Bem, eu não... *dou uma mãozinha*... para o Ledger.

Pressiono sua mão outra vez, pois meu pai falou isso sem *nenhuma* malícia.

— Acho que ele queria saber o que você faz além de... *trabalhar*... pra mim. — Ela está me olhando inexpressivamente. — Porque falei que você era minha funcionária, mas depois menti e disse que você precisava ir para o trabalho, e eles sabem que meu bar fecha aos domingos, então ele acha que você tem outro trabalho além do bar e perguntou o que você faz além de...

Agora estou tagarelando, o que só torna o momento ainda pior, pois meus pais estão ouvindo a conversa e sei que estão se divertindo pra cacete.

Minha mãe voltou para o lado do meu pai e está sorrindo, parecendo satisfeita.

— Por favor, me leva para casa — implora Kenna.

Faço que sim.

— Pois é. Isso está sendo uma tortura.

— Ah, mas eu estou adorando — diz minha mãe. — Acho que é o melhor Dia das Mães que já tive.

— E nós dois pensando que ele ia estar triste porque não se casou... — responde meu pai. — O que acha que ele está planejando para o Dia dos Pais?

— Nem consigo imaginar — diz minha mãe.

— Vocês dois me matam de vergonha. Tenho quase 30 anos. Quando é que isso vai parar?

— Você tem 28 anos — diz minha mãe. — Não é quase trinta. Vinte e *nove* é que é quase trinta.

— Vamos — digo para Kenna.

— Não, traga ela para o jantar — implora minha mãe.

— Ela não está com fome. — Saio da casa com Kenna. — A gente se vê em casa!

Estamos quase na minha picape quando percebo o que significa deixar meus pais sozinhos. Paro e digo:

— Já volto.

Aponto para a picape, indicando para Kenna ir até lá sem mim. Eu me viro, volto para a casa e apareço na porta.

— Não transem na minha casa.

— Ah, qual é — diz meu pai. — Nós nunca faríamos isso.

— É sério. É minha casa nova, e vocês dois não vão estreá-la assim. Deus me livre.

— Não vamos fazer isso — diz minha mãe, me enxotando.

— E, de todo jeito, estamos ficando velhos demais para essas coisas — responde meu pai. — Velhos mesmo. Nosso filho já tem quase *trinta* anos.

Me afasto da porta e gesticulo para eles irem embora.

— Saiam. Vão embora. Não confio em nenhum dos dois. — Espero ambos se juntarem a mim do lado de fora e depois tranco a porta da frente. Aponto para o carro deles. — Nos vemos lá em casa.

Vou até minha picape e ignoro a conversa entre eles. Espero meus pais darem marcha a ré, e então eu e Kenna suspiramos ao mesmo tempo.

— Às vezes eles são cansativos — admito.

— Nossa. Aquilo foi...

— Típico dos dois.

Olho para ela, que está sorrindo.

— Foi vergonhoso, mas eu meio que gostei deles — diz ela. — Mesmo assim, não vou jantar com vocês.

Dá para entendê-la. Passo a ré e aponto para o meio do banco. Agora que ultrapassamos o limite que tínhamos estabelecido, quero que ela fique o mais perto possível de mim. Ela desliza

305

pelo banco até ficar bem do meu lado, e ponho minha mão no seu joelho enquanto saio da casa.

— Você faz muito isso — diz ela.

— Isso o quê?

— Você aponta o tempo inteiro. É falta de educação.

Ela não parece estar ofendida; parece estar achando graça.

— Eu não *aponto* o tempo inteiro.

— Aponta, sim. Percebi isso na primeira noite em que entrei no seu bar. Foi por isso que deixei você me beijar; achei sensual a maneira como você ficava apontando para as coisas.

Sorrio.

— Você acabou de dizer que acha isso falta de educação. Acha que ser mal-educado é sensual?

— Não. Acho que gentileza é sensual. Talvez *falta de educação* tenha sido o termo errado. — Ela encosta a cabeça no meu ombro. — Acho *sexy* quando você aponta.

— É mesmo? — Tiro as mãos de seu joelho e aponto para uma caixa de correio. — Está vendo aquela caixa de correio? — Depois aponto para uma árvore. — Veja só aquela árvore. — Começo a pisar no freio quando nos aproximamos de uma placa de "Pare" e aponto para ela. — Veja só isso, Kenna. O que é isso? Porra, isso é um pombo?

Ela inclina a cabeça e me olha com uma expressão curiosa. Quando paro totalmente perto da placa, ela diz:

— Scotty dizia isso de vez em quando. O que a frase significa?

Balanço a cabeça.

— É só algo que ele costumava dizer.

Patrick é o único que sabe a origem da frase, e, embora não haja nenhum grande segredo ou história por trás dela, ainda quero guardá-la para mim. Kenna não insiste. Ela apenas ergue a cabeça e me beija antes que eu siga em frente. Ela está sorrindo, e é tão bom vê-la assim. Olho para a rua outra vez e ponho a mão no seu joelho de novo.

Ela apoia a cabeça no meu ombro e, depois de um instante em silêncio, diz:

— Eu queria ter visto você com Scotty. Aposto que vocês dois se divertiam juntos.

Adoro o fato de ela ter admitido isso em voz alta. É gostoso de ouvir, pois em algum momento todos nós vamos precisar superar o fato de que Scotty faleceu daquela maneira. Acho que estou numa fase em que quero que as lembranças dele sejam acompanhadas apenas de sentimentos positivos. Quero poder conversar sobre ele com os outros, especialmente com seu pai, mas de uma maneira que não faça Patrick chorar.

Todos nós conhecíamos Scotty, mas cada um o conhecia de um jeito diferente. Todos temos lembranças diferentes dele. Acho que seria bom se Patrick e Grace ouvissem as lembranças que Kenna tem de Scotty e que mais nenhum de nós tem.

— Eu queria ter visto *você* com Scotty — admito.

Kenna beija meu ombro e apoia a cabeça em mim novamente. Ficamos em silêncio até eu erguer a mão e apontar para um cara de bicicleta.

— Veja só aquela bicicleta. — Aponto para o posto de gasolina que se aproxima. — Veja só aquelas bombas de combustível. — Aponto para uma nuvem. — Veja só aquela nuvem.

Kenna ri e solta um grunhido ao mesmo tempo.

— *Para com isso.* Você está estragando o lado sexy da coisa.

Deixei Kenna na casa dela, relutantemente, duas horas atrás. Talvez eu tenha demorado 15 minutos para parar de beijá-la por tempo o bastante para voltar à picape, mas eu não queria ir embora. Queria passar o resto da tarde com ela, e talvez até a *noite inteira*, mas meus pais são dois idiotas que não ligam para se programar e sempre aparecem nos piores momentos.

Pelo menos agora foi no meio do dia. Uma vez eles chegaram às 3h da manhã, e acordei com meu pai escutando Nirvana nas alturas no quintal e preparando bifes na churrasqueira.

Meu pai fez hambúrgueres esta noite, e terminamos de jantar cerca de uma hora atrás. Passei o jantar inteiro esperando que eles perguntassem alguma coisa sobre Kenna. Ou sobre Nicole, na verdade. Mas nenhum deles disse nada. Conversamos apenas sobre as últimas aventuras deles na estrada e sobre minhas últimas aventuras com Diem.

Os dois ficaram decepcionados quando souberam que Diem e os Landry estavam viajando. Sugeri que, da próxima vez, eles ligassem com antecedência quando quisessem passar aqui. Seria mais fácil para todos nós.

Meus pais sempre se deram bem com os pais de Scotty, mas os Landry tiveram Scotty já mais velhos, então os dois têm um pouco mais de idade do que meus pais. Eu poderia dizer que eles são mais maduros do que meus pais, mas *imaturos* não é a palavra certa para descrever os dois: eles são só um pouco mais despreocupados e desorganizados. Eu não chegaria a dizer que os quatro são exatamente próximos, mas eles têm um vínculo por causa de Scotty e de mim.

E já que Diem é como uma filha para mim, ela é como uma neta para os meus pais. O que significa que Diem é importante para eles e que ambos desejam o melhor para ela.

E é provavelmente por isso que, assim que meu pai vai para o quintal limpar a churrasqueira, minha mãe vem para o banco da cozinha e abre para mim um de seus muitos sorrisos. Agora é o sorriso *você-tem-um-segredo-desembucha-logo*.

Ignoro minha mãe e seu sorriso e continuo lavando o restante da louça. Mas ela diz:

— Vem aqui conversar comigo antes que seu pai volte.

Seco as mãos e me sento do outro lado do balcão. Ela está me encarando como se já soubesse meus segredos. Não fico surpreso: quando digo que minha mãe nunca esquece um rosto, estou falando sério. É como um superpoder.

— Os Landry sabem? — pergunta ela.

Eu me faço de bobo.

— Sabem de quê?

Ela inclina a cabeça para o lado.

— Sei quem ela é, Ledger. Eu a reconheci no dia em que ela apareceu no bar.

Espera aí. O quê?

— No dia em que você estava bêbada?

Ela faz que sim. Parando para pensar, eu me lembro de vê-la encarando Kenna quando ela entrou no meu bar naquele dia. Por que minha mãe não comentou nada comigo? Ela nem disse nada quando falei com ela ao telefone alguns dias depois e contei que Kenna tinha voltado.

— Da última vez que nos falamos, você me disse que ela ia sair da cidade — diz ela.

— E ela vai sair. — Me sinto culpado ao dizer isso, pois realmente espero que não seja verdade. — Ou *ia* sair. Não sei mais.

— Patrick e Grace sabem que vocês dois estão...

— Não.

Minha mãe expira suavemente pela boca.

— O que você está fazendo?

— Eu não sei — respondo com sinceridade.

— Isso não vai acabar bem.

— Eu sei.

— Você a ama?

Expiro lenta e pesadamente pela boca.

— Com certeza não a odeio mais.

Ela toma um gole de vinho e faz uma pausa para assimilar a conversa.

— Bem. Espero que você faça a coisa certa.

Arqueio a sobrancelha.

— E o que é a coisa certa?

Minha mãe dá de ombros.

— Não sei. Mas espero que você faça.

Dou uma risada rápida.

— Valeu pelo não conselho.

— É para isso que estou aqui: evitar esse assunto chamado criação de filhos. — Ela sorri e estende o braço por cima do balcão para apertar minha mão. — Sei que preferia estar com ela agora. A gente não se incomoda se você nos abandonar esta noite.

Hesito por um instante, não porque não quero ir para a casa de Kenna, mas porque estou surpreso de ver que minha mãe sabe quem ela é e que, mesmo assim, ela aceita isso.

— Acha que Kenna é culpada? — pergunto-lhe após uma breve pausa.

Minha mãe me olha com sinceridade.

— Scotty não era meu filho, então lamento por todos os envolvidos. Até mesmo por Kenna. Mas se o que aconteceu com Scotty tivesse acontecido com você, não posso dizer que eu não teria feito o mesmo que Patrick e Grace. Acho que, numa tragédia dessa dimensão, todos podem estar certos *e também* errados. No entanto — diz ela —, eu sou sua mãe. Se você acha que tem algo de especial nela, então eu sei que tem algo de especial nela.

Reflito sobre suas palavras, mas depois pego minhas chaves e meu celular e lhe dou um beijo na bochecha.

— Vocês vão estar aqui amanhã?

— Sim, vamos passar dois ou três dias aqui. Eu digo ao seu pai que você mandou boa-noite para ele.

CAPÍTULO TRINTA E SEIS

KENNA

Estou tomando uma ducha quando escuto alguém bater à porta. Fico assustada porque é uma batida forte e incessante. Lady Diana não faria isso, e ela é a única pessoa que já esteve aqui além de Ledger.

Acabei de enxaguar o condicionador do cabelo, então abro a porta do banheiro e grito:

— Pera aí!

Tento secar o máximo possível do corpo e do cabelo com a toalha para que eu não saia molhando tudo até a porta do apartamento.

Visto uma camiseta e uma calcinha, pego minha calça jeans e vou até a porta para olhar pelo olho mágico. Quando vejo que é Ledger, destranco a porta e começo a vestir a calça enquanto ele entra.

Ele parece ficar surpreso com o fato de que não estou totalmente vestida. Fica parado me encarando até eu abotoar a calça. Dou um sorriso.

— Abandonou seus pais?

Ele me puxa para me beijar, mas sou pega de surpresa porque este beijo é mais do que um beijo. Tem muita coisa por trás da maneira como sua boca pressiona a minha; é como se ele não me visse há semanas, mas apenas umas três horas se passaram.

— Você está tão cheirosa — diz ele, pressionando o rosto no meu cabelo molhado.

Suas mãos descem pelas minhas coxas e me erguem, e eu enrosco as pernas em sua cintura. Ele nos leva até o sofá e nos acomoda ali.

— Isto não é uma cama — provoco.

Ele mordisca meu lábio inferior.

— Tudo bem, não estou mais tão cuidadoso quanto tentei ser mais cedo. Agora eu transaria com você em praticamente qualquer lugar.

— Se isso for acontecer, talvez seja melhor me colocar ali no colchão inflável, pois este sofá tem uma procedência questionável.

Sem nem hesitar, ele me ergue e me põe no colchão, mas, enquanto ele beija meu pescoço, Ivy começa a miar. Ela sobe no colchão e começa a lamber a mão de Ledger, que para de me beijar e olha para a minha gata.

— Que constrangedor.

— Vou deixá-la no banheiro.

Levo a gatinha ao banheiro e a tranco lá dentro com água e comida. Desta vez, sou eu que me acomodo em cima de Ledger. Eu me sento nele, e suas mãos sobem e descem pelas minhas coxas enquanto seus olhos percorrem o meu corpo.

— Ainda está se sentindo bem em relação a isto? — pergunta ele.

— Isto o quê? Nós dois?

Ele faz que sim.

— Eu *nunca* me senti bem em relação a nós dois. Nós dois é uma péssima ideia.

Ele agarra a frente da minha camiseta e me puxa para baixo até nossas bocas quase se encostarem. Põe a outra mão na minha bunda.

— Estou falando sério.

312

Sorrio, pois ele não pode querer que eu fale sério enquanto está me agarrando deste jeito.

— Está tentando ter uma conversa séria comigo em cima de você?

Ele nos vira e fica em cima de mim.

— Eu trouxe camisinha. Quero tirar sua roupa. Quero transar com você de novo, mas acho que devo conversar com os Landry antes de a gente dar mais um passo.

— É só sexo.

Ele suspira e diz:

— Kenna.

Ele fala meu nome como se estivesse me repreendendo, mas depois pressiona a boca na minha, e é um beijo doce e suave e bem diferente de todos os outros que o precederam.

Entendo o que Ledger quer dizer, mas cansei de pensar nesse assunto, porque eu gostaria de, por um tempo, *não* pensar nisso. Sempre que estou com Ledger, só consigo pensar na minha situação. É difícil e, francamente, assustador.

Ergo a mão até sua bochecha e afasto dela um fiapinho do tecido do sofá.

— Quer mesmo saber o que estou sentindo?

— Quero. Foi por isso que perguntei.

— A preocupação fica se alternando. Você se preocupa, depois eu me preocupo, depois você se preocupa... mas não vamos resolver nada nos preocupando. Tenho a sensação de que isso não vai acabar bem. Ou talvez vá. Seja como for, nós dois gostamos de ficar juntos; então até que isso acabe bem ou acabe muito mal, não quero desperdiçar nosso tempo juntos pensando em um futuro que não temos como prever. Então tire logo a minha roupa e faça amor comigo.

Ledger balança a cabeça, mas está sorrindo.

— É como se você tivesse lido a minha mente.

Talvez, mas tudo que acabei de dizer é bem diferente do que estou sentindo.

O que estou sentindo, na verdade, é pavor. No fundo, sei que não tem nada que ele possa dizer que faça os Landry mudarem de ideia a meu respeito. Eles nem estão errados: a decisão que os dois tomaram pensando em si mesmos é a decisão certa, pois é a decisão que lhes traz mais paz.

E vou respeitá-la.

Depois desta noite.

Agora, no entanto, vou ser egoísta e me concentrar na única pessoa do mundo que parece me enxergar como eu gostaria que todos me enxergassem. E se isso significa mentir para ele e fingir que esta história pode ter um final feliz, é o que vou fazer.

Tiro sua camiseta, depois a minha, e então nossas calças jeans. Em questão de segundos, estamos pelados e ele está colocando a camisinha. Não sei o motivo da nossa pressa, mas estamos fazendo tudo com urgência. Beijando, tocando, arfando como se nosso tempo estivesse no fim.

Ele vai descendo pelo meu corpo com seus beijos até sua cabeça estar entre minhas pernas. Beija minhas duas coxas antes de me separar lentamente com a língua. A sensação é tão forte que pressiono os calcanhares no colchão e me deslizo para cima, fazendo-o segurar minhas coxas e puxar meu corpo de volta para sua boca. Estendo o braço em busca de alguma coisa para segurar, mas não tem nem uma manta, então deixo minhas mãos no seu cabelo, movendo-se no mesmo ritmo de sua cabeça.

Não demoro muito para atingir o orgasmo, e quando as sensações se espalham por mim e minhas pernas se contraem, Ledger intensifica o movimento com a língua. Tremo e gemo até não aguentar mais. Preciso senti-lo dentro de mim. Puxo seu cabelo até ele subir pelo meu corpo, e desta vez ele entra em mim de uma vez só e com rapidez.

Ele me penetra com força, várias vezes, e quando tudo acaba percebo que de alguma maneira fomos parar no chão ao lado do colchão inflável, cobertos de suor e ofegantes.

Acabamos indo tomar uma ducha juntos, com minhas costas em seu peito. A água escorre por nós dois enquanto ele me abraça em silêncio.

Quando penso em me despedir dele em algum momento, sinto vontade de me encolher e chorar. Assim, tento me convencer de que me enganei em relação aos Landry. Tento mentir para mim mesma, dizendo que tudo vai se resolver entre nós. Talvez não amanhã, talvez não este mês, mas espero que Ledger tenha razão. Talvez algum dia ele consiga fazê-los mudar de ideia.

Talvez ele lhes diga algo que seja como uma semente, e então a semente vai crescer e crescer até eles começarem a se compadecer da minha situação.

Me viro para ele, ergo a mão e toco sua bochecha.

— Eu teria me apaixonado por você mesmo que você não amasse Diem.

Sua expressão muda, e então ele beija a palma da minha mão.

— Eu me apaixonei por você por causa do tanto que você a ama.

Que droga, Ledger.

Dou-lhe um beijo em resposta às suas palavras.

CAPÍTULO TRINTA E SETE

LEDGER

A vida é engraçada. Eu devia estar acordando num resort à beira-mar ao lado da minha esposa novinha em folha, comemorando neste exato momento nossa lua-de-mel.

Em vez disso, estou acordando num colchão inflável num apartamento vazio ao lado de uma mulher que por muitos anos odiei. Se alguém tivesse me mostrado este momento numa bola de cristal no ano passado, eu teria me perguntado o que poderia ter acontecido que justificasse uma sequência de decisões terríveis.

Mas agora que estou neste momento, percebo que estou aqui porque finalmente tenho compreensão. Nunca tive tanta certeza das escolhas que fiz na minha vida quanto hoje.

Não quero que Kenna acorde ainda. Ela parece relaxada e preciso de um momento para formular um plano para hoje. Quero confrontar a questão o mais rápido possível.

Tenho medo do resultado, então boa parte de mim preferiria esperar algumas semanas para que Kenna e eu pudéssemos viver uma alegria secreta, cheios de esperança de que as coisas vão dar certo para ela.

No entanto, quanto mais a gente esperar, mais vamos ser descuidados. A última coisa que eu quero é que Patrick e Grace descubram que andei mentindo para eles antes que eu possa confrontá-los calmamente com meus argumentos.

Kenna move o braço para cobrir os olhos e depois se deita de lado. Ela se encosta em mim e geme.

— Está claro demais aqui.

Sua voz está rouca e sensual.

Passo a mão na sua cintura, no seu quadril, e depois agarro sua coxa, puxando sua perna para cima de mim. Beijo sua bochecha.

— Dormiu bem?

Ela ri no meu pescoço.

— *Dormir?* A gente transou três vezes e depois tivemos que dividir um colchão inflável de casal. Acho que dormi no máximo uma hora.

— Já passou das 9h. Você dormiu mais do que uma hora.

Kenna se senta.

— O quê? Achei que tivesse acabado de amanhecer. — Ela joga a coberta para o lado. — Era para eu estar no trabalho às 9h.

— Ih, merda. Eu te dou uma carona.

Procuro minhas roupas. Acho minha camisa, mas a gatinha de Kenna está dormindo enroscada nela. Tiro-a e a coloco no sofá, depois começo a vestir minha calça jeans. Kenna está no banheiro escovando os dentes. A porta está aberta, e ela está completamente pelada, então fico paralisado enquanto me visto porque a bunda dela é perfeita.

Ela vê pelo espelho que estou encarando e ri, depois fecha a porta do banheiro com um chute.

— Vá se vestir!

Termino de me vestir, mas depois entro no banheiro porque quero um pouco de pasta de dente. Ela se afasta para o lado enquanto enxagua a boca, e começo a espremer um pouco de pasta no meu dedo, mas ela abre uma gaveta e tira uma embalagem com uma escova de dente.

— Comprei um pacote que vem duas.

Ela me entrega a escova extra e sai do banheiro.

Terminamos nos encontrando na porta do apartamento.

— Que horas você larga?

Puxo-a para mim. Ela está com cheiro de menta fresca.

— Às 17h. — Nós nos beijamos. — A não ser que eu seja demitida. — Nos beijamos mais. — Ledger, preciso ir — murmura ela na minha boca.

Mas nos beijamos de novo.

Chegamos ao mercado às 9h45. Ela está 45 minutos atrasada, mas, quando paramos de nos despedir, está 50 minutos atrasada.

— Estarei aqui às 17h — digo quando ela está prestes a fechar a porta.

Ela sorri.

— Não precisa ser meu motorista só porque eu dei pra você.

— Eu era seu motorista *antes* de você dar para mim.

Ela fecha a porta, mas dá a volta na picape. Já abaixei meu vidro, e ela se aproxima e me dá um último beijo. Ao recuar, ela para por um instante. Parece querer dizer alguma coisa, mas fica calada. Apenas me encara em silêncio por alguns segundos, como se estivesse com algo na ponta da língua, mas depois se afasta e vai correndo para o mercado.

Estou a 1,5km de casa quando percebo que passei o caminho inteiro com um sorriso ridículo no rosto. Fecho a cara, mas é o tipo de sorriso que reaparece sempre que penso nela. E passei a manhã inteira pensando nela.

O trailer dos meus pais está ocupando toda a entrada da minha garagem, então estaciono no meio da rua, na frente de casa.

Grace e Patrick já voltaram. Ele está na frente de casa molhando a grama, e Diem está na entrada da garagem, sentada com um balde de giz.

Me obrigo a parar de sorrir — não que um mero sorriso pudesse revelar tudo que aconteceu nas últimas 24h, mas Patrick me conhece bem demais, e acabaria desconfiando que meu comportamento foi causado por uma garota. E assim ele faria perguntas. E assim eu teria de mentir para ele ainda mais do que já tenho mentido.

Diem se vira quando fecho a porta da picape.

— Ledger!

Ela olha para os dois lados antes de me encontrar no meio da rua. Pego-a no colo e lhe dou um abraço forte.

— Você se divertiu na casa da mãe do popô?

— Sim, a gente achou uma tartaruga e o popô me deixou ficar com ela. Está no meu quarto dentro de um negócio de vidro.

— Quero ver.

Coloco-a no chão e ela segura minha mão, mas, antes mesmo de chegarmos até a grama, Patrick e eu nos entreolhamos.

Imediatamente sinto um aperto no peito.

Ele está com a cara séria. Não me cumprimenta. Nunca o vi tão resignado.

Ele olha para Diem e diz:

— Daqui a um minutinho você mostra sua tartaruga. Preciso conversar com Ledger.

Diem não consegue sentir a tensão emanando dele, e é por isso que ela vai saltitando para dentro de casa enquanto estou paralisado na beira da grama que Patrick está despreocupada-mente molhando. Quando a porta de casa se fecha, ele não diz nada, apenas continua molhando a grama como se estivesse me esperando admitir que fiz merda.

Estou preocupado por mais de um motivo. Sua conduta deixa bem evidente que há algo de errado, mas, se eu disser algo pri-meiro, posso me enganar. Pode ter acontecido qualquer coisa. Talvez sua mãe esteja doente ou os dois tenham recebido más notícias que ele não quer que Diem escute.

Pode ser que seu comportamento não tenha nada a ver com Kenna, então o espero dizer o que quer que ele esteja tendo dificuldade para me contar.

Ele solta o esguicho e a mangueira. Aproxima-se de mim, e cada um de seus passos se alinha com as fortes batidas do meu coração. Ele para de andar a cerca de um metro de mim, mas meu coração continua batendo forte. Não gosto do silêncio entre nós dois. Dá para perceber que ele está prestes a me confrontar, e Patrick não gosta de confrontos. O fato de que ele não quer dizer algo de maneira indireta começando com o seu *bem...* habitual me deixa mais do que preocupado.

Tem algo o incomodando. Algo sério. Tento aliviar a tensão perguntando casualmente:

— Quando vocês chegaram?

— Hoje de manhã — diz ele. — Onde você estava?

Ele pergunta como se fosse meu pai e estivesse furioso por eu ter saído escondido de casa no meio da noite.

Nem sei o que dizer. Estou procurando alguma mentira que se encaixe bem neste momento, mas nenhuma parece boa o suficiente. Não posso dizer que tinha estacionado a picape na garagem, pois o trailer dos meus pais está bloqueando o acesso a ela. Não posso dizer que estava em casa, pois é óbvio que minha picape não estava lá.

Patrick balança a cabeça. Seu rosto se enche de uma decepção monumental.

— Ele era seu *melhor amigo*, Ledger.

Tento disfarçar quando inspiro. Ponho as mãos nos bolsos e baixo o olhar para os meus pés. Por que ele está dizendo isso? Não sei o que dizer. Não sei o que ele sabe. Não sei *como* ele sabe.

— Vimos sua picape no apartamento dela agora de manhã. — Sua voz está baixa, e ele não está me olhando. É como se ele não suportasse a pessoa que está na sua frente. — Eu tinha certeza de que era coincidência. Que alguém com uma picape igual à sua morava naquele prédio, mas, quando me aproximei para olhar melhor, vi o assento de Diem.

— Patrick...

— Está dormindo com ela?

Sua voz está monótona e grave de uma maneira inquietante. Estendo o braço por cima do peito e coloco a mão no ombro. Meu peito está tão apertado que parece que tem um torno comprimindo meus pulmões.

— Acho que nós três precisamos nos sentar e conversar sobre isso.

— Está *dormindo* com ela? — repete ele, agora bem mais alto.

Passo a mão no rosto, frustrado com a maneira como isso chegou ao ponto crítico. Eu só precisava de mais algumas horas e depois iria conversar com eles. Teria sido muito melhor.

— Todos nós nos enganamos a respeito dela — digo sem conseguir soar convincente; ele não vai assimilar nada do que eu disser neste momento, não quando está furioso desse jeito.

Ele deixa escapar uma risada desanimada, mas depois sua testa se franze muito tristemente e ele arqueia as sobrancelhas.

— Ah, é? Nós nos enganamos, é? — Ele dá um passo, aproximando-se de mim, finalmente me olhando nos olhos. — Ela não deixou meu filho morrendo? Seu melhor amigo não passou as últimas horas dele neste mundo numa estrada deserta, quase sem respirar, por causa dela?

Uma lágrima escapa, e ele a enxuga, furioso. Ele está tão puto que precisa expirar devagar pela boca para não gritar comigo.

— Foi um acidente, Patrick. — Minha voz sai quase como um sussurro. — Ela amava Scotty. Ela entrou em pânico e fez a escolha errada, mas pagou por isso. Em que momento podemos parar de culpá-la?

Ele decide responder à pergunta com o punho e me dá um soco na boca.

Não reajo, pois estou me sentindo tão culpado por eles terem descoberto desse modo que eu o deixaria me esmurrar mais um milhão de vezes e mesmo assim não me defenderia.

— Ei!

Meu pai está saindo correndo da minha casa, vindo em nossa direção. Patrick me bate de novo bem na hora em que Grace corre para fora de casa. Meu pai se posiciona entre nós antes que Patrick consiga desferir o terceiro soco.

— Que diabos foi isso, Pat? — grita meu pai.

Patrick não olha para ele. Está olhando para mim sem um pingo de arrependimento. Dou um passo à frente a fim de implorar para ele, pois não quero que esta conversa acabe agora que finalmente veio à tona, mas Diem corre para fora de casa. Patrick não a vê, e tenta me atingir novamente.

— Pelo amor de Deus! — grita meu pai, empurrando-o. — Pare!

Diem começa a chorar assim que percebe o tumulto. Grace estende o braço e começa a levá-la para dentro de casa, mas Diem quer ficar comigo. Ela estende o braço para mim, e não sei o que fazer.

— Quero ir com o Ledger — implora Diem.

Grace se vira parcialmente e me olha. Pela sua expressão de traição, dá para perceber que, neste momento, talvez ela esteja sofrendo mais do que Patrick.

— Grace, por favor. Me escute.

Ela me dá as costas e entra em casa com Diem. Escuto o choro de Diem mesmo depois que a porta se fecha, e sinto como se ela tivesse acabado de rasgar meu peito no meio.

— Nem se atreva a tentar impor suas escolhas a nós dois — diz Patrick. — Você pode escolher aquela mulher ou pode escolher

Diem, mas nem se *atreva* a tentar fazer nos sentir culpados por uma escolha que fizemos cinco anos atrás. Foi *você* que fez isso consigo mesmo, Ledger.

Patrick se vira e volta para dentro de casa.

Meu pai solta meu braço. Ele se move para ficar na minha frente, e tenho certeza de que vai tentar me acalmar, mas não lhe dou a oportunidade. Volto para minha picape e vou embora.

Vou para o bar, mas, em vez de entrar nele, bato à porta da escada de Roman. Bato constantemente, até ele abrir. Ele parece confuso, mas depois vê meu lábio ferido e diz:

— Ah, merda.

Ele dá um passo ao lado e sobe a escada para o seu apartamento atrás de mim.

Vou até a cozinha e molho algumas folhas de papel-toalha para limpar o sangue da boca.

— O que aconteceu?

— Passei a noite com Kenna. Os Landry descobriram.

— Foi *Patrick* que fez isso?

Faço que sim.

Roman semicerra os olhos.

— Você não bateu nele, né? Ele tem, tipo, uns sessenta anos.

— É óbvio que não, mas não por causa da sua idade. Ele é tão forte quanto eu. Não bati nele porque mereci isso. — Tiro da boca o papel-toalha coberto de sangue. Vou até o banheiro para dar uma olhada no meu rosto. Meu olho parece ok. Acho que vai ficar um pouco roxo, mas meu lábio está ferido por dentro. Acho que ele me bateu com tanta força que meu dente cortou meu lábio. — Merda. — Tem sangue escorrendo da minha boca. — Acho que vou precisar levar pontos.

Roman olha minha boca e faz uma careta.

— Que merda, cara. — Ele pega uma toalha de rosto, a molha e a entrega para mim. — Vamos, eu te levo para a emergência.

CAPÍTULO TRINTA E OITO

KENNA

Meus passos tornam-se ligeiramente mais saltitantes quando saio do mercado e avisto a picape de Ledger no estacionamento.

Ele me vê sair, então vem dirigindo na minha direção. Entro na picape e me aproximo no banco para beijá-lo. Ele não vira o rosto, então meus lábios encontram sua bochecha.

Eu me sentaria no meio, mas seu console está abaixado e ele está com uma bebida no porta-copos, então me sento no banco do passageiro e afivelo o cinto.

Ele está de óculos escuros e não me olhou desde que entrei no carro. Começo a ficar preocupada, mas então ele estende o braço por cima do console e segura minha mão, me tranquilizando. Estava começando a me preocupar achando que ele tinha passado o dia se arrependendo de ontem, mas, pelo modo como aperta minha mão, sinto que ficou feliz em me ver. Paranoia é algo irritante.

— Adivinha só.

— O quê?

— Fui promovida. Agora sou caixa. Vou ganhar mais dois dólares por hora.

— Que bom, Kenna.

No entanto, ele ainda não me olha. Solta minha mão e encosta o cotovelo na sua porta, apoiando a cabeça na mão esquerda enquanto dirige com a direita. Encaro-o por um tempo e me pergunto por que ele parece diferente. Mais quieto.

Minha boca está começando a ficar seca, então digo:

— Posso tomar um gole?

Ledger tira a bebida do porta-copos e me entrega.

— É chá gelado. De umas horas atrás.

Tomo um gole e o encaro o tempo inteiro. Devolvo o chá ao lugar.

— O que houve?

Ele balança a cabeça.

— Nada.

— Você conversou com eles? Aconteceu alguma coisa?

— Não foi nada — diz ele, com a voz rouca devido à mentira. Acho que ele percebeu que não soou convincente, pois, após uma pausa, ele continua. — Vamos para sua casa primeiro.

Eu me encolho no banco quando ele diz isso. A ansiedade passa por cima de mim como uma onda.

Não insisto para ele contar agora, porque estou com medo de descobrir o que o deixou tão tenso. Fico olhando pela janela o caminho inteiro até meu prédio, com a sensação de que esta é a última vez que Ledger Ward vai me levar para casa.

Ele entra no estacionamento e desliga o motor. Desafivelo o cinto e saio da picape, mas, depois de fechar a porta, percebo que ele ainda está sentado. Ele encosta o polegar no volante, parecendo absorto em seus pensamentos. Após vários segundos, finalmente abre a porta e sai.

Dou a volta na picape para ir até ele e observá-lo melhor, mas paro assim que ficamos frente a frente.

— Meu Deus. — Seu lábio está inchado. Eu me aproximo depressa enquanto ele puxa os óculos escuros para o topo da cabeça. É então que vejo o olho roxo. Tenho medo de perguntar, então digo, timidamente. — O que aconteceu?

Ele se aproxima de mim e põe o braço nos meus ombros, puxando-me para perto e apoiando o queixo no topo da minha cabeça. Por um instante, apenas me acomoda em seu corpo, depois me dá um beijo leve no lado da minha cabeça.

— Vamos lá para dentro.

Ele entrelaça a mão na minha e subimos a escada.

Quando entramos no meu apartamento, mal fecho a porta antes de lhe perguntar outra vez:

— O que aconteceu, Ledger?

Ele se encosta no balcão e segura minha mão. Puxa-me para perto e faz carinho no meu cabelo, olhando para mim.

— Eles viram minha picape aqui de manhã.

A migalha de esperança que eu tinha pela manhã imediatamente se dissipa.

— Ele *bateu* em você?

Ledger assente, e preciso me afastar e me recompor, porque estou nauseada. Quero chorar, pois Patrick deve ter ficado realmente muito furioso para bater em alguém. Pela maneira como Scotty e Ledger falaram dele, Patrick não me parece o tipo de pessoa que perde a cabeça com facilidade. O que significa que... eles me odeiam. Os dois me odeiam tanto que a ideia de Ledger comigo fez um homem calmo, normalmente gentil, surtar.

Eu tinha razão. Eles vão obrigá-lo a fazer uma escolha.

O pânico começa a se espalhar do meu peito para todas as outras partes do meu corpo. Tomo um gole de água e pego Ivy, que estava miando nos meus pés. Faço carinho nela, tento me consolar com sua presença: ela é minha única constante no momento, pois a história está acabando exatamente como eu previa. Sem nenhuma reviravolta.

Vim para cá com um objetivo, que era tentar estabelecer um relacionamento com os Landry e com minha filha. Mas os dois demonstraram que não é isso o que querem. Talvez eles não consigam lidar emocionalmente com esse cenário.

Ponho Ivy de novo no chão e cruzo os braços na frente do peito. Nem consigo olhar para Ledger quando lhe pergunto:

— Eles pediram que você parasse de me ver?

Ele expira, e seu suspiro é tudo que preciso saber. Tento manter a calma, mas só quero que ele vá embora. Ou talvez seja *eu* que precise ir embora.

Deste apartamento, desta cidade, deste estado. Quero ir para o mais longe possível da minha filha, pois quanto mais perto chego de Diem sem poder vê-la, mais me sinto tentada a simplesmente ir até a casa deles e pegá-la. Estou tão desesperada que, se eu passar muito tempo a mais aqui, posso acabar tendo uma atitude impensada.

— Preciso de dinheiro.

Ledger me olha como se não tivesse entendido a pergunta, ou como se não conseguisse compreender o motivo por trás do meu pedido.

— Preciso me mudar, Ledger. Posso te pagar de volta, mas preciso ir embora e não tenho dinheiro o bastante para arranjar um lugar novo para morar. Não posso ficar aqui.

— Espera aí — diz ele, dando um passo na minha direção. — Você vai embora? Vai desistir?

As palavras que ele escolhe me deixam com raiva.

— Eu diria que tentei pra cacete. Eles têm uma medida protetiva contra mim — eu não chamaria isso de desistir.

— E a gente? Você vai simplesmente ir embora?

— Não seja babaca. Isso é mais difícil para mim do que para você. E, no fim das contas, pelo menos você vai ficar com Diem.

Ele segura meus ombros, mas desvio o olhar, e ele põe uma mão em cada lado da minha cabeça. Inclina meu rosto e faz com que eu me concentre nele.

— Kenna, não. *Por favor.* Espere algumas semanas. Vamos ver o que acontece.

— A gente sabe o que vai acontecer. Nós dois vamos continuar nos encontrando às escondidas e vamos nos apaixonar, mas eles não vão mudar de ideia e vou ter que ir embora *do mesmo jeito*, mas doeria bem mais daqui a algumas semanas do que se eu fosse embora logo, de uma vez. — Vou até meu armário e pego minha mala. Abro-a, jogo-a em cima do colchão inflável e começo a jogar minhas coisas dentro. Posso pegar um ônibus até a cidade mais próxima e ficar num hotel até resolver para onde ir. — Preciso de dinheiro — repito. — Eu te pago de volta todos os centavos, Ledger. Prometo.

Ledger vem até mim com o passo firme e fecha minha mala.

— Pare. — Ledger me faz virar para ele, me puxa para perto e me abraça. — Pare. *Por favor.*

Já ficamos juntos por tempo demais. Isso já dói muito.

Pressiono as mãos na sua camisa e a agarro, com os punhos cerrados. Começo a chorar. Não suporto a ideia de não estar perto dele, de não ver seu sorriso, de não sentir seu apoio. Já estou com saudade, apesar de ainda estar bem aqui nos seus braços. No entanto, por mais que a ideia de deixá-lo me faça sofrer, acho que, na verdade, minhas lágrimas são pela minha filha. Sempre são por ela.

— Ledger — murmuro seu nome, afasto a cabeça do seu peito e olho para ele. — A única coisa que você pode fazer no momento é ir até lá e se desculpar. Diem precisa de você. Por mais que isso doa, se eles não conseguem superar o que lhes causei, não cabe a você consertar o que está quebrado dentro deles. Seu papel é apoiá-los, e você não vai conseguir fazer isso se eu estiver na sua vida.

Ele tensiona a mandíbula. Parece estar se segurando para não chorar, mas, ao mesmo tempo, parece saber que estou certa. Ele se afasta de mim e abre a carteira.

— Quer meu cartão de crédito? — pergunta ele, tirando-o.

Ele também pega várias notas de vinte. Parece estar bem chateado, furioso e frustrado enquanto tira o que tem na carteira. Joga o cartão e o dinheiro no balcão, aproxima-se de mim, beija minha testa e vai embora.

Ao sair, bate a porta.

Me inclino para a frente e encosto os cotovelos no balcão. Seguro minha cabeça com as duas mãos e choro ainda mais intensamente, pois estou com raiva por ter me permitido ficar esperançosa. Faz mais de cinco anos. Se fossem me perdoar, já teriam feito isso. Eles simplesmente não são de perdoar.

Há pessoas que encontram paz no perdão, e há outras que o encaram como uma traição. Para Patrick e Grace, me perdoar seria como trair o próprio filho. Só posso esperar que algum dia eles mudem de ideia, mas até lá minha vida é esta. E ela me trouxe até aqui.

É aqui que eu recomeço. *Outra vez.* E vou ser obrigada a fazer isso sem Ledger, sem seu apoio, sem ele acreditando em mim. Agora estou aos prantos, mas consigo ouvir a porta do apartamento quando ela se escancara.

Ergo a cabeça enquanto ele bate a porta e atravessa o apartamento. Ele me ergue e me põe em cima do balcão para ficarmos frente a frente, em seguida me beija com um desespero triste, como se fosse o último beijo que ele fosse me dar na vida.

Após interromper o beijo, ele me olha com determinação e diz:

— Vou ser a melhor pessoa possível para a sua filha. Prometo. Darei a ela a melhor vida e, quando ela perguntar sobre a mãe, vou dizer o quanto você é maravilhosa. Vou fazer questão que ela cresça sabendo o quanto você a ama.

Estou arrasada pra cacete agora, pois vou sentir tanta, tanta saudade dele.

Ele pressiona a boca inchada na minha, e eu o beijo delicadamente, porque não quero machucá-lo. Então nossas testas se encostam. Ele parece estar tendo dificuldade para manter a compostura.

— Me desculpe por não ter conseguido fazer mais por você.

Ele começa a recuar, afastando-se, e dói tanto vê-lo ir embora que fico encarando o chão.

Tem alguma coisa debaixo dos meus pés. Parece um cartão de visita, então saio do balcão e o pego. É o cartão de fidelidade das raspadinhas de Ledger. Deve ter caído da sua carteira quando ele tirou tudo dela.

— Ledger, espere. — Encontro-o na porta e lhe entrego o cartão. — Precisa levar isto aqui — digo, fungando para não chorar. — Está quase ganhando a raspadinha de brinde.

Ele ri em meio à dor e pega o cartão. Mas depois franze a testa e a encosta na minha.

— Estou com tanta raiva deles, Kenna. Não é justo.

Não é. Mas não é algo que está nas nossas mãos. Beijo-o uma última vez, aperto sua mão e dirijo a ele um olhar de súplica.

— Não os odeie. Tudo bem? Eles estão proporcionando uma vida boa à minha filhinha. Por favor, não os odeie.

Ele mal reage, mas ainda assim assente. Quando ele solta minha mão, não quero vê-lo ir embora, então vou para o meu banheiro e fecho a porta.

Alguns segundos depois, ouço a porta do meu apartamento se fechar.

Deslizo até o chão e caio em prantos.

CAPÍTULO TRINTA E NOVE

LEDGER

Nem entro na minha casa quando volto. Vou direto para a casa de Patrick e Grace e bato à porta.

Nunca houve uma escolha. Diem sempre será a garota mais importante da minha vida, independentemente do momento ou das outras pessoas. No entanto, isso não significa que não estou dividido pra cacete neste momento.

É Patrick quem abre a porta, mas logo Grace aparece ao seu lado. Acho que ela está com medo de que aconteça outra briga. Os dois parecem um pouco surpresos ao verem o estado dos meus ferimentos, mas Patrick não se desculpa. Nem espero isso dele.

Olho nos olhos dos dois.

— Diem queria me mostrar a tartaruga dela.

A frase é bem simples, mas diz muita coisa. Ela pode ser traduzida como: "Escolhi Diem. Vamos voltar a como as coisas eram antes."

Patrick me observa por um instante, mas Grace dá um passo ao lado e diz:

— Ela está no quarto.

É perdão e aceitação, mas não o perdão que eu realmente queria dos dois. No entanto, eu aceito.

Diem está no chão quando chego à sua porta. A tartaruga está a uns trinta centímetros dela, e ela está tentando atraí-la com um LEGO verde.

— Essa é sua tartaruga, é?

Diem endireita a postura e abre um sorriso.

— É.

Ela a pega e nós dois vamos até sua cama. Eu me sento e me encosto na cabeceira. Ela engatinha até o meio da cama e me entrega a tartaruga, depois se acomoda ao meu lado. Coloco o animal na minha perna, e ele começa a andar em direção ao meu joelho.

— Por que o popô bateu em você?

Ela está encarando meu lábio quando faz a pergunta.

— Às vezes os adultos tomam decisões ruins, D. Eu disse uma coisa que o magoou, e ele se chateou. Não é culpa dele. Foi culpa minha.

— Está com raiva dele?

— Não.

— O popô ainda está com raiva?

Muito provavelmente.

— Não. — Quero mudar de assunto. — Qual é o nome da sua tartaruga?

Diem a pega e a coloca no colo.

— Ledger.

Dou uma risada.

— Sua tartaruga tem o meu nome?

— Tem. Porque eu amo você.

Ela diz isso com a voz mais meiga, e sinto um aperto no coração. Queria que suas palavras tivessem sido direcionadas a Kenna.

Beijo o topo da sua cabeça.

— Também amo você, D.

Ponho a tartaruga no aquário, volto para a cama e fico com Diem até ela pegar no sono. Depois fico um tempinho a mais só para ter certeza de que ela dormiu.

Sei que Patrick e Grace a amam e sei que eles me amam, então a última coisa que eles fariam é separar nós dois. Eles podem estar com raiva, mas sabem o quanto Diem me ama, então mesmo que nós três não consigamos nos resolver, sei que sempre serei uma parte importante da vida de Diem. E enquanto eu estiver em sua vida, vou lutar pelo que é melhor para ela.

Era o que eu devia ter feito o tempo inteiro.

E o melhor para Diem é ter a mãe participando de sua vida.

Foi por isso que fiz o que fiz antes de sair do apartamento de Kenna.

Assim que Kenna fechou a porta do banheiro, fechei a porta do apartamento e fingi ir embora. Em vez disso, peguei seu celular. A senha foi fácil de adivinhar: era o aniversário de Diem. Abri seu Google Docs, encontrei o arquivo com todas as cartas para Scotty e o enviei para o meu e-mail antes de sair escondido.

Fico no quarto de Diem e me conecto à rede da impressora de Patrick e Grace pelo meu celular. Abro meu e-mail, encontro a carta que Kenna leu para mim e pulo todas as outras que ela escreveu para Scotty. Já violei demais sua privacidade ao mexer em seu celular e me enviar as cartas. Não planejo ler nenhuma das outras, a não ser que um dia ela diga que posso.

Hoje só preciso de uma delas.

Coloco para imprimir, fecho os olhos e fico esperando o barulho da impressora no escritório do Patrick do outro lado do corredor.

Espero a impressão terminar, saio escondido da cama de Diem e espero um instante no quarto para garantir que não a acordei. Ela está tendo um sono pesado, então saio de fininho e vou para o escritório de Patrick. Pego a carta na impressora e confiro se todo o conteúdo foi impresso.

— Me deseje sorte, Scotty — sussurro.

Quando saio do corredor, ambos estão na cozinha. Grace está olhando seu celular e Patrick está esvaziando o lava-louças. Os dois me olham ao mesmo tempo.

— Tenho algo a dizer e realmente não quero gritar, mas se for necessário eu grito. Então acho melhor irmos lá para fora, pois não quero acordar Diem.

Patrick fecha o lava-louças.

— Não queremos ouvir o que você tem a dizer, Ledger. — Ele gesticula em direção à porta. — É melhor ir embora.

Sinto muita empatia por eles, mas temo que eu tenha chegado ao meu limite. Uma onda de calor sobe pelo meu pescoço e tento conter a raiva, mas é bem difícil quando já cedi tanta coisa aos dois. Lembro as palavras que Kenna disse logo antes de eu ir embora. "Por favor, não os odeie."

— Eu dei minha vida para aquela garotinha — digo. — Você me deve isso. Só vou sair da sua casa depois que a gente conversar.

Saio pela porta da frente e fico esperando no jardim. Um minuto se passa. Talvez dois. Me sento no terraço. Ou eles vão chamar a polícia, ou vão aparecer aqui fora, ou vão se deitar e me ignorar. Vou ficar esperando até uma dessas três coisas acontecer.

Vários minutos se passam antes que eu escute a porta abrir atrás de mim. Eu me levanto e me viro. Patrick sai da casa só o suficiente para dar espaço a Grace na soleira da porta. Nenhum dos dois parece disposto a ouvir o que estou prestes a dizer, mas preciso falar mesmo assim. Nunca vai haver um bom momento para esta conversa. Nunca vai haver um bom momento para defender a moça que arruinou a vida deles.

Sinto que as palavras que estou prestes a dizer são as mais importantes da minha vida. Queria estar mais preparado. Kenna merece ter mais do que apenas a minha súplica como sua única esperança.

Expiro tremulamente pela boca.

— Toda decisão que faço é pensando em Diem. Terminei meu noivado com uma mulher que amava porque não tinha certeza se ela seria boa o bastante para aquela garotinha. Isso mostra que a felicidade de Diem sempre vem antes da minha. Sei que vocês dois sabem disso e sei que estão apenas tentando se proteger da dor causada pelas ações de Kenna. Mas vocês estão pegando o pior momento da vida dela e transformando esse momento em quem ela é. Isso não é justo. Não é justo com Kenna. Não é justo com Diem. Talvez não seja justo nem mesmo com Scotty.

Ergo as páginas na minha mão.

— Ela escreve cartas para ele. Para Scotty. Há cinco anos que ela faz isso. Esta aqui é a única que li, mas bastou para que eu mudasse completamente minha opinião a seu respeito. — Faço uma pausa e mudo de ideia. — Aliás, não é verdade. Eu já tinha perdoado Kenna antes mesmo de saber o conteúdo da carta. Mas no segundo em que a leu em voz alta para mim percebi que ela tem sofrido tanto quanto nós. E estamos matando Kenna aos poucos, prologando sua dor. — Pressiono minha testa e coloco ainda mais ênfase nas palavras que estou prestes a dizer. — Estamos impedindo uma *mãe* de ver *a filha*. Isso não é certo. Scotty estaria furioso conosco.

Quando paro de falar, há silêncio. Um silêncio ensurdecedor. É como se eles nem estivessem respirando. Entrego a carta para Grace.

— Vai ser difícil de ler. Mas não estou pedindo para vocês lerem porque estou apaixonado por Kenna. Estou pedindo para lerem porque o *filho* de vocês estava apaixonado por ela.

Grace começa a chorar. Patrick continua sem olhar para mim, mas estende o braço e aproxima a esposa de si.

— Dei a vocês os últimos cinco anos da minha vida. Tudo que estou pedindo em troca são vinte minutos. Vocês provavelmente nem vão precisar de tanto tempo para ler a carta. Depois que lerem e pararem um momento para assimilá-la, nós conversamos. Vou respeitar qualquer decisão que vocês tomarem. Juro. Mas, por favor, *por favor*, me deem os próximos vinte minutos. Vocês devem a Diem a oportunidade de ter mais uma pessoa na vida dela que vai amá-la tanto quanto Scotty a teria amado.

Não lhes dou a chance de discutir nem de me devolver a carta. Imediatamente me viro, vou até minha casa e entro. Nem olho pela janela para ver se eles entraram ou se estão lendo a carta.

Estou tremendo de tão nervoso.

Procuro meus pais e os encontro no quintal. Meu pai espalhou alguns itens do trailer na grama e está usando a mangueira para limpá-los. Minha mãe está sentada no sofá do quintal, lendo um livro.

Me sento ao seu lado. Ela ergue a vista e sorri, mas, ao ver minha expressão, fecha o livro.

Abaixo a cabeça nas mãos e começo a chorar. Não consigo evitar. Parece que a vida de todos que eu amo dependem deste momento, o que é algo intenso pra caralho.

— Ledger — diz minha mãe. — Ah, meu bem.

Ela põe o braço ao meu redor e me abraça.

CAPÍTULO QUARENTA

KENNA

Acordei com enxaqueca de tanto que chorei ontem.

Eu esperava que Ledger fosse me ligar ou me mandar uma mensagem, mas não fez nada disso. Não que eu queira. É melhor que nossa separação seja brusca do que enrolada.

Odeio o fato de que minhas escolhas daquela noite anos atrás têm efeitos negativos tantos anos depois. Quanto tempo as repercussões daquela noite vão durar? Será que irei conviver com elas para sempre?

Às vezes me pergunto se todos nós não nascemos com a mesma quantidade de bem e de mal. E se ninguém for menos ou mais malévolo do que os outros? E se nós só colocamos nosso mal para fora em diferentes momentos, de diferentes maneiras?

Talvez alguns de nós expressem boa parte do nosso mau comportamento quando criancinhas, enquanto outros são um terror durante a adolescência. E tem aqueles que demonstram muita pouca malícia até a idade adulta e, mesmo assim, ela escapa devagar. Aos pouquinhos, todo dia, até morrermos.

Mas isso significaria que existem pessoas como eu. Pessoas que colocam todo o seu mal para fora de uma só vez — numa noite horrenda.

Quando alguém põe todo o seu mal para fora de uma só vez, o impacto é muito maior do que quando ele escapa aos poucos.

A destruição deixada para trás cobre uma circunferência bem maior no mapa e ocupa um espaço bem mais amplo nas memórias das pessoas.

Não quero acreditar que há pessoas boas e pessoas ruins, sem nenhum meio-termo. Não quero acreditar que sou pior do que os outros, como se houvesse um balde cheio de maldade em algum lugar dentro de mim que se enche de novo sempre que é esvaziado. Não quero acreditar que sou capaz de repetir o meu comportamento passado, mas, mesmo depois de tantos anos, as pessoas continuam sofrendo por minha causa.

Apesar da destruição que deixei no meu rastro, não sou uma pessoa ruim. *Não sou uma pessoa ruim.*

Precisei de cinco anos de terapia semanal para perceber isso. Só foi recentemente que aprendi a dizer isto em voz alta: "Não sou uma pessoa ruim."

Passei a manhã inteira ouvindo a playlist que Ledger fez para mim. É só um monte de músicas que não têm nada de triste. Não sei como ele conseguiu encontrar tantas. Deve ter demorado uma eternidade.

Coloco o fone de ouvido de Mary Anne, configuro a playlist no modo aleatório e começo a limpar o apartamento. Quero meu cheque caução de volta depois de decidir para onde vou me mudar, então Ruth não pode encontrar nenhum motivo para não me devolver o dinheiro. Vou deixar o apartamento dez vezes mais limpo do que ele estava quando cheguei.

Depois de uns dez minutos limpando, começo a escutar uma batida que não se encaixa na música. Demoro tempo demais para perceber que a batida não está vindo da canção.

Tem alguém batendo à porta.

Tiro o fone de ouvido e agora a escuto ainda mais. Tem mesmo alguém batendo à porta. Meu coração dispara, pois não quero que seja Ledger, mas preciso que seja ele. Mais um beijo não me destruiria. Acho que não.

Vou na ponta dos pés até a porta e confiro o olho mágico.

É Ledger.

Encosto a testa na porta e tento tomar a decisão correta. Ele está tendo um momento de fraqueza, mas eu não deveria fazer isso. Se eu ceder, seus momentos de fraqueza serão minha ruína. Vamos apenas continuar nesse vaivém até nós dois nos sentirmos completamente arrasados.

Digito uma mensagem para ele: "Não vou abrir a porta."

Vejo-o ler a mensagem pelo olho mágico, mas sua expressão não se altera. Ele olha bem no olho mágico e aponta para a maçaneta.

Porra. *Por que ele tinha que apontar?* Puxo o ferrolho e abro a porta apenas cinco centímetros.

— Não me beije, não toque em mim, não diga nada meigo.

Ledger sorri.

— Vou fazer o possível.

Abro a porta cautelosamente, mas, depois que a abro, ele não tenta entrar. Em vez disso, se empertiga e diz:

— Você tem um instante?

Faço que sim.

— Tenho. Pode entrar.

Ele balança a cabeça.

— Não é para mim.

Ele para de prestar atenção em mim, aponta para dentro do meu apartamento e se afasta da porta.

Grace aparece no meu campo de visão.

Cubro a boca na mesma hora, pois não estava esperando vê-la e não fico frente a frente com ela desde antes da morte de Scotty. Eu não fazia ideia de que isso me deixaria sem ar.

Não sei o que isso significa. Não me permito pensar que significa alguma coisa, mas tenho esperança demais dentro de mim para mantê-la enterrada na presença de Grace.

Volto para dentro do meu apartamento, mas com lágrimas escorrendo. Tem tanta coisa que eu quero lhe dizer. Tantos pedidos de desculpa. Tantas promessas.

Grace entra no meu apartamento e Ledger fica do lado de fora, mas fecha a porta para nos dar privacidade. Pego uma folha de papel-toalha e enxugo os olhos. Não adianta. Acho que não choro assim desde que Diem nasceu e a vi sendo levada de mim.

— Não estou aqui para chateá-la — diz Grace.

Sua voz é suave. Assim como sua expressão.

Balanço a cabeça.

— Eu não... me desculpe. Preciso de um minuto antes de conseguir... falar.

Grace gesticula para o sofá.

— Podemos nos sentar?

Faço que sim, e nós duas nos sentamos no sofá. Grace me observa por um instante, provavelmente julgando minhas lágrimas, perguntando-se se são reais ou forçadas.

Ela põe a mão no bolso e tira alguma coisa de dentro. A princípio acho que é um lenço, mas, analisando melhor, percebo que é uma bolsinha preta de veludo.

Puxo as cordas para abrir a bolsinha e a viro na palma da minha mão.

Fico boquiaberta.

— O quê? *Como*? — Estou segurando o anel pelo qual me apaixonei tantos anos atrás, quando Scotty me levou ao antiquário. O anel de ouro com a pedra cor-de-rosa, de quatro mil dólares, que ele não tinha condições de pagar. Nunca contei sobre essa história a ninguém, então estou extremamente confusa, sem saber como Grace está com este anel. — Como é que este anel está com você?

— Scotty me ligou no dia em que vocês viram o anel. Ele disse que não estava pronto para pedi-la em casamento, mas que já sabia que anel usaria quando chegasse a hora. Ele não tinha condições de pagar, mas temia que alguém o comprasse antes. Emprestamos o dinheiro a ele. Ele me deu o anel e me fez prometer que eu o guardaria em um lugar seguro até que ele conseguisse nos pagar de volta.

Minhas mãos estão tremendo quando coloco o anel no dedo. *Não acredito que Scotty fez isso.*

Grace expira rapidamente pela boca.

— Vou ser franca com você, Kenna. Eu não queria ficar com esse anel depois que ele morreu. E não queria que você ficasse com ele, pois estava furiosa demais com você. Mas quando descobrimos que Diem era menina, decidi deixá-lo guardado, caso eu quisesse dá-lo para ela algum dia. No entanto, depois de pensar melhor... essa decisão não cabe a mim. Quero que fique com ele. Scotty comprou para você.

Estou sentindo coisas demais para conseguir compreender isso, então preciso de um instante para me recuperar. Balanço a cabeça. Estou assustada demais para acreditar nela. Nem me permito assimilar suas palavras.

— Obrigada.

Grace estende o braço e aperta minha mão, fazendo-me olhar para ela.

— Prometi a Ledger que não te contaria, mas... ele nos mostrou uma das cartas que você escreveu para Scotty.

Balanço a cabeça mesmo antes de ela terminar de falar. *Como Ledger conseguiu uma carta? Qual carta ele mostrou?*

— Ele me obrigou a lê-la ontem à noite. — Sua expressão se entristece. — Depois de ouvir sua versão dos acontecimentos, fiquei mais arrasada e furiosa do que antes. Foi tão difícil... ouvir todos os detalhes. Chorei a noite inteira. Mas hoje de manhã, quando acordei, foi como se eu tivesse sido tomada por uma sensação avassaladora de paz. Hoje foi a primeira vez que não acordei furiosa com você. — Ela enxuga as lágrimas que agora estão escorrendo pelo seu rosto. — Durante todos esses anos, presumi que seu silêncio no tribunal tinha sido por indiferença. Presumi que você o abandonou no carro porque só se importava consigo mesma e não queria problemas com a justiça. Talvez eu tenha presumido essas coisas porque é mais fácil quando tem alguém para levar a culpa por uma perda tão horrenda e sem sentido. E sei que seu sofrimento não devia me trazer paz, Kenna. Mas é muito mais fácil compreendê-la agora do que quando eu imaginava que você não tinha sofrido nada. — Grace estende a mão para um fio que se soltou do meu rabo de cavalo e o põe delicadamente atrás da minha orelha. É algo que uma mãe faria, e não entendo seu gesto. Não sei como ela pode ir do ódio ao perdão em tão pouco tempo, então continuo relutante em relação a este momento. Mas as lágrimas em seus olhos parecem verdadeiras. — Me desculpe, Kenna, de verdade. — Ela diz isso de um jeito honesto. — Sou responsável por mantê-la longe da sua filha por cinco anos, e isso é indesculpável. A única coisa que posso fazer é garantir que você não vai passar mais nenhum dia sem conhecê-la.

Minha mão treme quando a levo ao meu peito.

— Eu... eu vou poder conhecê-la?

Grace assente e me abraça quando caio em prantos. Ela passa a mão reconfortantemente na parte de trás da minha cabeça e me dá vários minutos para que eu consiga absorver tudo que está acontecendo.

Isso é tudo que eu queria e está acontecendo de uma vez só. É algo avassalador física e emocionalmente. Já tive sonhos assim antes, sonhos em que Grace aparecia para me perdoar e me deixava conhecer Diem, mas então eu acordava sozinha e percebia que tinha sido só um pesadelo cruel. *Que isto seja real, por favor.*

— Ledger deve estar louco para saber o que está acontecendo aqui dentro.

Ela se levanta e vai até a porta para abri-la.

Os olhos de Ledger buscam freneticamente alguma coisa, até encontrarem os meus. Quando sorrio, ele imediatamente relaxa, como se meu sorriso fosse a única coisa importante neste momento.

Ele abraça Grace primeiro. Escuto-o sussurrar no ouvido dela:

— Obrigado.

Ela me olha antes de sair do meu apartamento.

— Vou fazer lasanha hoje à noite. Quero que venha jantar conosco.

Faço que sim. Grace vai embora, e Ledger me abraça antes mesmo de ela fechar a porta.

— Obrigada, obrigada, obrigada. — Repito várias vezes, pois sei que isso não teria acontecido se não fosse por ele. — Obrigada. — Dou um beijo nele. — Obrigada.

Quando finalmente paro de lhe agradecer e de beijá-lo por tempo o bastante para me afastar e olhá-lo nos olhos, vejo que ele também está chorando. Sou tomada pela maior sensação de gratidão da minha vida.

Eu me sinto *tão* grata por ele.

Talvez este tenha sido o exato momento em que me apaixonei por Ledger Ward.

— Estou com vontade de vomitar.

— Quer que eu pare o carro?

Balanço a cabeça.

— Não. Dirija mais rápido.

Ledger aperta meu joelho para me tranquilizar.

Foi uma tortura precisar esperar até de tarde para irmos à casa de Patrick e Grace. Eu queria que ele me levasse para ver Diem assim que Grace saiu do meu apartamento, mas quero que

343

tudo aconteça como eles escolheram. Vou ter toda a paciência que for preciso.

Vou respeitar as regras deles. Vou respeitar o tempo, as escolhas e os desejos dos dois. Vou tratá-los com o mesmo respeito que sei que eles têm pela minha filha.

Sei que são pessoas boas. Scotty os amava. Estão apenas *magoados*, então respeito o tempo que eles precisaram para tomar essa decisão.

Estou tensa, com medo de fazer algo errado. De dizer algo errado. Quando estive na casa deles da última vez houve uma série de equívocos, e preciso que agora seja diferente porque tem coisa demais em jogo.

Paramos na entrada da garagem de Ledger, mas não saímos imediatamente da picape. Ele conversa comigo, tentando me motivar, e me beija umas dez vezes, mas acabo ficando mais nervosa e entusiasmada do que nunca, e todas as emoções começam a se embaralhar. Se eu não resolver isso logo, talvez acabe explodindo.

Ele segura minha mão com firmeza enquanto atravessamos a rua e passamos pela grama em que Diem brincou e batemos à porta da casa em que Diem mora.

Não chore. Não chore. Não chore.

Aperto a mão de Ledger como se eu estivesse no meio de uma intensa contração.

A porta finalmente se abre, e quem vejo bem na minha frente é Patrick. Ele parece nervoso, mas consegue sorrir. Ele me abraça, e não é um abraço forçado porque estou na sua frente ou porque sua esposa o incentivou a isso.

É um abraço repleto de muitas coisas. São tantas coisas que, ao se afastar, ele precisa enxugar os olhos.

— Diem está lá atrás com a tartaruga dela — diz ele, gesticulando em direção ao corredor.

Não sinto nenhuma rispidez em suas palavras, nenhuma energia negativa. Não sei se é o momento de me desculpar, mas, como Patrick está apontando para o lugar onde Diem se encontra, acho que eles preferem deixar a conversa entre nós três para mais tarde.

Ledger segura minha mão enquanto entramos. Conheço o interior da casa e o quintal, então há uma sensação reconfortante de familiaridade. Mas todo o resto é assustador. *E se ela não gostar de mim? E se ela estiver com raiva de mim?*

Grace sai da cozinha, e eu paro antes de nos dirigirmos ao quintal. Olho para Grace.

— O que você contou a ela? Sobre a minha ausência. Só quero garantir que...

Grace balança a cabeça.

— Na verdade, não falamos nada a seu respeito para Diem. Uma vez ela perguntou por que não morava com a mãe, e respondi que era porque seu carro não era grande o bastante.

Dou uma risada nervosa.

— Quê?

Grace dá de ombros.

— Entrei em pânico. Não sabia o que dizer.

Meu carro não é grande o bastante? Sem problemas. Eu temia que eles tivessem envenenado a cabeça dela contra mim. Eu devia ter percebido que eles não fariam uma coisa dessas.

— Pensamos em deixar o resto nas suas mãos — diz Patrick. — Não sabíamos o quanto você queria que ela soubesse.

Faço que sim e sorrio, tentando não chorar. Olho para Ledger, que está ao meu lado como uma âncora, mantendo-me firme.

— Pode vir comigo?

Vamos até a porta dos fundos. Vejo-a sentada na grama. Observo-a de trás da porta com tela por alguns minutos, querendo assimilar tudo a seu respeito antes do que quer que vá acontecer em seguida. Estou com medo do que vai acontecer. Na verdade, estou apavorada. É quase a mesma sensação que tive durante o parto. Eu estava apavorada, em território desconhecido, mas também mais repleta de esperança, entusiasmo e amor do que nunca.

Ledger acaba me cutucando para me incentivar, então abro a porta. Diem olha para cima e nos vê parados na varanda dos fundos. Ela olha rapidamente para mim, mas, ao ver Ledger, fica toda animada. Ela corre até ele, que a abraça.

Sinto cheiro de xampu de morango.

Tenho uma filha que tem cheiro de morango.

Ledger se senta no balanço da varanda com Diem e aponta para o lugar ao lado dele, então me sento com os dois. Diem está no seu colo e me olha enquanto se acomoda em Ledger.

— Diem, esta é minha amiga Kenna.

Diem abre um sorriso para mim, o que quase me faz desmaiar.

— Quer ver minha tartaruga? — diz ela, empolgada.

— Eu adoraria.

Suas mãozinhas pegam dois dedos meus; ela sai do colo de Ledger e me puxa. Olho para Ledger enquanto me levanto, e ele faz que sim para me tranquilizar. Diem me leva até a grama e se senta ao lado da tartaruga.

Eu me deito do outro lado da tartaruga para ficar de frente para Diem.

— Qual é o nome dela?

— Ledger. — Ela dá uma risadinha e ergue o animal. — Ela é a cara dele.

Dou uma risada, e ela está tentando fazer a tartaruga sair do casco, mas não consigo tirar os olhos dela. Vê-la no vídeo foi uma coisa, mas poder estar perto dela e sentir sua energia é como renascer.

— Quer ver meu playground? Ganhei de aniversário. Vou fazer cinco anos na semana que vem.

Diem corre até o playground, então vou atrás. Olho para Ledger, que continua sentado no balanço da varanda, observando nós duas.

Diem põe a cabeça para fora do playground e diz:

— Ledger, pode colocar Ledger no aquário para ela não se perder?

— Posso — diz ele, levantando-se.

Diem pega minha mão, depois me puxa para dentro do playground e se senta no meio dele. Aqui me sinto mais à vontade. Ninguém está nos vendo; fico um pouco mais relaxada sabendo que não tem nenhuma pessoa julgando o modo como estou interagindo com ela neste momento.

— O playground era do meu papai — diz Diem. — Popô e Ledger montaram para mim.

— Eu conhecia seu papai.

— Ele era seu amigo?

Sorrio.

— Eu era namorada dele e o amava muito.

Diem dá uma risadinha.

— Não sabia que o papai tinha uma *namorada*.

Estou vendo tanto de Scotty nela neste momento. Na sua risadinha. Viro o rosto, pois as lágrimas começam a cair.

Mas Diem as percebe.

— Por que está triste? Está com saudade dele?

Faço que sim, enxugando as lágrimas.

— Estou, mas não é por isso que estou chorando. Estou chorando de felicidade, porque finalmente estou te conhecendo.

Diem inclina a cabeça e pergunta:

— *Por quê?*

Ela está a um metro de distância de mim, e tudo que quero fazer é abraçá-la. Dou um tapinha no lugar bem na minha frente.

— Vem cá. Quero te contar uma coisa.

Diem engatinha até mim e se senta de pernas cruzadas.

— Sei que nunca nos conhecemos antes, mas... — Nem sei como dizer, então digo do jeito mais simples possível. — Sou sua mãe.

Os olhos de Diem se enchem de alguma coisa, mas ainda não sei o que suas expressões significam. Não sei se estou vendo surpresa ou curiosidade.

— Sério?

Sorrio para ela.

— Sério. Você cresceu na minha barriga. Depois, quando você nasceu, a vovó e o popô cuidaram de você porque eu não podia fazer isso.

— Você conseguiu um carro maior?

Dou uma risada. Ainda bem que eles me contaram essa informação, caso contrário eu não saberia do que ela está falando.

— Na verdade, não tenho mais carro. Mas vou ter em breve. É que eu queria muito te conhecer logo, então Ledger me deu uma carona. Faz tanto tempo que eu queria conhecê-la.

Diem não reage muito, apenas dá um sorriso. Depois engatinha pela grama e começa a virar os quadrados do jogo da velha que faz parte da parede do playground.

— Você devia ir ver o meu jogo de beisebol. Vai ser o meu último.

Ela gira uma das letras na parede.

— Eu adoraria ir ver o seu jogo.

— Mas um dia vou fazer aquele negócio com as espadas — responde Diem. — Ei, sabe como é este jogo aqui?

Faço que sim e me aproximo para poder lhe ensinar o jogo da velha.

Percebo que este momento não é tão monumental para Diem quanto é para mim. Eu o imaginara de um milhão de jeitos diferentes, e em todas elas Diem estava triste ou furiosa por eu ter demorado tanto para me inserir em sua vida.

Mas a verdade é que ela nem sabia que eu estava faltando.

Eu me sinto muito grata por isso. Todos esses anos de preocupação e desgaste foram unilaterais, o que significa que Diem estava bem, feliz e realizada.

Eu não podia ter pedido um desfecho melhor. É como se eu pudesse entrar de mansinho na sua vida, sem causar nem sequer uma ondulação.

Diem segura minha mão e diz:

— Não quero brincar disso, vamos para os balanços. — Ela abandona o jogo e nós saímos do meio do playground. Ela sobe num balanço. — Esqueci seu nome.

— É Kenna. — Respondo com um sorriso, pois sei que nunca mais vou precisar mentir para ninguém sobre isso.

— Pode me empurrar?

Empurro-a no balanço, e ela começa a me contar de um filme que Ledger a levou para ver recentemente.

Ledger aparece na varanda e vê nós duas conversando. Ele se aproxima, para atrás de mim e põe os braços ao meu redor. Beija o lado da minha cabeça bem na hora em que Diem se vira e olha para a gente.

— Eca!

Ledger beija o lado da minha cabeça de novo e diz:

— Pode ir se acostumando, D.

Ledger passa a empurrar o balanço de Diem, e eu me sento no balanço ao lado dela e observo os dois. Diem vira a cabeça para trás e olha para Ledger.

— Você vai se casar com minha mãe?

Eu provavelmente deveria ter alguma reação à parte da pergunta que mencionou casamento, mas meu cérebro só se concentra no fato de que ela acaba de dizer *minha mãe*.

— Não sei. A gente ainda precisa se conhecer melhor. — Ledger me olha e sorri. — Talvez um dia eu mereça me casar com ela.

— O que significa *merecer*? — pergunta ela.

— Significa ser bom o bastante.

— Você é bom o bastante — responde Diem. — Foi por isso que coloquei o nome de Ledger na minha tartaruga. — Ela inclina a cabeça para trás de novo e o olha. — Estou com sede. Pode pegar um suco pra mim?

— Vai pegar você — diz ele.

Saio do balanço.

— Eu pego pra você.

Enquanto me afasto, escuto Ledger murmurar para ela:

— Você é muito mimada.

Diem ri.

— Não sou, não!

Depois que entro, observo-os da porta por um instante. Eles juntos são encantadores. Ela é encantadora. Tenho medo de estar prestes a acordar e perceber que nada disso realmente aconteceu, mas sei que está acontecendo. E sei que um dia vou aceitar que mereço isso... talvez depois que eu finalmente tiver uma conversa de verdade com os Landry.

Entro na cozinha e encontro Grace cozinhando.

— Ela quer suco — digo ao chegar.

Grace está com as mãos cheias de tomates fatiados e os coloca numa salada.

— Tem na geladeira.

Pego o suco e observo Grace preparando o jantar. Quero ajudá-la e interagir mais com ela do que da primeira vez que estive aqui com Scotty.

— Como posso ajudar?

Grace sorri para mim.

— Não precisa. Vá ficar com sua filha.

Começo a sair da cozinha, mas meus passos estão pesados. Tem tanta coisa que quero dizer para Grace e que não pude lhe dizer mais cedo no meu apartamento. Eu me viro com o *me desculpe* na ponta da minha língua, mas sinto que, se eu abrir a boca, vou chorar.

Meus olhos encontram os de Grace, e ela percebe o sofrimento estampado no meu rosto.

— Grace... — sussurro.

Ela imediatamente se aproxima e me abraça.

É um abraço incrível. Um abraço de perdão.

— Ei — ela diz, me tranquilizando. — Ei, escute o que vou dizer. — Ela se afasta, e temos mais ou menos a mesma altura, então estamos frente a frente quando ela tira o suco da minha mão e o põe no balcão. Em seguida, ela aperta minhas mãos para me reconfortar. — Nós seguimos em frente — diz ela. — Só isso. É simples assim. Eu perdoo você e você me perdoa, e nós seguimos em frente juntas e damos a melhor vida que pudermos para aquela menininha. Tá bom?

Assinto, pois isso eu consigo fazer. Eu os perdoo. Sempre os perdoei.

É comigo mesma que tenho sido dura. Mas acho que cheguei ao ponto de finalmente aceitar que posso me perdoar.

Então é o que faço.

Você está perdoada, Kenna.

CAPÍTULO QUARENTA E UM

LEDGER

Ela se encaixa. É surreal e, para ser sincero, um pouco avassalador. Acabamos de jantar agora, mas ainda estamos todos sentados à mesa. Diem se aninhou no meu colo, e estou sentado ao lado de Kenna.

Ela pareceu nervosa assim que nos sentamos para jantar, mas conseguiu relaxar bastante. Especialmente depois que Patrick começou a contar histórias, relatando a Kenna os melhores momentos da vida de Diem. Agora ele está contando a história de quando ela quebrou o braço, seis meses atrás.

— Ela passou as duas primeiras semanas achando que ia ter que ficar com o gesso para sempre. Nenhum de nós pensou em explicar para ela que fraturas saram, então Diem presumiu que, quando alguém quebrava um osso, ele ficava quebrado para sempre.

— Ah, não — diz Kenna, rindo. Ela olha para Diem e faz carinho em sua cabeça. — Tadinha.

Diem estende a mão para Kenna, que a aceita. Diem vai do meu colo para o dela bem naturalmente. É algo que acontece bem depressa, em silêncio. Diem aninha-se no corpo de Kenna, que a abraça como se fosse a coisa mais natural do mundo.

Estamos todos encarando as duas, mas Kenna não se dá conta, porque está com a bochecha encostada no topo da cabeça de

Diem. Juro que estou prestes a chorar bem aqui, à mesa. Pigarreio e empurro a cadeira para trás.

Nem peço licença, pois sei que minha voz vai falhar se eu tentar dizer alguma coisa. Saio da mesa em silêncio e vou para os fundos.

Quero dar privacidade aos quatro. Fui meio que um amortecedor para todos eles hoje, mas quero que interajam sem minha presença. Quero que Kenna se sinta à vontade com eles sem ter de se reconfortar com minha presença, pois é importante que ela tenha um relacionamento com eles independentemente de mim.

Consegui perceber que Patrick e Grace se surpreenderam positivamente ao verem o quanto ela era diferente do que eles esperavam.

Isso prova que o tempo, a distância e o sofrimento criam oportunidade para as pessoas transformarem em um vilão alguém que elas nem sequer conhecem. Mas Kenna nunca foi uma vilã. Ela foi uma vítima. Todos nós fomos.

O sol ainda não se pôs, mas são quase 20h, a hora em que Diem dorme. Tenho certeza de que Kenna não quer ir embora ainda, mas estou curioso para ver o resultado do dia de hoje. Quero ficar a sós com ela e estar ao seu lado enquanto ela assimila o que tenho certeza que foi o melhor dia da sua vida.

A porta dos fundos se abre, e Patrick aparece na varanda. Ele não se senta numa das cadeiras, mas se encosta num dos pilares e fica olhando em direção ao quintal.

Quando deixei os dois sozinhos com a carta ontem à noite, estava esperando algum tipo de reação imediata. Não sabia o que seria, mas achei que receberia alguma coisa. Uma mensagem de texto, uma ligação, uma batida à porta da minha casa.

Não recebi nada.

Duas horas depois que fui embora, finalmente criei coragem para olhar a casa deles da minha janela, e todas as luzes estavam apagadas.

Nunca me senti tão desesperançoso quanto naquele momento. Achei que todos os meus esforços tinham fracassado, mas hoje pela manhã, após uma noite insone, ouvi alguém bater à minha porta.

Quando a abri, vi Grace parada sem Diem nem Patrick. Seus olhos estavam inchados como se ela tivesse chorado.

— Quero me encontrar com Kenna.

Foi tudo que ela disse.

Entramos na minha picape e a levei para a casa de Kenna sem saber o que esperar. Não sabia se ela aceitaria ou rejeitaria Kenna. Quando chegamos ao prédio dela, Grace virou-se para mim antes de sair da minha picape e perguntou:

— Você está apaixonado por ela?

Fiz que sim sem hesitação nenhuma.

— Por quê?

Também não hesitei antes de responder a essa pergunta.

— Você vai ver. É muito mais fácil amá-la do que odiá-la.

Grace ficou em silêncio por um momento antes de sair da minha picape. Parecia quase tão nervosa quanto eu. Subimos a escada juntos, e ela me disse que queria passar um momento sozinha com Kenna. Por mais que tenha sido difícil não saber o que estava sendo dito dentro do apartamento, é mais difícil não saber o que Patrick está pensando sobre tudo isso.

Não tivemos nenhuma oportunidade de conversar sobre o assunto. Imagino que seja por isso que ele está aqui.

Espero que ele e Grace estejam em sintonia, mas talvez não estejam. Talvez ele só esteja aceitando Kenna porque Grace precisa disso.

— O que está pensando? — pergunto.

Patrick coça a mandíbula, refletindo sobre a minha pergunta. Responde sem me olhar diretamente.

— Se tivesse me perguntado isso algumas horas atrás, quando você chegou com Kenna, eu teria dito que ainda estou furioso com você. E que não me arrependo de ter te batido. — Ele para e se senta no degrau mais alto da varanda. Une as mãos entre os joelhos e me olha. — Mas isso mudou quando te vi com ela. Quando vi a maneira como você a olhava. A maneira como seus olhos lacrimejaram quando Diem foi para o colo dela durante o jantar. — Patrick balança a cabeça. — Eu te conheço desde que você tinha a idade de Diem, Ledger. Em todos esses anos, você nunca me deu nenhum motivo para duvidar de você. Se me diz que Kenna merece Diem, então eu acredito. O *mínimo* que posso fazer é acreditar em você.

Porra.

Desvio a vista e enxugo as lágrimas. Ainda não sei o que fazer com todos esses sentimentos, porra. Eles têm sido muitos desde que Kenna voltou.

Me encosto na minha cadeira sem ter a mínima ideia de como responder. Talvez eu não devesse responder. Talvez suas palavras já bastem para esta conversa.

Ficamos em silêncio por um ou dois minutos. É diferente dos momentos de silêncio que já compartilhamos antes. Desta vez, o silêncio é confortável e sereno, sem nenhum indício de tristeza.

— Puta merda — diz Patrick.

Olho para ele, que está encarando alguma coisa no quintal. Sigo a direção do seu olhar até... *não. Não pode ser.*

— Caraca — digo baixinho. — Isso é um... porra, isso é um *pombo?*

É. É um pombo mesmo. Um pombo de verdade, branco e cinza, andando pelo quintal como se não tivesse o timing mais milagroso de todos os pássaros na história dos pássaros.

Patrick dá uma risada repleta de perplexidade.

Ele ri tanto que eu também rio.

Mas ele não chora. É a primeira vez que uma lembrança de Scotty não o faz chorar, e sinto que isso é bem importante. Não apenas porque a probabilidade desse pombo aleatório pousar aqui no quintal neste momento deve ser de uma em um bilhão, mas porque sempre que eu e Patrick tínhamos uma conversa séria sobre Scotty, eu acabava saindo de fininho para que ele pudesse chorar sem a minha presença.

Mas ele ri e não faz nada além disso, e pela primeira vez desde a morte de Scotty me sinto esperançoso por ele. Por todos nós.

A única outra vez que Kenna entrou na minha casa foi logo depois de ela aparecer aqui na rua sem avisar. Não foi uma boa experiência para nenhum de nós, então quando abro a porta de casa e entro com ela, quero que ela se sinta bem-vinda.

Não vejo a hora de ficar sozinho com Kenna esta noite, numa cama de verdade. As poucas vezes que ficamos juntos foram praticamente perfeitas, mas sempre achei que ela merecia mais do que um colchão inflável ou minha picape ou um piso de madeira.

Quero mostrar a casa para ela, mas, mais do que isso, preciso beijá-la. Assim que fecho a porta de casa, puxo-a para perto de mim. Beijo-a como estava querendo beijá-la a noite inteira. É o primeiro beijo sem nenhum resquício de medo ou de tristeza.

Até o momento, é o meu beijo preferido. Ele dura tanto que me esqueço de lhe mostrar a casa; em vez disso, pego-a no colo e a levo direto para a minha cama. Quando a deito no colchão, ela se esparrama e suspira.

— Meu *Deus*, Ledger. Que macio.

Pego o controle remoto ao lado da cama e aperto o botão de massagem, fazendo-a vibrar. Kenna solta um gemido, mas me chuta para o lado quando tento me deitar sobre dela.

— Preciso de um minuto só curtindo a sua cama — diz ela, fechando os olhos.

Eu me deito ao seu lado e fico observando o sorriso em seu rosto. Ergo a mão e contorno delicadamente seus lábios, mal tocando neles. Em seguida, passo a ponta dos dedos em sua mandíbula e em seu pescoço.

— Quero contar uma coisa para você.

Ela abre os olhos e sorri docemente, esperando que eu fale.

Levo a mão de volta ao seu rosto e toco outra vez em sua boca impecável.

— Passei os últimos anos tentando ser um bom modelo para Diem, e por isso li alguns livros sobre feminismo. Aprendi que dar atenção demais à aparência de uma menina pode ser prejudicial, então em vez de dizer para Diem o quanto eu a acho bonita, falo de todas as coisas que importam, como o quanto é inteligente e o quanto é forte. Tentei tratar você da mesma maneira. É por isso que nunca elogiei sua aparência nem te disse o quanto te acho linda pra cacete, mas acho bom nunca ter feito isso antes, pois você nunca esteve tão bonita quanto agora. — Beijo a ponta do seu nariz. — A felicidade lhe cai bem, Kenna.

Ela toca minha bochecha e dá um sorriso.

— É graças a você.

Balanço a cabeça.

— Não sou responsável por hoje. Não fui eu que poupei cada centavo e me mudei para esta cidade e fui a pé para o trabalho todos os dias para tentar...

— Eu amo você, Ledger — diz ela bem naturalmente, como se fosse a coisa mais fácil que já disse na vida. — Não precisa dizer que me ama também. Só quero que você saiba o quanto você...

— Eu também amo você.

Ela sorri e pressiona firmemente os lábios nos meus. Tento beijá-la, mas ela ainda está sorrindo na minha boca. Por mais que eu queira tirar sua roupa e sussurrar várias vezes *amo você* na sua pele, prefiro apenas abraçá-la por um momento, dando a nós dois um tempinho para assimilar tudo que aconteceu hoje.

Aconteceu tanta coisa hoje. E ainda falta tanto.

— Não vou me mudar — digo.

— Como assim?

— Não vou vender esta casa. Vou vender a nova. Quero ficar aqui.

— Quando decidiu isso?

— Agorinha. As minhas pessoas estão aqui. Meu lar é aqui.

Talvez seja loucura, considerando o tanto de horas que passei construindo aquela casa. Mas Roman também trabalhou nela. Talvez eu possa vendê-la para ele cobrando apenas o custo dos materiais; é o mínimo que posso fazer. Afinal, talvez Roman tenha sido o catalisador do dia de hoje. Se ele não tivesse me obrigado a ver como Kenna estava naquela noite, nem sei se teríamos chegado a este momento.

Kenna cansou de conversar, pelo jeito. Ela me beija e só para uma hora depois, quando estamos exaustos e suados e saciados nos braços um do outro. Encaro-a até ela pegar no sono e depois encaro o teto, porque *não* consigo pegar no sono.

Não consigo parar de pensar naquele pombo, porra.

Qual a probabilidade de Scotty não ter nada a ver com aquilo? Qual a probabilidade de ele ter?

Pode ter sido uma mera coincidência, mas também pode ter sido um sinal. Uma mensagem de onde quer que ele esteja.

Talvez o fato de ser uma coincidência ou um sinal não importe. Talvez a melhor maneira de lidar com a perda de pessoas que amamos seja encontrando-as no máximo de coisas e de lugares. E, considerando a remota possibilidade de que essas pessoas ainda nos escutem, talvez jamais devêssemos parar de conversar com elas.

— Vou cuidar muito bem das suas garotas, Scotty. Eu prometo.

CAPÍTULO QUARENTA E DOIS

KENNA

Desafivelo o cinto do assento de elevação de Diem e a ajudo a sair da picape de Ledger. Já estou com a cruz na mão, então pego o martelo no chão do veículo.

— Tem certeza de que não quer minha ajuda? — pergunta Ledger.

Sorrio para tranquilizá-lo e balanço a cabeça. Isto é algo que quero fazer com Diem.

Levo-a até o acostamento da estrada onde encontrei a cruz pela primeira vez e remexo a grama e a terra com a ponta do tênis até encontrar o buraco onde estava a cruz. Entrego-a para Diem.

— Está vendo este buraco aqui?

Ela inclina-se para a frente e observa o chão.

— Coloque-a bem dentro dele.

Diem põe a cruz no buraco.

— Por que estamos colocando isto aqui?

Empurro a cruz para baixo, conferindo que está firme.

— Porque sua vovó vai ficar feliz de saber que a cruz está aqui, caso ela passe por aqui de carro.

— Meu papai vai ficar feliz?

Ajoelho ao lado de Diem. Perdi muito da sua vida, e é por isso que quero que cada minuto que passamos juntas seja autêntico. Sempre vou ser tão sincera com ela quanto eu puder.

— Não, provavelmente não. Seu papai achava essas homenagens uma bobeira. Mas sua vovó não acha isso, e às vezes a gente faz coisas pelas pessoas que amamos mesmo quando não faríamos essas coisas por nós mesmos.

Diem estende a mão para pegar o martelo.

— Posso colocar?

Entrego a ela o martelo, e Diem bate algumas vezes na cruz. Não tem muito efeito, então quando ela me devolve o martelo, bato mais três vezes até a cruz se fixar no chão.

Abraço Diem, e nós duas encaramos a cruz.

— Quer dizer alguma coisa ao seu papai?

Diem pensa por um instante, depois diz:

— O que eu tenho que dizer? É para fazer um pedido?

Dou uma risada.

— Você pode até tentar, mas ele não é o gênio da lâmpada nem o Papai Noel.

— Quero uma irmãzinha ou um irmãozinho.

Nem invente de conceder esse desejo a ela, Scotty. Só faz cinco meses que conheço Ledger.

Pego Diem no colo e a levo para a picape.

— Para você ter um irmão ou uma irmã, não basta só fazer o desejo.

— Eu sei. A gente precisa comprar um ovo no Walmart. É assim que os bebês crescem.

Afivelo seu cinto no assento.

— Não exatamente. Os bebês crescem na barriga da mãe. Lembra quando contei que você cresceu na minha barriga?

— Ah, é. Então outro bebê pode crescer na sua barriga?

Encaro Diem, sem saber como responder.

— Que tal a gente pegar mais um gatinho? Ivy precisa de um amigo.

Diem joga as mãos para cima, animada.

— Eba! Mais um gatinho!

Beijo sua cabeça e fecho a porta.

Ledger está me olhando de soslaio quando abro a porta do passageiro. Ele aponta para o meio do banco, então vou até lá e afivelo meu cinto. Ele segura minha mão e entrelaça nossos dedos. Está me encarando com um brilho nos olhos, como se a ideia de dar um irmãozinho para Diem o entusiasmasse.

Ledger me beija e começa a dirigir.

Pela primeira vez em muito, muito tempo, quero ouvir o rádio. Quero ouvir qualquer música, mesmo que seja triste. Inclino-me para a frente e ligo o rádio. É a primeira vez que escutamos alguma coisa na picape que não seja a playlist segura que Ledger fez para mim.

Ele me olha ao perceber meu gesto. Apenas sorrio para ele e me encosto no seu ombro.

As músicas ainda me fazem pensar em Scotty, mas pensar em Scotty não me entristece mais. Agora que me perdoei, as recordações que tenho dele só me fazem sorrir.

FIM

EPÍLOGO

Querido Scotty,

Peço desculpa por quase não escrever mais para você. Eu costumava te escrever por estar me sentindo só, então acho que é um bom sinal que agora as cartas estejam mais espaçadas.

Ainda sinto sua falta. Sempre vou sentir. Mas estou convencida de que os buracos que você deixou para trás são buracos que somente nós sentimos. Onde quer que esteja, você está completo. É isso que importa.

Diem está crescendo tão depressa. Ela acaba de completar sete anos. Nem acredito que não estive presente nos primeiros cinco anos de sua vida, pois a sensação é de que sempre estive aqui com ela. Tenho certeza de que devo muito dessa sensação a Ledger e aos seus pais. Eles me contam histórias de quando ela estava crescendo e me mostram vídeos, então às vezes parece que não perdi nadinha.

E nem sei se Diem se lembra da vida sem mim. Para ela, eu sempre estive aqui, e sei que é porque todas as pessoas que te amavam deram a ela tudo de que ela precisava quando eu e você não pudemos estar presentes.

Ela ainda mora com seus pais, embora eu a veja todos os dias. Ela passa a noite comigo e com Ledger pelo menos duas vezes na semana. Tem seu próprio quartinho nas duas casas. Jantamos juntos todas as noites.

Eu adoraria que ela morasse comigo, mas também sei que é importante que ela mantenha a mesma rotina que tem desde que nasceu. E Patrick e Grace merecem ser a parte principal da vida dela. Eu jamais iria querer tirar isso deles.

Desde o dia em que eles me aceitaram na vida dela, nunca me senti mal acolhida. Nem por um dia, nem por um segundo. Eles não me aceitaram estabelecendo condições; os dois simplesmente me aceitaram como se aqui, junto de todas as pessoas que te amavam, fosse o meu lugar.

Você estava cercado de pessoas boas, Scotty. Seus pais, seu melhor amigo, os pais do seu melhor amigo... nunca conheci uma família tão amorosa.

As pessoas que faziam parte da sua vida são agora as pessoas que fazem parte da minha, e vou fazer tudo o que puder para demonstrar o mesmo amor e respeito que você demonstrava por elas. Vou tratar cada relacionamento com o mesmo nível de importância e de respeito com que trato o processo de escolher nomes.

Você sabe o quanto levo a sério a escolha de um nome. Pensei sem parar no nome que Diem teria quando nascesse e demorei três dias para decidir o nome de Ivy.

O último nome que dei duas semanas atrás foi, de longe, um dos mais importantes, embora tenha sido o mais fácil de decidir.

Quando puseram nosso filho recém-nascido no meu colo, encarei-o com lágrimas nos olhos e disse: "Oi, Scotty."

Com amor,
Kenna.

PLAYLIST DE KENNA ROWAN

1) "Raise Your Glass" — P!nk
2) "Dynamite" — BTS
3) "Happy" — Pharrell Williams
4) "Particle Man" — They Might Be Giants
5) "I'm Good" — The Mowgli's
6) "Yellow Submarine" — The Beatles
7) "I'm Too Sexy" — Right Said Fred
8) "Can't Stop the Feeling!" — Justin Timberlake
9) "Thunder" — Imagine Dragons
10) "Run the World (Girls)" — Beyoncé
11) "U Can't Touch This" — MC Hammer
12) "Forgot About Dre" — Dr. Dre com participação de Eminem
13) "Vacation" — Dirty Heads
14) "The Load Out" — Jackson Browne
15) "Stay" — Jackson Browne
16) "The King of Bedside Manor" — Barenaked Ladies
17) "Empire State of Mind" — JAY-Z
18) "Party in the U.S.A." — Miley Cyrus
19) "Fucking Best Song Everrr" — Wallpaper
20) "Shake It Off" — Taylor Swift
21) "Bang!" — AJR

AGRADECIMENTOS

Talvez você tenha percebido que não especifiquei o lugar onde a história se passa. Nunca tive problema ao determinar um local para os personagens em meus outros livros, mas fiquei imaginando Kenna em diferentes cidades enquanto escrevia sua história, e nenhuma delas me pareceu certa porque *todas* me pareceram certas.

Há pessoas como Kenna por toda parte, em todas as cidades. Pessoas que se sentem sozinhas no mundo, onde quer que elas estejam. Quando terminei o livro, percebi que ainda não tinha especificado o cenário exato, mas a ambiguidade em relação ao local onde a história de Kenna se passa me pareceu de alguma maneira correta. Então, esta é sua permissão para imaginar que esta história acontece onde quer que você esteja no mundo. Por mais que nossos vizinhos pareçam completos por fora, não fazemos ideia de quantos pedacinhos quebrados cada um deles carrega dentro de si.

Ler é um hobby, mas para alguns de nós é uma forma de escapar das dificuldades que enfrentamos. Para todos vocês que usam livros para escapar, quero lhes agradecer por terem escapado com este aqui. No entanto, também quero me desculpar por nunca ter conseguido escrever comédias românticas, por mais que eu tente. Comecei esta história achando que seria uma comédia romântica, mas obviamente os personagens não estavam muito a fim. Fica para a próxima, talvez.

Também quero agradecer a quem leu este livro antes e me deu feedbacks tão úteis: Pam, Laurie, Maria, Chelle, Brooke, Steph, Erica, Lindsey, Dana, Susan, Stephanie, Melinda, e tenho certeza de que há mais pessoas que o lerão e me darão seus feedbacks depois que estes agradecimentos forem enviados, então também agradeço àqueles que me ajudam de última hora sem receber nenhum crédito publicamente.

E muito obrigada a duas irmãs, Kenna e Rowan. Vi os nomes de vocês no meu grupo de leitores e os roubei para este livro porque achei que seria um ótimo nome para uma personagem, então espero ter feito jus aos nomes de vocês!

Quero agradecer a Jane Dystel, minha agente literária, e a Lauren Abramo, minha agente responsável pelos meus direitos autorais no exterior. Vocês duas e suas equipes são muito atenciosas, incríveis e *pacientes*.

Agradeço imensamente à Montlake Publishing, a Anh Schluep, a Lindsey Faber, a Cheryl Weisman, a Kristin Dwyer, a Ashley Vanicek e a todos os outros que ajudaram na criação e na distribuição deste livro. Foi um prazer trabalhar com vocês e prezo demais toda a equipe da Montlake.

Obrigada à dupla que me anima, Stephanie e Erica.

Obrigada, Lauren Levine, por acreditar em mim. Sempre.

Agradeço imensamente a todos que trabalham duro no Bookworm Box e no Book Bonanza. A instituição de caridade não existiria sem cada um de vocês.

Obrigada a minhas irmãs, Lin Reynolds e Murphy Fennell. Vocês duas são minhas irmãs favoritas.

Obrigada a Murphy Rae e a Jeremy Meerkreebs por responderem às minhas perguntas iniciais. O conselho de vocês originou a ideia deste romance, então obrigada aos dois!

A Heath, Levi, Cale e Beckham: obrigada por me tratarem como uma rainha. Mundo, eu ganhei de presente os quatro melhores homens do planeta. Não me @.

A minha mãe. Obrigada por ser a leitora inicial, e a mais entusiasmada, de cada livro que escrevo. Se não fosse você, nem sei se eu conseguiria concluir a maioria deles.

E também, hum, TikTok! Quê? QUÊ? Nem sei o que dizer. Obrigada aos que fazem parte do BookTok e que ajudaram não apenas os meus livros a alcançarem novos leitores, mas também os livros de muitos outros autores. O amor de vocês pela leitura tem criado novos leitores e ajudado todo o mercado editorial de muitas maneiras. É algo lindo de se testemunhar.

E por último... obrigada aos membros do grupo Colleen Hoover's CoHorts no Facebook. Vocês alegram o meu dia todos os dias.

Obrigada ao mundo e a todos aqueles que o habitam!

Este livro foi composto na tipologia Minion Pro,
em corpo 11,5/15, e impresso em papel off-white,
no Sistema Cameron da Divisão Gráfica
da Distribuidora Record.